MÉXICO

GUÍA DE SITIOS ARQUEOLÓGICOS

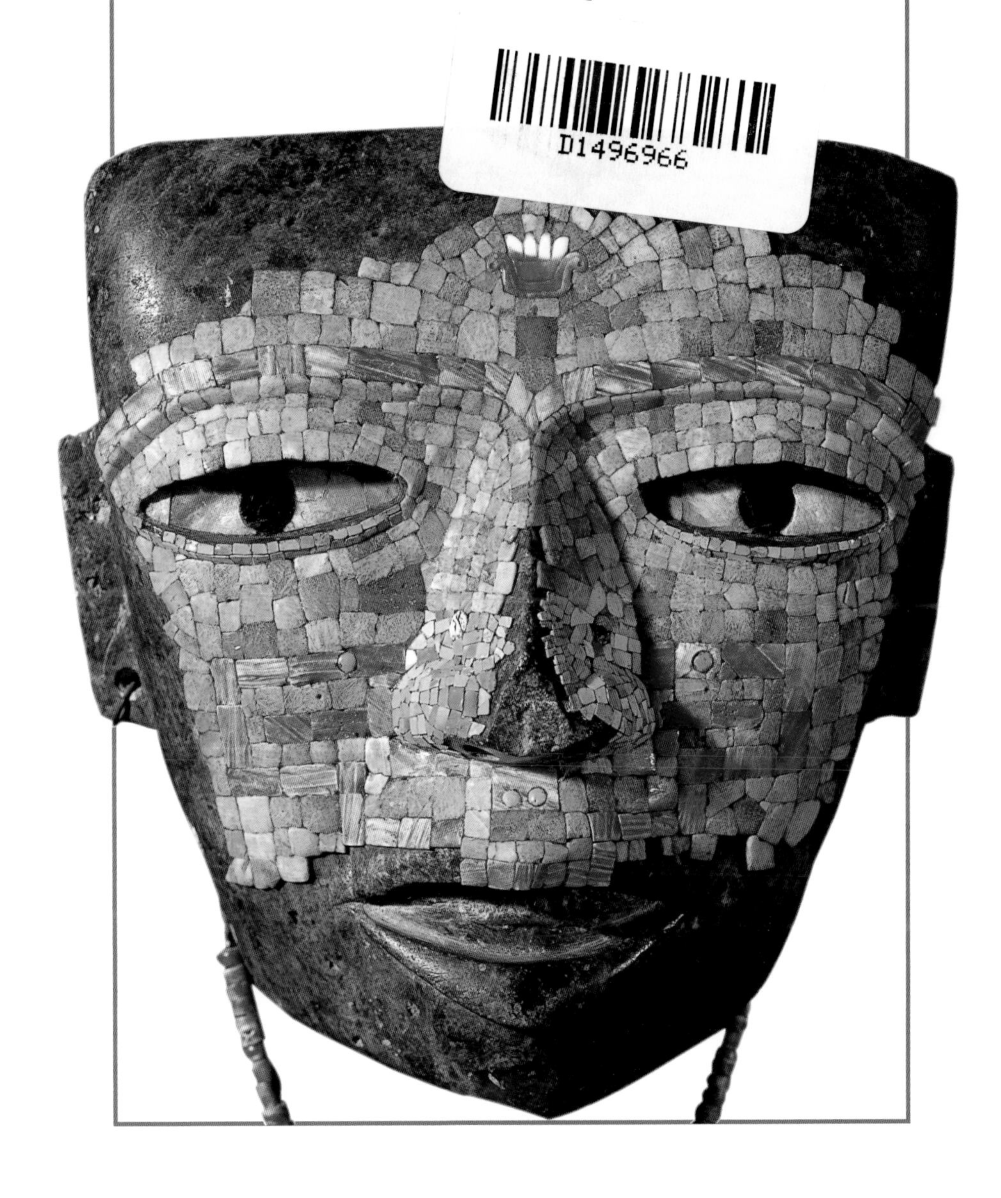

OCEANO

MÉXICO

GUÍA DE SITIOS ARQUEOLÓGICOS

Texto: Davide Domenici
Diseño original: Patricia Balocco Lovisetti
Traducción: Dulce María López Vega
Diseño (versión en español): veaDiseño, SC

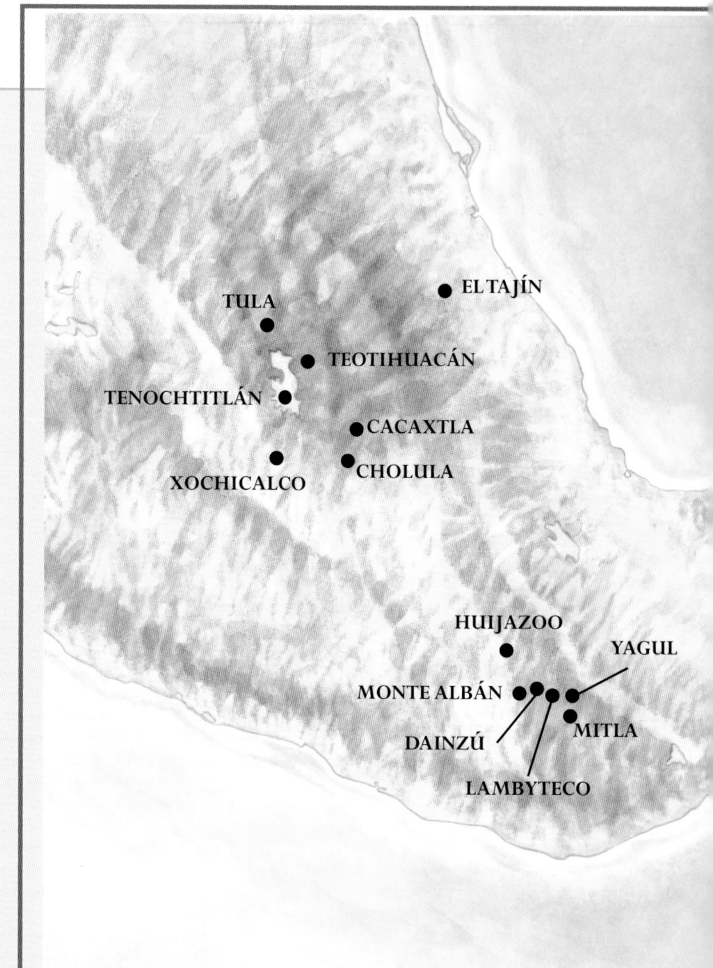

CONTENIDO

Pág. 1 *Esta máscara funeraria en jadeíta de Teotihuacan es un ejemplo de la maestría de los artesanos de Mesoamérica. Está recubierta con turquesas, conchas y pirita, y se calcula que fue realizada alrededor del siglo VII a.C.*

Págs. 2-3 *En esta magnífica vista aérea de la zona arqueológica de Palenque, en el estado de Chiapas, podemos admirar el Palacio y el Templo de las Inscripciones.*

WHITE STAR PUBLISHERS

WS White Star Publishers® is a registered trademark property of De Agostini Libri S.p.A.

Via G. da Verrazano, 15 - 28100 Novara, Italy
www.whitestar.it - www.deagostini.it

Blvd. Manuel Ávila Camacho 76, piso 16
Col. Lomas de Chapultepec
Miguel Hidalgo, CP 11000, México, D.F.
Tel. (55) 9178 5100
info@oceano.com.mx

ISBN: 978-607-735-717-9

Impreso en China / Printed in China

Itinerario 5

Mesoamérica y sus pueblos

La historia de Mesoamérica es la historia de un gran número de pueblos que, durante cuatro mil años, dieron vida a una tradición cultural común, a un carácter particular que claramente podemos reconocer en las diversas manifestaciones artísticas mesoamericanas. A pesar de que los estilos de los sitios arqueológicos de la región son muy variados, tanto arquitectónica, como escultórica y pictóricamente, es posible reconocer la marca de un lenguaje común, formado en milenios de intercambios comerciales, guerras y alianzas. Teotihuacanos, toltecas, zapotecas, mixtecos, totonacas, mixes-zoques, mayas y aztecas son sólo algunos de los pueblos que "construyeron" Mesoamérica, organizados en sencillas comunidades agrícolas o en señoríos, estados e imperios, cuyas huellas son aún visibles en los grandes centros monumentales de los que hablaremos en este libro.

Le proponemos un viaje al pasado de la civilización mesoamericana mediante cinco itinerarios en los que recorreremos algunas de los principales zonas arqueológicas de México, Guatemala y Honduras. Para hacer la selección que aquí presentamos, nos fue preciso dejar de lado otros sitios también importantes, incluso regiones enteras como la del Occidente y Norte de México; creemos sin embargo, que los itinerarios que le proponemos son una muy buena manera de realizar un primer acercamiento a Mesoamérica.

Antes de iniciar nuestro viaje, es necesario hacer algunas advertencias. Adentrarse en las ruinas de México significa visitar templos, palacios, tumbas y moradas de príncipes, es decir, monumentos que son fruto de las antiguas clases dirigentes y de sus exigencias propagandísticas y conmemorativas. Observar el pasado prehispánico a través de sus ruinas monumentales, significa por lo tanto ver su parte más fastuosa y "oficial", dejando de lado las masas campesinas que fueron las verdaderas protagonistas ocultas de milenios de historia.

Esto no quiere decir que haya que limitarse a "leer" los testimonios arqueológicos en el indicio de lo fastuoso y la magnificencia: el análisis de los monumentos y de sus complejas alusiones simbólicas permite de hecho comprender los mecanismos ideológicos sobre los que estaba fundado el poder político, así como los conceptos cosmológicos que con ellos se pretendía expresar. Tales conceptos, a pesar de que eran elaborados por la élite cultural y religiosa, deben también haber sido compartidos por estratos sociales cuyas trazas arqueológicas son más evanescentes.

El viaje a través de los vestigios del México antiguo se vuelve de esta manera, un viaje por la mentalidad autóctona, y cada monumento representa una parada en la historia de su mentalidad. Por otra parte, no hay que dejarse deslumbrar por la precisión de los cálculos astronómicos, la complejidad de los calendarios y de los sistemas de escritura, la brutalidad de los ritos y sacrificios. Es verdad que se trata de cosas reales y fascinantes de la civilización mesoamericana, pero concentrar nuestra atención únicamente en esos aspectos, equivale a caer en la trampa de la vieja propaganda y quedarse por lo tanto con una imagen idealizada del mundo indígena. El lugar común de una Mesoamérica poblada por astrónomos y matemáticos pacíficos es también resultado de este error, mientras una observación cuidadosa de las ruinas monumentales nos enseña que los antiguos mesoamericanos eran hombres comunes, para bien y para mal, dedicados tanto a las matemáticas como a la guerra, a la astronomía como a la propaganda política.

Al parecer el Viejo Mundo –desde la época de los conquistadores españoles hasta la de los actuales "adeptos del misterio"– siempre ha evitado aceptar la común identidad humana que lo une con el mundo indígena americano; los antiguos habitantes de estas tierras han sido a ratos percibidos como animales carentes de alma, buenos salvajes, pacíficos astrónomos o detentores de ancestrales revelaciones provenientes de la Atlántida o de los extraterrestres.

Tal vez, esta dificultad para aceptar la humanidad del mundo indígena –y al mismo tiempo, su radical alteridad– también está ligada al sentimiento de culpa de una Europa que, mientras destruía esa realidad, inscribía su ingreso en la época moderna. La conquista tanto de México como del Perú, constituye de hecho el mayor genocidio en la historia de la humanidad, un evento que puso bruscamente fin al desarrollo de la tradición mesoamericana.

Pero incluso en este punto, no debemos dejarnos inducir a error: es verdad que los monumentos precolombinos son parte de un mundo del pasado y que resulta muy difícil encontrar en ellos huellas que nos permitan encontrar lazos de unión con nosotros, pero también es verdad que la realidad indígena no fue completamente anulada y que sus restos no han quedado confinados solamente a las zonas arqueológicas o a las vitrinas de los museos. En México, todavía se hablan más de cincuenta lenguas autóctonas; y mayas, nahuas, mixtecos, zapotecas y muchos otros grupos étnicos descendientes directos de los pueblos precolombinos, ocupan todavía sus tierras de origen. En su comida, en su vestimenta y en sus creencias se conserva aún la herencia de la ancestral Mesoamérica.

Ornamento mixteco para labio en oro con forma de águila. El uso de este tipo de objetos, grandes aretes redondos y otras joyas en piedras preciosas, estaba reservado a la nobleza y con frecuencia indicaban el rango social del portador.

▶ *Escultura en estuco moldeado que representa probablemente a Pacal, rey de Palenque. Contrariamente a lo que se pensaba hasta hace algunas décadas, muchas de las creaciones artísticas mesoamericanas hacen referencia a personajes y eventos históricos.*

Síntesis histórico-cultural de Mesoamérica

El área cultural que llamamos Mesoamérica llegó a abarcar, en el momento de su máxima expansión, parte de los actuales territorios de México, Belice, Guatemala, Honduras, Salvador, Costa Rica y Nicaragua; en sus tierras, por más de cuatro mil años, se desarrollaron decenas de culturas en regiones con muchas diferencias desde el punto de vista ambiental y climático, y cuyas características contribuyeron a alimentar intercambios y relaciones entre pueblos diversos. La singular trayectoria histórica y artística de cada uno de ellos, se integra sin embargo en un continuo, una historia mesoamericana que los especialistas subdividen en periodos y subperiodos con características sociales y políticas específicas .

El preclásico antiguo: Aparición de la agricultura y de las primeras comunidades. (2500 a.C. – 1200 a.C.)

El nacimiento de Mesoamérica coincide con la difusión de la agricultura y con la aparición de los primeros objetos en cerámica. El proceso de acondicionamiento de las plantas selváticas fue iniciado aproximadamente en el 7000 a.C., por poblaciones de cazadores y recolectores seminómadas en zonas áridas y montañosas. Su intervención en los ciclos vegetativos de las plantas que recogían llevó progresivamente al cultivo de todas las especies vegetales que más tarde se volvieron la base de la subsistencia de los pueblos mesoamericanos: especialmente la calabaza, el maíz, los frijoles, el amaranto y el chile. Estos mismos cazadores-recolectores fueron quienes domesticaron el cerdo y el perro, que eran los únicos animales de crianza hasta la llegada de las especies importadas de Europa.
A partir del año 2500 a.C. empezaron a aparecer los primeros pueblos agrícolas sedentarios en el Valle de México, en el de Tehuacán, y luego en el de Oaxaca, en la sierra de Tamaulipas y en Chiapas y Guatemala. En estos pueblos igualitarios del Preclásico Antiguo, pocas veces compuestos por más de una veintena de chozas de madera, follaje y adobe, se fundaron los cimientos culturales y económicos de toda la tradición mesoamericana posterior.

El preclásico medio: La cultura olmeca y la constitución de las jerarquías sociales (1200 – 400 a.C.)

El Preclásico Medio fue un periodo de gran desarrollo tecnológico y cultural de Mesoamérica. La mejoría de las técnicas agrícolas permitió de hecho un claro incremento de la producción, mientras la diferenciación social al interior de las comunidades se volvía cada vez más palpable, y creaba las premisas para las primeras manifestaciones espectaculares del arte y de la arquitectura mesoamericanos. En la parte meridional del Golfo, entre 1200 y 400 a.C., se desarrolló la gran tradición cultural olmeca, que dejaría una impronta indeleble en gran parte de las sociedades mesoamericanas. Los centros ceremoniales de San Lorenzo, Laguna de los Cerros, La Venta y Tres Zapotes, para citar sólo los más importantes, fueron embellecidos con arquitectura de adobe e imponentes esculturas de basalto que representaban a los gobernantes olmecas y a sus divinidades protectoras.

La escultura y la arquitectura olmecas demuestran la gran capacidad de las élites locales para movilizar mano de obra, algo que lograban probablemente gracias al control de un complejo sistema ideológico, reflejado en un estilo artístico que tuvo un éxito extraordinario en toda Mesoamérica. Durante el Preclásico Medio, se difundieron objetos de estilo olmeca en el Valle de México, Guerrero, Oaxaca, Chiapas y, al sur, hasta el Salvador y Costa Rica. Los especialistas pensaron mucho tiempo que se debía a una especie de "proselitismo" de los sacerdotes o a que los olmecas habían fundado verdaderas colonias en lugares lejanos de la madre patria del Golfo. En la actualidad, aunque es claro que la influencia olmeca no fue homogénea en todas las regiones, parece que en realidad los objetos producidos por esta cultura (cerámica, jade, etcétera) constituían bienes de lujo codiciados por las élites político-religiosas de las diversas regiones mesoamericanas, ansiosas de instituir y justificar su poder mediante bienes materiales que fueran testimonio de su contacto con la prestigiosa sociedad olmeca.

El preclásico tardío: Diferenciación regional (400 a.C. – 300 d.C.)

Desde el Preclásico Medio las diversas regiones mesoamericanas tomaron rápidamente la vía de la jerarquía social, un fenómeno que se manifestó en el nacimiento de verdaderos señoríos de carácter hereditario.
Durante el Preclásico Tardío estas nuevas élites impulsaron un gran desarrollo artístico e intelectual, aunque ligado a las exigencias de glorificación del poder político. De este periodo sobresalen los primeros vestigios del calendario y la escritura. Por otra parte, en el Preclásico Tardío se asentó definitivamente la tradición escultórica del bajorrelieve, que durante siglos sustituyó casi por completo a la escultura típica del estilo olmeca. Cuando se desvaneció la influencia estilística hasta entonces predominante nacieron las expresiones artísticas regionales que llegaron a su apogeo durante el Periodo Clásico que siguió.
En la costa del Golfo, la herencia olmeca se desarrolló en el sitio de Tres Zapotes (ya ocupado en la época olmeca y después centro principal de la llamada cultura epiolmeca), donde se constituyó un estilo escultórico particular.
En el valle de Oaxaca, desde el Preclásico Medio el asentamiento de San José Mogote había impuesto su dominio a los habitantes vecinos, dando inicio a la milenaria tradición artística zapoteca que se desarrolló después, a partir del 400 a.C., en el gran centro de Monte Albán.
En el Valle de México los diversos núcleos regionales del Preclásico Medio fueron progresivamente atraídos por los sitios de Cuicuilco –con su gran pirámide circular– y Teotihuacán, donde iniciaba la construcción de las pirámides del Sol y de la Luna. La erupción del volcán Xitle, ocurrida poco antes del inicio de la era cristiana, sepultó Cuicuilco, y abrió de esta manera el camino para el desarrollo de Teotihuacán, cuyo destino era ser la más grande de las ciudades conocidas hasta entonces por el México precolombino.
En el sur de Mesoamérica, el Preclásico Tardío marcó el inicio de cambios aún más radicales. Chiapas y la costa pacífica de Guatemala estaban en cambio ocupados por grupos mixe-zoque que guardaban estrecho contacto con los mayas de la tierras altas de Guatemala, desde donde se iniciaba la colonización de las vastas selvas tropicales de las Tierras Bajas, que van de Petén a Yucatán.
En el Preclásico Tardío la interacción entre la costa del Pacífico y las Tierras Altas tuvo como resultado un extraordinario desarrollo artístico y cultural en sitios como Izapa (mixe-zoques) y Kaminaljuyú (mayas), donde se desarrolló uno de los mejores estilos escultóricos de Mesoamérica.
Mientras tanto, en las Tierras Bajas comenzaron también a establecerse importantes centros de poder, como El Mirador, vasto territorio maya que fue el prototipo de la ciudad-Estado del Periodo Clásico.

◄ *Las colosales cabezas olmecas en basalto, que probablemente representan a soberanos, constituyen uno de los pocos ejemplos del estrecho nexo existente entre el arte monumental y las exigencias propagandísticas del poder político de los antiguos mesoamericanos. La imagen muestra a la cabeza 6 de San Lorenzo, perteneciente al Preclásico Medio.*

▼ *Escultura olmeca en piedra verde conocida como "El señor de Las Limas" por el lugar donde fue hallado, en el estado de Veracruz. Pertenece al Preclásico Medio y representa uno de los temas más difundidos en el arte olmeca: un adulto porta en brazos a un niño con rasgos de jaguar, que probablemente encarna a una de las divinidades de la lluvia.*

Clásico antiguo: El establecimiento de las grandes tradiciones (300 – 600 d.c.)

El periodo Clásico fue el momento de máximo esplendor de Mesoamérica; su primera fase, conocida como Clásico Antiguo, vio establecerse las grandes tradiciones regionales mesoamericanas, principalmente la teotihuacana, la zapoteca y la maya. En este periodo las técnicas agrícolas lograron su mayor desarrollo, se consolidó el papel de los grandes núcleos urbanos y tomó forma un vasto sistema comercial, gracias sobre todo, a la acción de Teotihuacán, cuya influencia dejó sentir hasta las más lejanas regiones mesoamericanas. Teotihuacán era una inmensa ciudad planificada, en torno a cuyo centro monumental se extendían, hasta perderse de vista, centenares de núcleos habitacionales. La riqueza extraordinaria de la metrópoli –que tenía intensas relaciones con poblaciones como Monte Albán (Oaxaca), Cholula (Puebla), Matacapan (Veracruz) y Kaminaljuyú (Guatemala)–, se debió principalmente al control de las rutas comerciales mesoamericanas y a una suerte de "monopolio" del comercio de la obsidiana. Teotihuacán fue también la primera ciudad multiétnica del centro de México: de hecho, se han hallado núcleos urbanos habitados por zapotecas de Oaxaca y por gente de la costa del Golfo, probablemente en calidad de comerciantes-embajadores.

Máscara funeraria teotihuacana (periodo Clásico Antiguo). El arte del labrado de las piedras preciosas fue uno de los más desarrollados en la antigua metrópoli del centro de México, donde se han identificado barrios dedicados específicamente a este tipo de trabajo.

En el valle de Oaxaca, la capital zapoteca de Monte Albán acrecentó su poder gracias a una expansión de carácter militar y a la continua relación con Teotihuacán, dando vida a un fuerte Estado centralizado que dominó durante siglos al mundo zapoteca. En los valles de la Mixteca Alta crecían mientras tanto las pequeñas capitales de los reinos mixtecos, que más tarde se volverían protagonistas de la historia oaxaqueña.

En las Tierras Bajas mayas el Clásico Antiguo se distinguió por el desarrollo de muchas ciudades-Estado dominadas por poderosas dinastías reales y, sobre todo en localidades como Copán o Tikal, por la evidente influencia teotihuacana. Tikal, en particular, se volvió rápidamente la principal ciudad del Petén gracias a campañas militares significativas emprendidas contra los núcleos urbanos vecinos. Es muy probable que la presencia teotihuacana en el mundo maya estuviese mediada por Kaminaljuyú, la antigua ciudad maya de Tierras Altas que se había transformado en un centro propulsor de cultura teotihuacana.

En aquellos siglos tomaron forma los caracteres fundamentales del arte maya: el complejo escultórico estelas-altares, el arte del bajorrelieve, la cerámica policromada, la pintura mural y el uso de la falsa bóveda en arquitectura.

El final del Clásico Antiguo, alrededor del 600 d.C., fue marcado por dos eventos fundamentales y probablemente relacionados entre sí: la desaparición total de todo rasgo teotihuacano en el arte maya y la interrupción temporal de la construcción de monumentos en Tikal, debido a una derrota militar devastadora sufrida ante la ciudad de Caracol.

"Urna" zapoteca en terracota que representa a una mujer de la nobleza (periodo Clásico). La producción de este tipo de "urnas", que en realidad eran ofrendas funerarias, fue una de las características más notables del arte zapoteca.

Página 11 Incensarios de terracota provenientes de la región de Palenque (Chiapas). Esta compleja e intrincada obra, típica del arte maya, representa a un soberano sentado sobre el mascarón de una divinidad del inframundo, y ataviado con un penacho en el que aparece la imagen de un dios celeste. La pieza pertenece al periodo Clásico Tardío.

El clásico tardío y epiclásico: Apogeo y decadencia (600 – 900/1000 d.C.)

El Clásico Tardío constituyó ciertamente el momento de apogeo de las tradiciones regionales mesoamericanas, tanto del punto de vista artístico-cultural como demográfico. Los artistas produjeron sus mayores obras maestras, mientras señoríos, Estados e imperios lograban una complejidad sin precedentes.

Se calcula que en la primera parte de esta época, Teotihuacán tenía 200,000 habitantes, Monte Albán 30000 y Tikal 40000. Sin embargo, el Clásico Tardío fue una suerte de "canto del cisne": por causas hasta ahora parcialmente desconocidas el sistema económico-político clásico se colapsó súbita y completamente en toda Mesoamérica entre el 750 y el 1000 d.C., lo cual desembocó en un periodo de profunda reorganización étnica y cultural.

Como siempre, el "motor" de gran parte de estos sucesos fue Teotihuacán. Después del apogeo de su poder económico y cultural entre el 400 y el 650 d. C., la gran ciudad del centro de México comenzó a dar señas de decadencia, perceptibles sobre todo en la pérdida de influencia en otras regiones de Mesoamérica. No se sabe si esta crisis fue ocasionada únicamente por motivos socioeconómicos internos o por la creciente presión de los pueblos que lentamente bajaban de las regiones septentrionales. Se sabe sin embargo que, alrededor del 750 d.C., muchos edificios del centro monumental fueron incendiados, que gran parte de la población emigró hacia otras regiones y que la metrópolis fue ocupada por los "bárbaros" septentrionales conocidos como chichimecas, que se volverían los protagonistas de los siglos posteriores.

El derrumbe del núcleo fundamental del sistema clásico se percibió rápidamente en todo el centro de México entre el 750 y el 900/1000 d.C. (periodo conocido como Epiclásico en esta región): muchos centros fueron abandonados y otros gozaron de un florecimiento, mientras grandes migraciones cambiaban el panorama étnico de Mesoamérica.

Asentamientos como Tula Chico (Hidalgo), Xochicalco (Morelos), Teotenango (Estado de México) y Cacaxtla (Tlaxcala) lograron disfrutar de la reorganización económica y política de la región, creando espléndidas aunque efímeras formas artísticas, que se distinguían por un notable eclecticismo y la aparición de rasgos estilísticos mayas en regiones donde nunca antes se había manifestado su influencia.

En la costa del Golfo, la ciudad de El Tajín, que había florecido durante el Clásico, dio muestras de prosperidad desarrollando un innovador estilo artístico y arquitectónico. En el valle de Oaxaca, Monte Albán –aunque no completamente abandonada– vivió una grave crisis entre el 800 y el 900 d.C., favoreciendo el desarrollo de centros que en otro momento tuvieron menor importancia en el valle. En el mundo maya, en cambio, la decadencia no se sintió inmediatamente. Entre el 600 y el 900 d.C. las dinastías reinantes llegaron a su apogeo en ciudades como Tikal, Copán, Palenque y Yaxchilán, dando impulso al desarrollo de peculiares estilos artísticos regionales muy refinados. Hacia el 900 d.C. sin embargo, la crisis se volvió muy violenta: se interrumpió la construcción de monumentos y casi todas las grandes ciudades de las Tierras Bajas centrales fueron abandonadas para siempre. En muchas localidades empezaron a aparecer agresivos comerciantes-guerreros mayas, conocidos como putunes o chontales. Eran originarios de la costa baja del Golfo y portadores de una cultura fuertemente "mexicanizada", es decir cargada de elementos provenientes del centro de México.

El colapso no afectó de la misma manera a todo el mundo maya. En la península de Yucatán florecieron regiones que supieron aprovechar los grandes cambios que estaban ocurriendo y que fungieron como puente entre el mundo clásico y el nuevo universo étnico y político del Postclásico.

El postclásico antiguo: Los toltecas y el nuevo mundo maya (900/1000 – 1250 d.c.)

Mucho tiempo se pensó que existía un contraste muy marcado entre los periodos Clásico y Postclásico. Se caracterizaba al primero como pacífico y de gran desarrollo artístico y cultural, y al segundo como una fase histórica radicalmente distinta, una época de violento militarismo y en la que se habían difundido prácticas como el sacrificio humano. En la actualidad, esta diferenciación se concibe de manera menos contrastada: por una parte, hoy se sabe que también en el periodo Clásico los combates y sacrificios eran bastante comunes, y por otra, la producción intelectual del Postclásico es más valorada. El carácter innovador de esa época parece estar ligado a las frecuentes migraciones de las poblaciones y al aumento de grandes entidades políticas multiétnicas que rebasaron las tradiciones regionales. En el centro de México los nuevos protagonistas de la escena política fueron los pueblos que en distintas olas migratorias descendieron de las regiones del México septentrional, y sufrieron un proceso de aculturación o "mesoamericanización". Uno de esos grupos fue el que fundó, alrededor de 700 d.C. la ciudad de Tula Chico (al norte de la actual Ciudad de México) y, un poco más tarde, la vecina Tula Grande, que después se volvería la capital del nuevo imperio tolteca. Entre el 900 y el 1150 d.C., de hecho, Tula se convirtió en el centro propulsor de una nueva ideología política, y en la capital de un vasto imperio comercial multiétnico, cuya influencia se hizo sentir en gran parte de Mesoamérica. Aproximadamente en el 1150 d.C., por causas desconocidas aunque probablemente relacionadas con nuevas migraciones provenientes del norte, Tula fue abandonada. En el valle de Oaxaca, el Postclásico Antiguo se caracterizó por una suerte de "balcanización" del panorama político, en el que crecieron numerosas entidades políticas o señoríos. Las que mejor se conocen son las de la Mixteca Alta, y se sabe poco de la historia de los pueblos zapotecas que sucedieron a la caída de Monte Albán. Las magníficas piezas de joyería y cerámica mixtecas encontradas en algunas tumbas de Monte Albán y Zaachila muestran que la influencia de los guerreros reinos mixtecos abarcó incluso regiones tradicionalmente zapotecas.

En el mundo maya la penetración de rasgos culturales provenientes del centro de México resulta más notoria en las tierras altas de Guatemala y en la península de Yucatán. En esta última región, Chichen Itzá se convirtió en la nueva capital del gran reino de los Itzá, un dinámico grupo de mayas "amexicanizados". La ciudad, una suerte

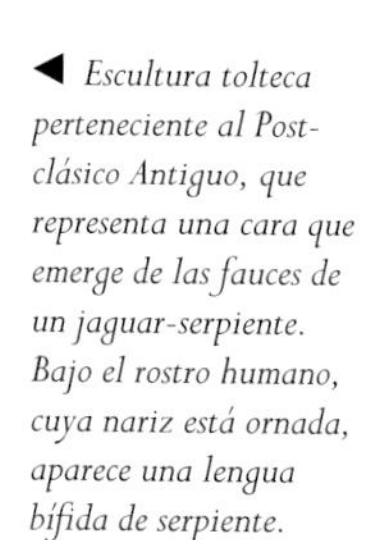

◄ *Escultura tolteca perteneciente al Postclásico Antiguo, que representa una cara que emerge de las fauces de un jaguar-serpiente. Bajo el rostro humano, cuya nariz está ornada, aparece una lengua bífida de serpiente.*

▲ *Este ornamento en oro, perteneciente al Postclásico, formaba parte de los valiosos objetos funerarios mixtecos encontrados en la Tumba 7 de Monte Albán (Oaxaca).*

de Oaxaca y Veracruz, y más hacia el sur, la rica provincia del Soconusco, célebre por sus plantaciones de cacao. Solamente territorios indomables como el de Tlaxcala conservaron su independencia.
Los mexicas reinantes, que detentaban el mando militar en el ámbito de la alianza, impusieron cada vez con mayor fuerza su poder sobre los reinos confederados, gracias a las astutas estrategias políticas de soberanos como Itzcoatl (1426-1440), Motecuhzoma Ilhuicamina (1440-1468) y Ahuizotl (1486-1502). Ellos fueron quienes lograron animar una ideología político-religiosa fundada en la guerra y en el sacrificio que, junto con el poderío de los ejércitos de la Triple Alianza, fueron el catalizador de la expansión militar y económica del imperio.
Más allá de sus fronteras, mientras tanto, se desarrollaban nuevas formaciones políticas: en el noroeste el poderoso Estado tarasco, en el suroeste los reinos mixtecos, y en la zona maya, nuevos centros sustituyeron a Chichen Itzá en la jerarquía regional. Entre ellos, so-

◀ *Este incensario en terracota, proveniente de Mayapán (Yucatán) data del periodo Postclásico Tardío y representa a Chac, dios de la lluvia –reconocible por la larga nariz y los colmillos de fuera–, llevando en su mano dos bolas de incienso.*

▶ *Escultura azteca perteneciente al Postclásico Tardío. La figura portaba un estandarte o una bandera; los ojos y los dientes del personaje tienen aplicaciones de concha.*

de gemela de Tula, tuvo además el papel de principal centro de culto de Kukulkán, la Serpiente Emplumada, que dominaba el panteón tolteca. Pero tampoco Chichen Itzá logró sobrevivir a la caída de los principales centros mesoamericanos y, hacia 1250 d.C., un siglo después de la Tula "original", fue definitivamente abandonada.

El postclásico tardío: El imperio azteca (1250 – 1521 d.c.)

Mientras Tula caía, nuevos grupos de chichimecas bajaron del centro de México. Aunque las fuentes aztecas siempre los describen como nómadas miserables, parece que en realidad se trataba generalmente de agricultores, descendientes de pueblos mesoamericanos que en otros siglos habían avanzado hacia el norte en busca de nuevas tierras para colonizar. Esos pueblos, conocidos como nahuas, se asentaron en el Valle de México, donde fundaron ciudades como Acolhuacan, Tenayuca, Azcapotzalco y Texcoco, cuyas dinastías reinantes llenaron el vacío de poder dejado tras la caída de Tula.
A principios del siglo XIV un nuevo grupo nahua, después de una larga migración iniciada desde la mítica localidad de Aztlán, llegó al Valle de México y obtuvo de los señores tepanecas de Azcapotzalco permiso de asentarse en las isletas que estaban en el centro del lago de Texcoco, donde en el año 1325 fundaron la ciudad de México-Tenochtitlán.
Los mexicas, conocidos ahora equivocadamente como aztecas, después de someterse durante un siglo a Azcapotzalco, se aliaron en 1430 con los acolhuas de Texcoco y derrotaron a sus opresores tepanecas. Fue así como se fundó la Excan Tlatoloyan ("Tribunal de tres sillas", mejor conocido como "Triple Alianza") que reunía a los mexicas de México-Tenochtitlán, los acolhua de Texcoco y los tepanecas de Tlacopan. Hasta el año 1502, esta alianza tuvo una extraordinaria expansión militar: ocuparon casi todas las tierras del centro de México, el valle

bresalen Mayapán, auténtica "capital" de Yucatán hasta 1450, y Tulum, pequeño y rico centro construido frente al mar del Caribe. Precisamente a los habitantes de las localidades mayas de la costa, como Tulum, tocó ver por primera vez a las naves españolas que pronto pondrían fin a cuatro mil años de desarrollo cultural independiente de los pueblos indígenas.

La sociedad

Desde la época preclásica se consolidaron algunos aspectos peculiares de la jerarquía social mesoamericana, por ejemplo la división de la población en grupos de parentesco ampliados, la distinción en dos clases (nobleza y pueblo) y la institución de un poder político hereditario. Gran parte de las sociedades mesoamericanas eran dominadas por soberanos a quienes se les reconocía una condición semidivina, pertenecientes al más importante de los diversos grupos familiares de nobles que justificaban su poder en un ancestro mítico fundador de la dinastía.

El sistema político dinástico alcanzó su culminación en el mundo maya, donde un gran número de soberanos de nivel

Esta reproducción del panel escultórico del Templo del Sol de Palenque (Chiapas) es obra de Frederick Catherwood. El bajorrelieve representa al soberano Chan Bahlum portando la compleja vestimenta de gala que utilizó durante las ceremonias de su acceso al trono.

semejante (al menos desde el punto de vista formal), llamados ahau ("señores") o ahpo ("señores del petate"), reinaban en cada una de las ciudades-Estado. Aunque las relaciones políticas entre los diversos centros de poder maya fueron inconstantes y nunca se llegó a organizaciones de tipo imperial, los señores de los principales asentamientos podían gobernar localidades menores mediante un batab ("gobernador") o a través de relaciones de parentesco con los señores locales.

Las relaciones políticas entre las diversas ciudades-Estado estaban vinculadas a una compleja red de alianzas, frecuentemente sostenidas por matrimonios entre miembros de dinastías distintas y mantenidas mediante un continuo intercambio de obsequios y embajadores.

Al parecer, algunos grandes Estados del centro de México se caracterizaban por tener un sistema político diferente. En Teotihuacán, donde no encontramos ningún indicio que sugiriera la existencia de una autoridad política individual o

dinástica, el poder era probablemente administrado por grupos de nobles-sacerdotes que sustentaban su derecho a gobernar en una suerte de "patronato" divino como la Serpiente Emplumada o el Jaguar, manifestaciones de los dos principales ámbitos cósmicos del universo indígena.
Al parecer, este sistema político se desarrolló sobre todo en las grandes formaciones estatales multiétnicas, para las que pertenecer a un linaje étnicamente definido no representaba suficiente justificación del derecho a gobernar. Este tipo de organización se instituyó y difundió en el Postclásico de manera muy amplia, aunque sus orígenes pueden ser atribuidos a Teotihuacán.
La distinción entre los dos tipos de poder político descritos anteriormente, no es nítida o claramente exclusiva, incluso es probable que, en las diversas regiones mesoamericanas, el segundo modelo haya reemplazado a formas de gobierno dinástico más tradicionales.

En este dibujo extraído de la Historia de las Indias de Nueva España e Islas de Tierra Firme *de Diego Durán (1579), se puede observar al* tlatoani *que, sentado en el trono y ataviado con capa y diadema, recibe a tres nobles cuyos nombres se indican en los complejos glifos que aparecen sobre sus cabezas. En el fondo se ven escenas de la fundación de Tenochtitlán.*

Esta estatuilla maya en cerámica representa probablemente a un sacerdote, ataviado con un sombrero de forma cónica, aretes y capa de plumas.

En este dibujo tomado del Códice Florentino *puede verse a un* tlatoani *o gobernante, sentado en un palacio de la nobleza. El personaje aparece ataviado con ricas vestimentas y una diadema que indica su rango. Las pequeñas comas que se observan ante su boca son signos que indican que está hablando.*

Gracias a las fuentes históricas del periodo colonial conocemos bastante bien la organización de la sociedad azteca. Estaba dividida en pueblo y nobles (llamados, respectivamente, *macehualtin* y *pipiltin*) cuyo estatus social se manifestaba en la vestimenta y ornamentos.
El pueblo era en su mayoría agricultores, artesanos, comerciantes y soldados, mientras a la nobleza pertenecían los gobernantes, sacerdotes, funcionarios, artistas y oficiales del ejército. La preparación para las funciones especiales de cada clase se impartía en dos escuelas distintas: el *tepochcalli* era el lugar de formación del pueblo, donde se enseñaba sobretodo el arte de la guerra, mientras el *calmecac* era un centro de enseñanza de disciplina extremadamente rígida en la que los jóvenes nobles recibían la instrucción relacionada con el arte, la religión, la administración y la conducción militar.
Ninguna de estas dos castas aztecas estaba cerrada de manera definitiva, ya que los nobles podían perder sus privilegios si cometían delitos o no pagaban deudas; sin embargo, la única manera de que una persona del pueblo ascendiera de clase era distinguiéndose en el campo de batalla.
Existía una tercera condición, que de alguna manera podría compararse a la esclavitud, conocida como *tlatlacolitztli*. Una persona se volvía *tlacotli* principalmente por no pagar deudas, por lo que estaba obligada a servir al acreedor. Se trataba por lo tanto, de una condición temporal y no hereditaria, de la se que podía escapar mediante la liquidación del adeudo. La "esclavitud" nunca tuvo un papel importante en el mundo económico azteca y, probablemente, en ninguna de las comunidades mesoamericanas.
En cada uno de los niveles sociales, diversas familias extendidas se reunían en grupos de parentesco todavía más amplios, llamados *calpultin*. A cada *calpulli* lo constituían familias relacionadas por lazos territoriales o de sangre que reconocían un ancestro común. Las ciudades postclásicas estaban divididas en barrios que correspondían a los diversos calpultin, cuyos miembros se dedicaban con frecuencia a actividades artesanales y técnicas, de las que eran especialistas. Cada *calpulli* tenía una escuela y un templo dedicado a su divinidad protectora, llamado *calpultéotl*.

► *Escena tomada del* Códice Florentino *en la que se ve una familia azteca dentro de una casa reunida para comer. Los diversos personajes están sentados sobre un petate y al parecer comen tortillas de maíz.*

▲ *Padres aztecas acompañan a sus hijos al* tepochcalli, *la escuela destinada a los jóvenes de la nobleza. Imagen del* Códice Florentino.

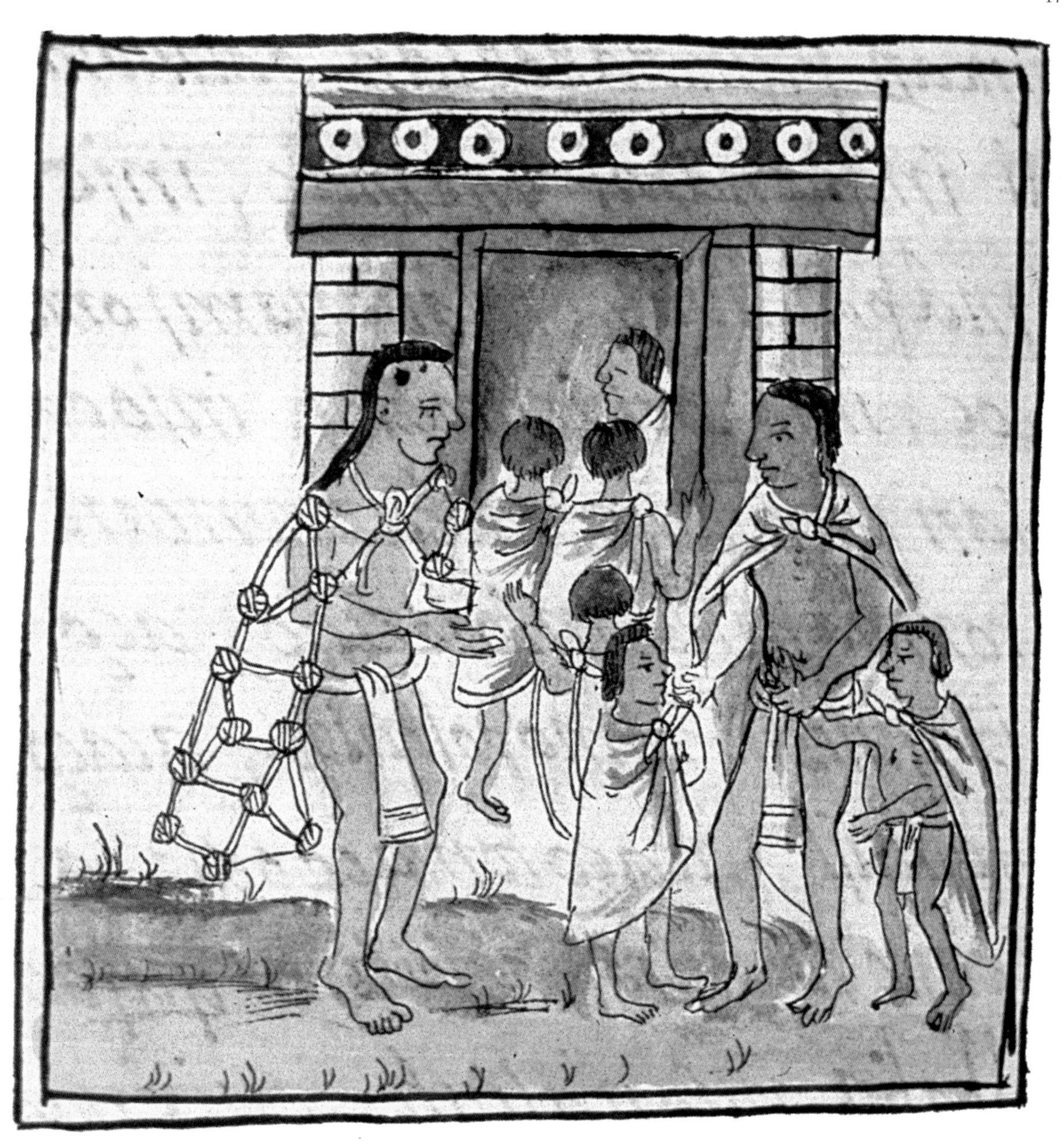

La administración de los asuntos internos del calpulli recaía en un hombre adulto que pertenecía a una de las familias prominentes, y al que se llamaba "pariente mayor". Asistido por un grupo de ancianos, se ocupaba de la distribución de la tierra (que cada calpulli poseía de manera comunitaria), de la administración del trabajo que se realizaba en la comunidad, de la enseñanza y del culto interno.
Todos los asuntos que tenían que ver con las relaciones entre el calpulli y el Estado eran responsabilidad del *tecuhtli* (un funcionario designado por el emperador) que se encargaba de la recaudación de los tributos, la organización militar, la administración de la justicia y la participación de los miembros del calpulli en las ceremonias religiosas de la ciudad.

El ápice de la jerarquía social azteca era ocupado por el soberano llamado *tlatoani* ("orador"), que gozaba de un estatus semidivino ya que, además de ser el descendiente del fundador de la dinastía, era también representante en la Tierra de Tezcatlipoca, una de las mayores divinidades aztecas. Heredaba el poder del padre o de un tío (los hermanos del soberano precedían de hecho a los hijos en el orden hereditario). El tlatoani era el jefe militar de más alto rango, sacerdote y juez supremo ayudado por el *cihuacoatl* ("mujer serpiente"), que se ocupaba de manera más directa de la administración económica y judicial, además de sustituir al tlatoani cuando se ausentaba. Un consejo de nobles especialistas regía los diversos ámbitos de la administración del gobierno.
Todos los sistemas políticos mesoamericanos se presentaban a sus súbditos como reflejo del sistema cosmológico. Cada capital pretendía ser el "centro del mundo", a los soberanos les gustaba mostrarse como representantes terrenales de antepasados divinos o de las principales fuerzas cósmicas, y la dualidad de los principales puestos de gobierno reflejaba la dualidad esencial del universo. Esta correspondencia con los esquemas cósmicos legitimaba las diversas formas de poder mostrándolas como inevitables e inmutables.
Como veremos más adelante, gran parte del arte mesoamericano estaba destinado a confirmar y glorificar esta correspondencia íntima entre orden terrenal y orden universal.

La guerra

Sabemos que la guerra fue una actividad muy difundida en Mesoamérica desde el periodo Preclásico. Uno de los más antiguos testimonios de sucesos bélicos es el Monumento 3 del sitio zapoteca de San José Mogote, que data del 500 a.C.: el basamento de piedra de un edificio público está decorado con la representación de un prisionero de guerra al que se le extrajo el corazón y de cuyo pecho sale un chorro de sangre; el lugar elegido para colocar la escultura tenía como significado que cualquiera que accediera al edificio pisoteaba al prisionero exaltando, al mismo tiempo, al señor local responsable de su captura.

Una serie de escenas análogas, que representaban prisioneros a los que se les había extraído el corazón o los genitales –conocida como de los "Danzantes" porque en algún momento se pensó que se trataba de bailarines– ornaba también el edificio más antiguo de Monte Albán, ciudad donde la derrota de los enemigos fue uno de los temas favoritos de la decoración escultórica monumental durante siglos.

Las selvas del mundo maya fueron también escenario continuo de conflictos entre los nobles de las guerreras ciudades-Estado. Al parecer, el ascenso irresistible de Tikal comenzó gracias a la victoria sobre la ciudad vecina de Uaxactún y después se involucró durante siglos en una guerra extenuante contra Calakmul y sus aliados, que terminó con la ruinosa derrota de Tikal a manos de la ciudad de Caracol. Muchos de los espléndidos bajorrelieves mayas conmemoran sucesos bélicos en los que se representa a los soberanos en el momento de maltratar a los prisioneros atrapados o jalándoles los cabellos.

La mayor parte de las guerras mayas no tenían, sin embargo, como fin la conquista y terminaban simplemente con la captura del rey y de los personajes prominentes de la ciudad derrotada, destinados a ser inmolados en el centro que había vencido. El texto maya quiché conocido como Rabinal Achí, proporciona un extraordinario testimonio de la complejidad de la ceremonia que rodeaba tales sacrificios. La célebre guerra entre Tikal y Uaxactún parece haber dado inicio a un nuevo tipo de choques que los especialistas llaman "Guerras de Tláloc y Venus" o "Guerra de las Astros", debido a que Venus, la Estrella de la Tarde, marcaba el comienzo de las hostilidades.

Los soberanos vestían en tales ocasiones una vestimenta especial cuya simbología proviene evidentemente del centro de México, como los adornos circulares alrededor de los ojos (símbolos del dios de la lluvia, Tláloc) y el signo del año en

Este dibujo tomado de la obra de Diego Durán, muestra un episodio de la Guerra de las Flores, el conflicto ritual que se llevaba a cabo para intercambiar prisioneros destinados al sacrificio, en el que los aztecas combatían contra la ciudad de Tlaxcala. Se puede observar a un caballero-águila con traje emplumado y una "espada" de madera y obsidiana.

▼ *Esta estatuilla maya clásica, proveniente de la isla de Jaina (Campeche), representa a un guerrero vestido con un largo ropaje emplumado.*

el penacho. Esto ha hecho pensar que las guerras de Tláloc y Venus son de origen teotihuacano, donde los guerreros sacrificados en el Templo de la Serpiente Emplumada muestran claramente la existencia de actividades bélicas asociadas al planeta Venus. Estas guerras se habrían difundido más tarde en el mundo maya a través de ciudades, como Tikal o Copán, que son las que mayor influencia recibieron de la gran metrópoli del centro de México. En diversas pinturas murales de Teotihuacán aparecen caballeros-águila y caballeros-jaguares que prefiguran las análogas y más célebres órdenes militares aztecas; aparecen también en dos grupos de combatientes representados en las pinturas de Cacaxtla, donde por otra parte, resulta muy clara la asociación entre la guerra y el planeta Venus.

En el Postclásico, con la introducción de nuevas formas de poder político y con la difusión de grandes entidades estatales multiétnicas, las guerras de conquista se volvieron norma. Los ejércitos toltecas, mayas, mixtecos y aztecas sometieron vastos territorios, cuyos habitantes eran obligados a pagar tributos; el sacrificio y la guerra (definida en náhuatl con la expresión "el agua, el fuego") se convirtieron en el núcleo de la ideología del imperio azteca. La necesidad que empezaron a tener de sacrificar se volvió tan fuerte que ciudades que eran tradicionalmente adversarias, como México Tenochtitlán y Tlaxcala, organizaban periódicamente las llamadas "Guerras de las Flores", destinadas precisamente al intercambio recíproco de prisioneros.

Página 18 En esta escena de batalla que forma parte de las pinturas murales de Bonampak, el soberano Chan Muan II sostiene por los cabellos a un adversario derrotado. A su espalda está otro guerrero perteneciente a la más alta nobleza, probablemente un rey aliado.

La religión

La descripción de la religión en Mesoamérica es una tarea extremadamente difícil, debido a que por una parte, numerosas creencias regionales convivían en grandes territorios culturales, y por otra, cada una contenía un amplio repertorio de dioses que se manifestaban de múltiples maneras y continuamente se desdoblaban, cuadruplicaban, cambiaban de aspecto y se superponían. Es por eso que aquí nos restringiremos a mencionar los elementos comunes que es posible encontrar entre las diferentes religiones y la "tradición religiosa mesoamericana" que está en la base de toda la gama cultural regional, evitando en la medida de lo posible la enumeración de divinidades de nombres complicados y características ambiguas.

El jaguar es una de las más antiguas e importantes divinidades mesoamericanas. Era un animal asociado a las fuerzas cósmicas del mundo subterráneo y de la oscuridad; a él se dedicaban muchos sacrificios rituales. En este bajorrelieve de Chichen Itzá aparece comiendo un corazón humano.

Reconstrucción moderna a partir de dibujos originales que representa el complejo modelo del universo, tal como deben haberlo imaginado los mayas.

Uno de los conceptos unificadores de la tradición religiosa mesoamericana era el relacionado con la forma del cosmos. Los indígenas percibían el universo como formado por dos pirámides o montañas cósmicas unidas en la base. Esta base era el nivel terrestre y se suponía que era horizontal y cuadrada. Se representaba bajo la forma de un monstruo-lagarto, llamado Cipactli por los aztecas e Itzam Cab Ain por los mayas. Sobre el suelo terrestre se elevaba la montaña celeste, constituida por trece niveles donde moraban deidades especiales. En la cima de la montaña celeste estaba el ser supremo, una suerte de dual que los aztecas llamaban Ometéotl (Dios dual) y los mayas Hunab Ku.
El mundo celeste, fecundador y dispensador de bienes, era asociado al calor, la luz, la sequía y al elemento masculino del universo. En contraposición se hallaba el mundo inferior, húmedo, oscuro, femenino, organizado en nueve niveles y que era la sede de divinidades como el dios del mundo de los muertos (en náhuatl: Mictlantecutli; en maya: Ah Puch) y el dios del agua (en náhuatl: Tláloc; en maya: Chac). Las divinidades celestes se manifestaban solamente bajo la forma de pájaros o de seres emplumados, mientras las del inframundo se distinguían porque tenían rasgos de jaguar, como la piel manchada y los colmillos de fuera. Los

tres niveles cósmicos se mantenían en comunicación mediante cinco grandes árboles colocados respectivamente en el centro del mundo y en los cuatro puntos cardinales. Dentro de sus troncos fluían las fuerzas del universo, de cuya alternancia dependía la vida, modelada también según el esquema dual día/noche, hombre/mujer, temporada de sequía/temporada de lluvias, etcétera.

Los troncos de los árboles cósmicos eran también los canales a través de los cuales se manifestaba el tiempo, esencia divina que descendía sobre la Tierra moviéndose de manera circular entre los troncos, en sentido contrario a las manecillas del reloj. El tiempo y el espacio estaban por lo tanto unidos de manera inextricable en este esquema que era el origen de todas las manifestaciones de lo sagrado. Las divinidades y las fuerzas cósmicas estaban constituidas por una sustancia "ligera" e imperceptible para los sentidos, común también a las entidades mundanas que poseían en cambio una sustancia "pesada", mutante y sujeta a la decadencia. Esta sustancia pesada apareció en la Tierra cuando el sol "cristalizó" a los seres vivos en la forma en que los conocemos, aunque tanto los seres animados como los inanimados siguen conservando su sustancia "ligera", que es la parte divina presente en cada hombre, animal o cosa. Este concepto de "divinidad difusa" deja comprender las razones de la complejidad del panteón mesoamericano en el que se mueven y mezclan sustancias divinas formando la inagotable red de relaciones que constituye la esencia del universo. Las revelaciones o manifestaciones de lo sagrado, ocurrían en lugares específicos como grutas, fuentes, lagos, montañas, astros o en seres vivos, como plantas, animales y hombres. Los centros monumentales con frecuencia eran construidos como "modelos cósmicos" en los que lo sagrado se revelaba gracias a que estaban colocados de manera simbólica en el "centro del mundo", en correspondencia con los "flujos" de lo sagrado. Al gozar el privilegio de residir en estos sitios, los gobernantes adquirían la capacidad de convertirse en receptáculos de lo sagrado y, por lo tanto, podían influir en los ciclos vitales de fertilidad.

Página de un códice mixteco donde aparecen representados diversos templos, cada uno con un techo decorado de manera distinta.

Esta almena en terracota proviene de Teotihuacán y pertenece al periodo Clásico. Representa a un pájaro de cuyo pico sale un chorro de agua y se distingue de las volutas y los típicos signos en forma de ojo. La imagen hace probablemente referencia a los cultos de la fertilidad en que estaba basado el poder político teotihuacano.

Entre las principales divinidades mesoamericanas se hallaba de manera incuestionable la pareja formada por el Sol-Venus en constante movimiento entre el cielo y el inframundo. Al dios Sol se le conocía como Tonatiuh entre los aztecas y Kinich Ahau entre los mayas. En las plantas de maíz se manifestaba a su vez el dios Cintéotl (para los aztecas) o Yum Kaax (para los mayas), representado con la apariencia de un hombre joven. El dios supremo del mundo maya era Itzamná, dragón celeste, hijo de Hunab Ku y encarnación de las fuerzas cósmicas celestes. Otra de las divinidades de mayor importancia era K'awil (también conocido como Bolon D'zacab o Dios K), que estaba asociado al concepto de sangre y fertilidad, y del que se creía que era una especie de patrón de las dinastías mayas reales, por lo que era representado con el cetro del rey. Uno de los rasgos más comunes de las tradiciones religiosas de Mesoamérica, era la asociación del rey con el dios del maíz, con la pareja Sol-Venus y con otras entidades astrales.

Incensarios de terracota provenientes de Palenque. La compleja decoración representa al dios Kin, el Sol, que se distingue por la nariz aguileña y los ojos inexpresivos bajo los cuales pasa un elemento en forma de ocho hasta su frente. Las imágenes celestes que adornan su penacho y las del inframundo que aparecen en la parte inferior del incensario, así como las orejas de jaguar superpuestas a las humanas, indican el constante movimiento del dios entre los dos principales ámbitos cósmicos.

Estatuilla en estuco de madera policromada proveniente de una sepultura real de Tikal junto con otras dos idénticas. Representa al dios de la lluvia Chac-Xib-Chac, prototipo del Chac yucateco del Postclásico, que se distingue por su nariz larga y por el hacha clavada en su frente.

▲ *Estatuilla tolteca en terracota policromada que representa al dios de la lluvia Tláloc, reconocible por sus ornamentos circulares alrededor de los ojos, su típico "bigote" y sus colmillos salientes.*

▶ *En el arquitrabe 24 de Yaxchilán la señora Xoc aparece representada frente a su marido Escudo Jaguar, mientras se perfora la lengua con una cuerda que tiene atadas espinas de agave.*

El panteón azteca se caracteriza también por la distinción entre Tezcatlipoca ("Espejo humeante") –dios asociado al inframundo y a las fuerzas oscuras de la magia que frecuentemente se presentaba como jaguar–, y Quetzalcóatl ("Serpiente Emplumada") –dios celeste y héroe cultural que unas veces asumía el papel de sacerdote, otras de creador de los hombres, proveedor del maíz o iniciador del tiempo–. Otra de sus principales manifestaciones era Ehecatl, dios del viento que portaba su característica máscara con forma de pico de ave. La continua confrontación entre Tezcatlipoca y Quetzalcóatl, o mejor, la oposición entre los dos principios que representaban, constituía la dinámica que gobernaba la cosmogonía azteca. Este ciclo continuo de creación y destrucción de mundos produjo el Quinto Sol, que es el mundo actual. También en ese caso, el conflicto entre ambas fuerzas se reflejaba en las referencias ideológicas de la autoridad política: a cada uno de esos ámbitos se asociaban probablemente las principales facciones de poder teotihuacano y tolteca, así como las órdenes militares más relevantes de los aztecas. La principal innovación que aportaron los aztecas al panteón mesoamericano fue colocar en la cúspide a Huitzilopochtli ("Colibrí del Sur"), dios tribal que se volvió la divinidad más importante, con poderosos atributos solares, y cuyo culto era sostenido por el de Tláloc, principal representante de lo sagrado en el inframundo.

A la complejidad de la cosmología mesoamericana correspondía un ceremonial igualmente complejo, tanto en el ámbito privado como en el público: innumerables rituales se sucedían en el calendario, y eran celebrados de manera fastuosa, acompañados con danzas ceremoniales, música y ofrendas de comida, incienso y sangre. Los sacrificios humanos fueron practicados en todas las épocas y por todos los pueblos mesoamericanos. Los aztecas hicieron de la inmolación de los prisioneros el punto cardinal de la ideología guerrera con la que impulsaron la gran expansión militar y económica de su imperio. Otra forma importante de ofrenda de sangre era el autosacrificio, en el que navajas de obsidiana o espinas de agave o pescado, eran utilizadas para perforarse los genitales, la lengua, los lóbulos de las orejas u otras partes del cuerpo. Como muestran pinturas y bajorrelieves, esta práctica era común entre los sacerdotes y soberanos, que recurrían a ella para acceder a visiones y entrar en contacto con el mundo de los dioses y los antepasados, en el cual se basaba y justificaba su poder.

El calendario

Las culturas mesoamericanas concebían el tiempo como una sustancia divina que se manifestaba en el mundo e influía profundamente en la vida de los hombres. La interpretación de esta influencia era por lo tanto una tarea de gran importancia, confiada a especialistas que empleaban sistemas calendarios muy complejos. Los calendarios que se usaban en las distintas regiones mesoamericanas diferían ligeramente entre sí, pero todos compartían algunos mecanismos básicos que explicaremos aquí a partir de los ejemplos maya y azteca. Una de las características que distinguen a Mesoamérica de cualquier otro lugar del mundo es el uso de un calendario sagrado cuyo ciclo era de 260 días. Conocido como Tonalpohualli por los aztecas (desconocemos como lo llamaban los mayas), estaba compuesto por la asociación de 13 números y 20 nombres de días (13 x 20 = 260). Este calendario que abarcaba todo el ciclo ritual, estaba registrado en almanaques proféticos (llamados en náhuatl *tonalámatl*) que utilizaban los sacerdotes para decretar qué día era más favorable para realizar cierto tipo de actividad, y para atribuir a los niños un nombre del calendario que se agregaba siempre al nombre propio. Al calendario de 260 días se sumaba el solar de 360 + 5 días (en nahuatl: *xiuhpohualli*; en maya, *haab*) compuesto de 18 meses de 20 días cada uno (18 x 20 = 360) a los que se agregaban cinco días "durmientes"; de esta manera se hacía coincidir el calendario con la duración aproximada del ciclo solar.

El resultado de la combinación de estos dos calendarios, llamada "Cálculo corto", era que cada día tenía un nombre formado por cuatro elementos (número + nombre del día + número + mes) y que debían pasar 52 años para que un día volviera a tener la misma combinación de número y nombres (52 años = 18.980 días = 73 ciclos del calendario ritual = 52 ciclos del calendario solar).

El ciclo de 52 años constituía por lo tanto el "siglo" mesoamericano; los aztecas lo representaban simbólicamente con un haz de cañas (xiuhmolpilli), que era quemado durante las ceremonias de fin de ciclo. Estos ritos culminaban al encenderse el Fuego Nuevo: después de haber apagado el fuego en toda la ciudad, se prendía una nueva llama en el pecho de un prisionero sacrificado y con ella se volvían a prender las luces del imperio.

El hecho de que el nombre completo de un día se repitiera cada 52 años ha dificultado la datación de los monumentos. Los mixe-zoques y los mayas, en cambio, escogieron un método de registro del tiempo llamado "Cálculo largo", que contaba los días transcurridos a partir de una fecha mítica –el 13 de agosto de 3114 a.C.–, lo cual facilita su traducción a nuestro calendario.

La escritura de las fechas del "Cálculo largo" se basaba en un sistema matemático de base 20 (en realidad una combinación de los sistemas de base 20 y 18), que utilizaba sólo tres signos: el punto (equivalente a 1), la barra (equivalente a 5) y el caracol (equivalente a 0).

A estos ciclos se agregaba uno lunar, uno venusino y otros de menor importancia, por ejemplo el de los nueve "Señores de la noche", que correspondía a los nueve estratos del inframundo, cuya influencia se iba alternando con los días.

Los calendarios no sólo eran usados con fines ceremoniales o adivinatorios, sino también para datar los monumentos que conmemoraban las empresas de los soberanos, e incluso para establecer correspondencias entre esos eventos y sucesos místicos mediante complejos cálculos astronómicos y matemáticos. El calendario representaba, en suma, una manera de registrar la íntima relación existente entre el mundo de los hombres y el de los dioses.

El Códice Cospi, *un calendario adivinatorio, proviene de la región Puebla-Mixteca y es conservado en la Biblioteca Universitaria de Boloña. Está conformado por una tira de piel de venado doblada como acordeón, cubierta de cal y pintada. En esta página podemos ver una parte del Tonalpohualli, calendario ritual de 260 días.*

Parte del Códice de Madrid, *uno de los cuatro códices mayas conservados hasta nuestros días. Como en el caso de los otros tres* –Códice de París, Códice de Dresde y Códice Grolier– *se trata de un calendario adivinatorio.*

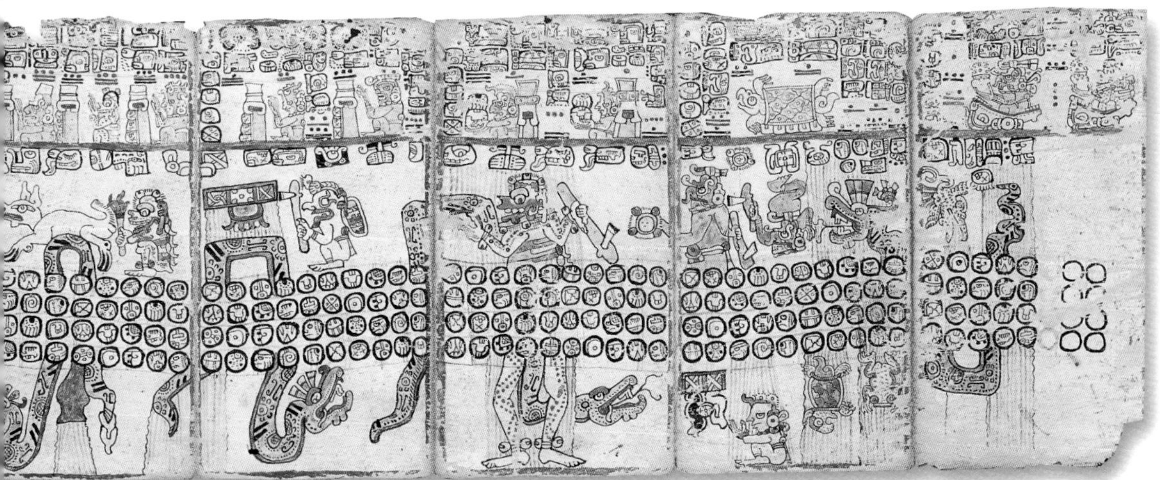

La literatura indígena y el Popol Vuh

Aunque los pocos libros que conocemos de la época precolombina tratan temas relacionados con el calendario, la religión, la historia o la genealogía, contamos con bastante información sobre las antiguas prácticas literarias gracias a los cronistas de la primera época colonial. Por ellos sabemos que en el mundo azteca el arte de la poesía era muy practicado y que entre los poetas más notables de entonces se encuentran Nezahualcóyotl y Nezahualpilli, soberanos de la ciudad acolhua de Texcoco, verdadera capital cultural del mundo nahua.

Pero el ejemplo más sorprendente de la literatura indígena en realidad es el Popol Vuh ("El libro del Consejo", o literalmente "El libro del petate"), gran poema épico-mitológico que fray Francisco Jiménez encontró en el altiplano guatemalteco y transcribió a principios del siglo XVIII.

La primera parte del texto, escrito en maya quiché con caracteres latinos, es una larga narración de creaciones sucesivas a partir de una situación inicial descrita de la siguiente manera: "Esta es la narración de como todo estaba suspendido, todo en calma, en silencio; sólo inmovilidad, silencio y vacío había en el extenso cielo. [...] Sólo inmovilidad y silencio en la oscuridad, en la noche. Únicamente el Creador, el Formador, Tepeu, Gucumatz, los Progenitores, estaban en el agua rodeados de claror, rodeados de plumas verdes y azules [...]."

La obra creadora de los dioses es descrita hasta el nacimiento de los mayas quiché y de sus principales linajes.

La parte más célebre del Popol Vuh aparece después de esta narración. Se trata de las aventuras de los gemelos Hunapu y Xbalanque, que transcurren de manera alternada en la Tierra y en el Xibalba (el mundo de los muertos, literalmente "El lugar del miedo") y aluden a los continuos viajes de Venus y el Sol, astros que los gemelos personifican.

En la Tierra, los protagonistas del poema vencen al malvado "7 Papagayo" y a sus hijos Zipacná y Terremoto; en el inframundo sus aventuras inician con el reto a los dioses que, molestos de oír rebotar la pelota de Hunapu y Xbalanque, los invitan a jugar en el Xibalba con el plan de sacrificarlos, como habían hecho antes con sus padres. Los partidos entre los gemelos y los dioses se convierten en aterradoras pruebas nocturnas que Hunapu y Xbalanque superan de manera brillante. Al final, los gemelos engañan a los dioses fingiendo que se decapitan y reviven, hasta que "1 Muerte" y "7 Muerte" quieren intentarlo también. Obviamente, en esa ocasión Hunapu y Xbalanque les cortan la cabeza y las divinidades mueren en el acto. Es así como triunfan contra los dioses del inframundo. La historia termina con la transformación de los gemelos en el Sol y la Luna (tal vez la referencia a la Luna sea de origen europeo, pues el gemelo mayor personifica en la cultura maya a Venus).

Aunque la versión que conocemos proviene de la época colonial, se sabe que los orígenes de Popol Vuh se remontan al más antiguo pasado mesoamericano, ya que algunos episodios de la saga de los gemelos aparecen representados en las estelas preclásicas de Izapa y en muchas de las obras de arte maya de la época clásica.

Se consideraba a los dos gemelos, cuyos nombres clásicos eran Hun Ahau ("1 Señor", Venus) y Yax Balam ("Jaguar Verde", el Sol), como el prototipo de la realeza maya y muchas de las actividades rituales de los soberanos aludían a sus principales empresas míticas.

El encuentro con el Viejo Mundo

El "aislamiento dorado" en que vivió Mesoamérica durante casi cuatro mil años se rompió en 1517, cuando una primera expedición española bajo el mando de Francisco Hernández de Córdoba arribó a las costas de Yucatán. Pero ni esta expedición, ni la que condujo el año siguiente Juan de Grijalva tuvieron mayor impacto, salvo el que llegara a oídos del emperador azteca Motecuhzoma II extrañas noticias de montañas que navegaban en el mar y hombres blancos que, a cambio de obsequios preciosos, le enviaban las cuentas de vidrio que tenía ante sus ojos. En cambio, las consecuencias del desembarco de una tercera expedición, compuesta por 508 soldados, 16 caballos y un centenar de marineros bajo las órdenes de Hernán Cortés, fueron bastante trágicas. Cuando en 1519 los españoles desembarcaron en las costas de Yucatán, se enteraron de que dos de sus connacionales vivían entre los mayas desde hacía ocho años, tras el naufragio de una nave persa en el mar Caribe. Uno de ellos, Jerónimo de Aguilar, se unió inmediatamente a la expedición de Cortés en calidad de intérprete, pero el otro, Gonzalo Guerrero, para entonces casado con una mujer indígena, tatuado y con grandes adornos colgando de las orejas, prefirió quedarse, este gesto lo convertiría en uno de los símbolos del encuentro de los dos mundos.

Cortés comprendió rápidamente que Yucatán no era tierra de grandes riquezas y prosiguió navegando hacia el noroeste, enfrentando algunas escaramuzas con las poblaciones autóctonas.

En el actual estado de Tabasco, Cortés recibió de parte de algunos jefes indígenas un obsequio invaluable: doña Marina, conocida como "La Malinche", una mujer de la nobleza que había sido ofrecida como esclava y que se volvió su amante. Doña Marina hablaba maya y náhuatl, por lo que con Aguilar conformaron un buen equipo de traductores. Como no le tomó mucho tiempo aprender también el español, se volvió intérprete personal de Cortés, y por lo tanto figura clave de la conquista de México.

Unos meses después, Cortés desembarcó en Veracruz y comenzó a dirigirse hacia aquella maravillosa capital de la que hablaban los pueblos indígenas y desde donde le enviaban continuamente embajadores cargados de obsequios preciosos. Los españoles que alternaban comportamientos amistosos con verdaderas matanzas, atravesaron Cempoala, Tlaxcala y Cholula, incitando revueltas contra los recaudadores aztecas y alimentando la creencia que veía en ellos y en sus caballos seres divinos.

La columna española, seguida por 6000 soldados tlaxcaltecas, fue recibida por el cortejo de Motecuhzoma II en su travesía de las aguas de Texcoco para llegar a la capital México-Tenochtitlán.

El emperador avanzaba cargado en una litera de oro cubierta por un baldaquino de plumas, precedido por tres dignatarios que empuñaban cetros también de oro. Cuando Motecuhzoma bajó de la litera, ante sus pies fue desenrollado un tapete de algodón sobre el cual avanzó acompañado por los soberanos de Texcoco, Tacuba, Coyoacán e Iztapalapan para dirigir a Cortés un discurso de bienvenida.

El encuentro fue bastante amistoso y el único momento de agitación sucedió en el momento en que Cortés intentó abrazar al emperador, acto que fue inmediatamente impedido por los dignatarios aztecas.

Después de aquel primer encuentro los españoles fueron conducidos a la ciudad y alojados en el majestuoso palacio que había pertenecido al soberano Axayácatl. Muy pronto, sin embargo, las tensiones entre aztecas y españoles se harían sentir. El palacio se convirtió en prisión de Motecuhzoma, quien tenía cada vez más dudas sobre el comportamiento que debía adoptar con los extranjeros.

Los sucesos se precipitaron poco tiempo después, mientras Cortés enfrentaba en el Golfo de México a un ejército español que el gobernador de Cuba había enviado en su contra. En su ausencia Pedro de Alvarado masacró a varios nobles aztecas, y provocó con ello una revuelta armada que obligó a los espa-

Este dibujo tomado de la obra de Diego Durán ilustra el encuentro entre Hernán Cortés y doña Marina (La Malinche), mujer que en calidad de amante e intérprete del capitán español se convirtió en una de las principales figuras de la conquista de México.

▼ *En esta escena tomada de la* Historia de las Indias de Nueva España e Islas de Tierra Firme *de Diego Durán, se ilustra parte de una batalla entre españoles y aztecas. Los primeros son dirigidos por el hidalgo Pedro de Alvarado, mientras entre los aztecas es posible distinguir a un caballero-águila y un caballero-jaguar.*

ñoles a fugarse durante la célebre Noche Triste. Motecuhzoma fue asesinado en esa ocasión por los propios aztecas mientras trataba de detener el ataque al palacio de Axayácatl. Fue sustituido por Cuitláhuac, quien moriría víctima de la viruela a penas cuatro meses después.
Al regreso de Cortés, la ciudad fue sitiada durante varios meses hasta que la resistencia azteca, conducida por el último emperador independiente, Cuauhtémoc, fue derrotada en la batalla de Tlatelolco. En nuestros días, en esa plaza una placa conmemora el evento de la siguiente manera: "El 13 de agosto de 1521, heroicamente defendido por Cuauhtémoc, cayó Tlatelolco en poder de Hernán Cortés. No fue triunfo ni derrota, fue el doloroso nacimiento del pueblo mestizo que es el México de hoy".
Se han discutido mucho las razones que permitieron a un puñado de españoles conquistar al enorme imperio azteca, cuyos ejércitos habían dominado toda Mesoamérica. Las causas son múltiples: las armas de fuego, los caballos, el temor a enfrentar seres que se suponía divinos, la capacidad de Cortés de encontrar aliados indígenas entre los pueblos sometidos por los aztecas y, sobre todo, las enfermedades. Las epidemias fueron la principal causa de un genocidio de inmensas proporciones: aunque los cálculos sobre la demografía de la época sean discutibles, se piensa que entre 1521 y 1600 la población autóctona de México pasó ¡de 25 a un millón de personas!
Desde el punto de vista indígena toda la colonia fue una época trágica, marcada por una acelerada reducción demográfica y la continua disgregación social y cultural provocada por el nuevo sistema político-económico impuesto por España y que se materializaba en instituciones como la encomienda, un sistema de propiedad de la tierra que implicaba, de hecho, una especie de esclavitud para los indígenas.
Poco o nada cambió en el periodo que siguió a la Independencia (1821), cuando el poder político y económico pasó a manos de los criollos (blancos nacidos en tierras mexicanas), una clase generalmente ajena a las necesidades de los grupos locales.
En cambio, con la revolución de 1910, nació una nueva atención al "problema indígena", pues fue entonces cuando México enfrentó la exigencia de una nueva identidad, una identidad mestiza cuyo espíritu ha quedado muy bien expresado en la placa conmemorativa de Tlatelolco. Nacieron así instituciones antropológicas e indigenistas, que al adoptar tonos paternalistas contribuyeron a caracterizar al mundo autóctono como "retrasado", incluso "reaccionario" respecto de la exigencia de modernidad que el México nuevo manifestaba.
De manera paralela, el descubrimiento arqueológico del México antiguo sirvió más para alimentar sentimientos nacionalistas y patrióticos que para descubrir la profunda identidad indígena del país.
Las cosas no han cambiado mucho desde entonces: los millones de indios que habitan actualmente la República Mexicana constituyen la clase social más pobre de un país que parece cegado por los espejismos del neoliberalismo. Los indígenas aparecen retratados en la publicidad de las agencias de viaje junto a las antiguas ruinas, para atraer a los turistas e incrementar una economía que, en el sistema de valores, ha dejado atrás hasta los viejos sentimientos nacionalistas.

Este dibujo tomado de la obra de Durán representa la masacre de los nobles perpretada por los españoles en Tenochtitlán. El episodio provocó la violenta revuelta indígena que culminó en la célebre Noche Triste.

Itinerario 1

Los grandes imperios del centro de México

El Valle de México y las regiones circundantes constituyeron desde siempre el polo cultural más importante de Mesoamérica. Los recursos naturales de la zona lacustre fueron explotados por grupos de cazadores desde la edad de piedra y durante toda la época prehispánica. La milenaria ocupación de Zohapilco, iniciada alrededor de 5500 a.C., es testimonio del largo periodo en el que se estableció la agricultura, mientras la difusión de una cultura "olmecoide" y los procesos paralelos de creación de jerarquías sociales es patente desde principios del primer milenio a.C. en los importantes asentamientos de Tlapacoya y Tlatilco.
La construcción de las grandes pirámides circulares de Cuicuilco comenzó alrededor de 400 a.C., pero el desarrollo de este nuevo centro de poder del altiplano central fue interrumpido abruptamente por la erupción del Xitle que, hacia el año 50 a.C., sepultó el sitio monumental bajo una capa de lava.
La desaparición de Cuicuilco favoreció el crecimiento de Teotihuacán, ocupada desde el 150 a.C., que probablemente acogió a parte de la población del centro destruido. La primera construcción de la Pirámide de la Luna, alrededor del 100 d.C., signó el inicio de una época de extraordinario desarrollo de la ciudad, destinada a influir gran parte de la posterior historia mesoamericana. Teotihuacán se convirtió de hecho, en el más importante fenómeno urbano de América, capital de un enorme imperio comercial y, por casi setecientos años, el verdadero corazón del gran sistema económico y cultural que fue la Mesoamérica clásica. Sin embargo, alrededor del 750 d.C., después de un siglo de repentina decadencia, el centro monumental de Teotihuacán fue puesto en llamas y la ciudad ocupada por pueblos provenientes del norte, conocidos como coyotlatelcas. Aún así, siguió siendo el principal asentamiento urbano del centro de México hasta el año 1000 d.C.
La fundación de Tula Chico y después (hacia el 900 d.C.) de Tula Grande, en el actual estado de Hidalgo, 65 kilómetros al noroeste de Teotihuacán, se debe a aquellas poblaciones coyotlatecas provenientes del norte. Tula Grande, nuevo asentamiento dominante del centro de México, se convirtió en una ciudad espléndida que a lo largo de casi tres siglos controló el destino del imperio tolteca difundiendo el culto a la Serpiente Emplumada en toda Mesoamérica y organizando una red comercial de enormes proporciones. Alrededor de 1150 d.C., Tula fue también abandonada, tal vez a consecuencia de las continuas presiones de las poblaciones del norte. Cuando en el siglo XIV uno de estos grupos, conocido como mexica o aztecas, llegó al centro de México, la ciudad estaba ya casi completamente abandonada desde hacía más de un siglo; esto no impidió a los aztecas buscar refugio entre sus ruinas mientras proseguían su migración hacia el sur. Ya en el Valle de México, se las arreglaron para tener sangre real tolteca mediante matrimonios entre nobles gracias a los cuales se volvieron "herederos" del derecho al poder de Tula.
Después de pasar casi un siglo buscando afirmar su supremacía mediante guerras y alianzas con otros núcleos urbanos del Valle de México, la capital azteca de México-Tenochtilán se volvió en el siglo XV el centro propulsor de un imperio expansionista que conquistó vastas zonas de Mesoamérica hasta que, en 1521, la ciudad fue asediada y sometida por los ejércitos españoles. Sin embargo, también estos nuevos conquistadores hicieron de Tenochtitlán la capital del reino de la Nueva España; hasta nuestros días, la Ciudad de México, sigue dirigiendo el destino de todo el país. Teotihuacán, Tula y México-Tenochtitlán fueron las tres principales capitales de toda Mesoamérica y en sus historias podemos encontrar los orígenes y las transformaciones del más evanescente mito de Mesoamérica: la ciudad de Tollán.
Las fuentes históricas y arqueológicas nos muestran, de hecho, que en casi toda la Mesoamérica del Postclásico se difundió un mito que veía en Tollán una ciudad cósmica, un modelo al que se referían muchas de las ciudades terrestres, mientras su señor, Quetzalcóatl, se volvía el prototipo de todos los gobernantes. Como veremos más adelante, el mito de Tollán se formó a partir de la herencia teotihuacana, durante el dominio de Tula y seguía vivo en la memoria durante la época de la Conquista, cuando al parecer la identificación de Cortés con Quetzalcóatl contribuyó a la caída del imperio azteca.

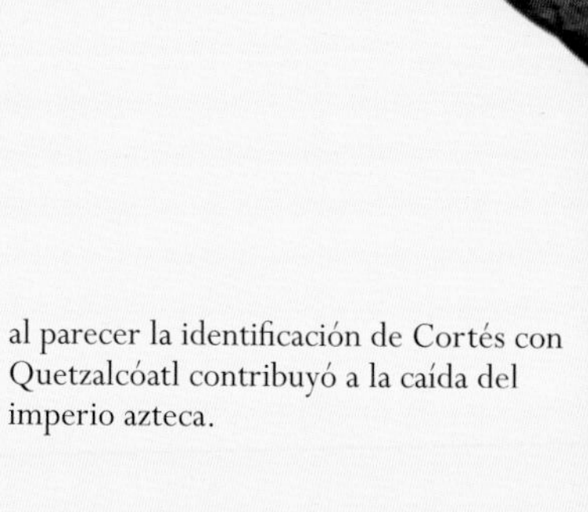

Detalle de una de las esculturas de la fachada del Templo de la Serpiente Emplumada de Teotihuacán (periodo Clásico Antiguo).

La obra representa la cabeza de la Serpiente Emplumada, una de las principales divinidades del centro de México.

Teotihuacán

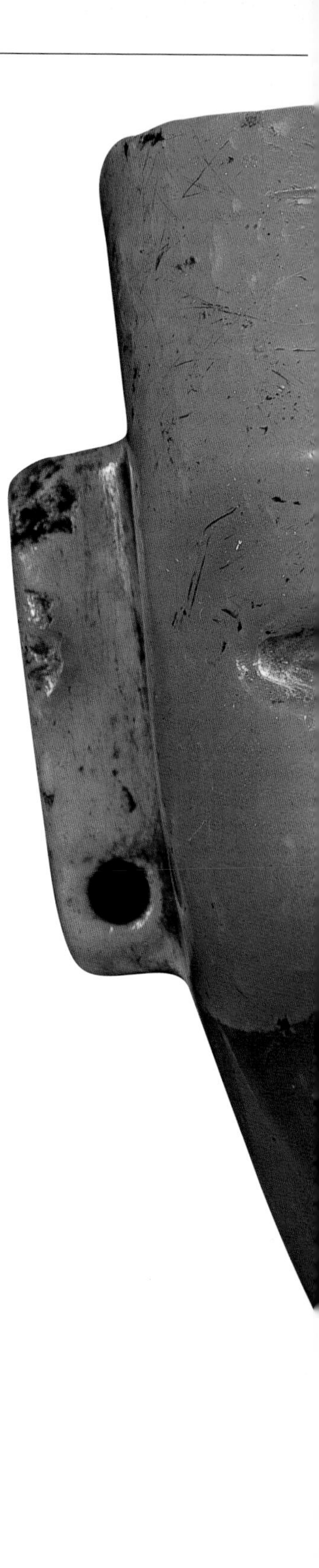

La historia

Los orígenes de Teotihuacán datan probablemente del 150 a.C., cuando de ser un pequeño pueblo de agricultores, creció en pocas décadas hasta rivalizar con Cuicuilco por el predominio en el Valle de México. Durante la fase Tzacualli (1-150 d.C.) comenzó probablemente la construcción de los dos edificios principales de la ciudad: la Pirámide de la Luna y, poco tiempo más tarde, la Pirámide del Sol. En la fase posterior, Miccaotli (150-200 d.C.), la estructura urbana de Teotihuacán comenzó a adquirir la forma que hoy conocemos: el trazo del principal eje urbano, de más de tres kilómetros y conocido como Calzada de los Muertos, constituyó la base de la futura planificación urbana de la ciudad. A los lados fueron construidos algunos de los complejos monumentales, como el Templo de la Serpiente Emplumada, el Templo de la Agricultura y el Grupo Viking.

El más grande desarrollo arquitectónico de Teotihuacán tuvo lugar durante la fase Tlamimilolpa (200-400 d.C.), cuando se edificó la mayor parte de los edificios que hoy existen, desde los del complejo residencial hasta las estructuras monumentales como el Templo del Caracol Emplumado, la Plaza de la Luna y el Gran Complejo. En esta fase, Teotihuacán se transformó en uno de los principales centros políticos y comerciales de Mesoamérica, e hizo sentir su influencia cultural y económica en toda esta extensa área.

En la fase Xolalpan (400-650 d.C.) la ciudad vivió su periodo de máximo esplendor. Se calcula que en ella residieron cerca de 200,000 personas, lo cual la coloca en el sexto asentamiento urbano del mundo por número de habitantes. A este periodo pertenecen edificios como el Palacio de Quetzalpapálotl y gran parte de las pinturas murales que conocemos.

Los cien años que duró la fase Metepec (650-750 d.C.) marcaron una clara crisis que redujo a 85000 los habitantes de la ciudad.

Es probable que la interrupción de algunas rutas comerciales haya dañado la economía de la ciudad, en gran parte dependiente del comercio con zonas lejanas; el aumento de la iconografía de carácter militar hace suponer la existencia de tensiones sociales y tentativas por parte de la élite teotihuacana de mantener el poder por la fuerza.

Alrededor de 750 d.C. (aunque pudo haber sido antes, según recientes investigaciones) muchos de los edificios del centro monumental fueron incendiados y Teotihuacán perdió para siempre el lugar prominente que había tenido hasta entonces en el panorama político mesoamericano. No obstante, durante al menos doscientos años más, siguió siendo el principal asentamiento del Valle de México y fue ocupada por pueblos provenientes del norte. Después del año 1000 d.C. la ciudad fue definitivamente abandonada, y comenzó a cobrar un papel fundamental en la mitología mesoamericana. La casi total ausencia de representación individual de los soberanos, así como de inscripciones o fechas, indica que en Teotihuacán no se estableció un poder político de carácter dinástico, típico de las demás regiones mesoamericanas. La vida social y económica de la ciudad parece en cambio haber sido administrada por grupos de nobles que, asentando su legado en "señores" divinos que eran representaciones de las fuerzas cósmicas fundamentales, lograron dar vida a un sólido aparato estatal centralizado. Los numerosos habitantes de la ciudad vivían en los complejos residenciales, probablemente dividida en grupos de parentesco y corporativos análogos a los *calpultin* de la época azteca.

Debido a la falta de fuentes históricas y epigráficas, desconocemos el nombre original de Teotihuacán y a qué grupo étnico debe atribuirse su fundación. Entre los grupos étnicos que los especialistas proponen como fundadores están los otomíes, los totonacas y los nahuas, pero lo más probable es que Teotihuacán haya sido la sede del primer gran imperio multiétnico de Mesoamérica, prototipo de los imperios del Postclásico posteriores. A pesar de su caída, Teotihuacán nunca fue olvidada, los aztecas que durante mucho tiempo siguieron visitando sus ruinas, le dieron el nombre con el que hoy la conocemos, "Lugar donde residen los dioses". De hecho, según la tradición azteca, es en Teotihuacán donde las divinidades se reunieron para crear el Quinto Sol.

Máscara funeraria teotihuacana en piedra verde. Estas máscaras deben haber sido colocadas sobre el rostro de los difuntos o, probablemente, sobre la mortaja fúnebre.

Arriba izquierda La escalinata del Templo de la Serpiente Emplumada. Sobre las alfardas, o balustradas, pueden observarse diversas figuras que representan la cabeza de la divinidad. A los lados de la escalinata se encuentran los mascarones en forma de Cipactli (el cocodrilo símbolo de la Tierra y del primer día del calendario ritual) colocados sobre los cuerpos de las serpientes.

Teotihuacán

1 Pirámide de la Luna
2 Edificio de los Altares
3 Plaza de la Luna
4 Palacio del Quetzalpapálotl
5 Calzada de los Muertos
6 Palacio del Sol
7 Pirámide del Sol
8 Patio de los Cuatro Templitos
9 Casa de los Sacerdotes
10 Grupo Viking
11 Ciudadela
12 Templo de Quetzalcóatl
13 Gran Conjunto

Páginas 32-33 Vista panorámica de la Calzada de los Muertos, desde la cima de la Pirámide de la Luna. En el primer plano se observa claramente la Plaza de la Luna, y a la izquierda la enorme mole de la Pirámide del Sol.

El sitio

La ciudad de Teotihuacán se extiende bastante más allá de los límites de la actual zona arqueológica, limitada al centro monumental en el que dominan las imponentes moles de las dos principales pirámides. Los antiguos barrios residenciales, en su mayoría aún sin excavar, llegan hasta los pies de todas las montañas que los visitantes pueden ver a su alrededor.

La Calzada de los Muertos constituye el eje principal de la ciudad, trazado de manera perpendicular al río San Juan, desviado de manera artificial para lograr dividir el espacio urbano en cuatro grandes cuadrantes, dotados probablemente con distintos significados simbólicos.

El cuadrante del sureste hospedó a la que es actualmente la estructura más sorprendente de Teotihuacán: la Ciudadela. Dentro de esta plataforma cuadrangular, coronada por pequeños basamentos piramidales se encuentra el Templo de la Serpiente Emplumada que tiene, descansos decorados con esculturas policromadas de serpientes emplumadas cuyas cabezas salen de las paredes. Sobre los cuerpos de los reptiles, rodeados de símbolos acuáticos, fueron colocados unos mascarones –un tiempo interpretados erróneamente como rostros de Tláloc– que representan probablemente a Cipactli, el monstruo terrestre con forma de cocodrilo. Sobre el templo, y a su alrededor, fue hallada una importante serie de sepulturas: hombres y mujeres con las manos atadas por detrás que fueron sacrificados y sepultados en grupos de cuatro, ocho, nueve, 18 y 20 personas, en un total de 260.

El número total de personas sepultadas bajo el Templo de la Serpiente Emplumada, que corresponde a los días de calendario ritual, así como los mascarones con rasgos de Cipactli que se encuentran en el templo tienen probablemente un significado relacionado con el calendario, debido a que para la mayor parte de los pueblos mesoamericanos "Cipactli" era el nombre del primer día del ciclo de 260 días.

La simbología del templo hacía por lo tanto referencia al calendario ritual y especialmente al mito de la creación del tiempo y al papel que la Serpiente Emplumada había tenido en ello. Si, como parece, los complejos habitacionales adyacentes eran la sede del poder político teotihuacano, es probable que –al menos durante cierto lapso de tiempo– la Serpiente Emplumada haya tenido la función de "patrón" de los gobernantes que dominaban la ciudad "en la que el tiempo había comenzado". Tal vez menos de un siglo después de la construcción del Templo de la Serpiente Emplumada, fue edificada una segunda pirámide

Unas décadas después de la construcción del Templo de la Serpiente Emplumada se agregó un anexo a la fachada del edificio principal. La aparente intención de cubrir los relieves de la fachada (que se observan a la derecha) hace pensar que la construcción del anexo estuvo ligada a un cambio político en el que se destituyó a la antigua clase dominante "protegida" por la Serpiente Emplumada.

(que puede verse frente al templo) para ocultar la antigua estructura. Se piensa que este hecho podría ser la manifestación de importantes cambios políticos en el corazón del Estado teotihuacano, ya que en otros lugares de la ciudad, representaciones de serpientes emplumadas fueron cubiertas o sustituidas por imágenes de jaguares, que parecen haberse convertido en los "patrones" de la nueva clase gobernante hasta la decadencia final.

Basamentos de pirámide en los que puede verse claramente la típica alternancia de talud (pared inclinada) y tablero (panel cuadrangular con cornisa saliente), característica de la arquitectura teotihuacana.

Uno de los edificios que constituyen el Complejo del Sol. Se puede observar cómo las piedras cuadradas, emplastadas y pintadas cubrían un núcleo de tezontle, piedra volcánica porosa usada en todas las construcciones de la ciudad.

Vista de la Calzada de los Muertos. Al fondo se yergue la Pirámide de la Luna, enmarcada por el Cerro Gordo, la gran montaña sagrada que tal vez sirvió de modelo a la estructura.

Frente a la Ciudadela se encuentra el llamado Gran Complejo, una enorme plataforma rectangular que contiene una gran plaza y que, según algunos arqueólogos, podría ser la sede del mercado de la ciudad.

Caminando hacia el norte sobre la Calzada de los Muertos se atraviesa el río San Juan, que tal vez fungía como umbral simbólico de la parte "ultramundana" del centro monumental. A los lados de la calzada se encuentran grandes complejos político-administrativos y templos como el de los Edificios Superpuestos, donde se puede admirar una plataforma pintada con volutas en representaciones de ornamentos nasales en piedra verde. Más adelante encontraremos los Complejos Este y Oeste del Valle de los Muertos, ambos de carácter religioso y, probablemente, administrativo; en el segundo puede verse pinturas murales y dos escalinatas superpuestas: la inferior está decorada a los lados con esculturas con forma de serpiente, mientras la superior, superpuesta en una época posterior, está ornada con cabezas de felinos.

La Pirámide del Sol domina el lado oriental de la calzada; mide 63 metros de altura y tiene una base cuadrangular de cerca de 220 metros de largo. Fue construida sobre una gran gruta-santuario (probablemente de origen natural y posteriormente remodelada) que debe

▶ *Panorámica de un complejo administrativo ubicado a un lado de la Calzada de los Muertos, se observan las pilastras cuadrangulares de los pórticos que rodeaban los patios. Se piensa que estos complejos eran ocupados por sacerdotes responsables de las celebraciones religiosas.*

▼ *Vista aérea de la Pirámide del Sol, monumento probablemente dedicado al dios de la lluvia. La colosal estructura se eleva sobre una gruta-santuario parcialmente remodelada, que tal vez originó la construcción de la pirámide.*

◀ *Con sus 63 metros de altura y 260 de ancho, la Pirámide del Sol es una de las construcciones más grandes del Nuevo Mundo. Su forma original fue edificada en las primeras etapas del desarrollo de la ciudad.*

haber sido el origen del asentamiento. No sabemos con certeza a qué divinidad estaba dedicado el templo que coronaba la pirámide y no está de más recordar que los nombres de todos los edificios teotihucanos son de origen azteca y tal vez no tengan nada que ver con la función original de los edificios. De acuerdo con algunos especialistas, la Pirámide del Sol había sido consagrada al dios del agua y el trueno a quien los aztecas llamaban Tláloc, cuyos santuarios se hallaban precisamente en grutas que fungían simbólicamente como lugares de acceso a su morada en el inframundo.
El hecho de que la sala final de la gruta-santuario bajo la pirámide esté dividida en pequeñas salas menores hace recordar el mito de Chicomóztoc ("La Gruta de las Siete Salas"), la "cavidad originaria" de diversas poblaciones mesoamericanas.
Las secciones superpuestas de la Pirámide del Sol, así como las de la Pirámide de la Luna, son las únicas que no muestran la alternancia entre talud (plano inclinado) y tablero (panel vertical con cornisas salientes) que caracteriza a todos los demás edificios de la ciudad, y que se volvió una especie de marca de la presencia teotihuacana. Es muy probable que en la época de la construcción de las dos pirámides, este estilo arquitectónico no se hubiera todavía desarrollado, e incluso que en los siglos posteriores las diversas remodelaciones que fueron superpuestas, hayan conservado el carácter "arcaico".

Basamento piramidal sobre la Calzada de los muertos. El nombre de la calzada (del náhuatl Miccaotli), como la mayoría de los topónimos de la ciudad, es de origen nahua y se debe al hecho de que los aztecas pensaban que los montículos laterales contenían sepulturas, sin embargo las investigaciones arqueológicas modernas han desmentido esta hipótesis.

▲ *Pequeño altar en un complejo administrativo frente a la Pirámide del Sol. Las líneas formadas por pequeñas piedras indican que la estructura fue reconstruida en la época moderna.*

Superior Pórtico del patio central del Palacio de Quetzalpapálotl. Este pórtico, que ha sido restaurado varias veces, tiene pilastras esculpidas que sostienen un techo pintado y decorado con relieves que forman los símbolos del año.

Inferior Pilastras esculpidas del Palacio de Quetzalpapálotl. Los bajorrelieves representan aves de rapiña en posición frontal y de perfil.

Si retomamos el camino hacia el norte, pasaremos frente a una gran pintura mural que representa un puma, y sobre el lado oeste de la Calzada de los Muertos se puede entrever la mole de uno de los más grandes complejos arquitectónicos aún sin excavar, la llamada Plaza de las Columnas. Después del Templo de la Agricultura, que antaño contenía frescos hoy perdidos, se accede a la espléndida Plaza de la Luna, rodeada de estructuras menores. La pirámide que domina la plaza es a su vez enmarcada por el Cerro Gordo, montaña sagrada que hacía las veces de foro de todo el trazo urbano teotihuacano. Ignoramos el destino original de la Pirámide de la Luna –aunque probablemente haya estado dedicada a la diosa de las aguas terrestres, llamada en náhuatl Chalchiuhtlicue ("La de la vestimenta enjoyada"), representada en una gran estatua encontrada en la Plaza de la Luna y hoy conservada en el Museo Nacional de Antropología de la Ciudad de México. El nexo entre las pirámides y las aguas terrestres, lo confirma también el hecho de que el Cerro Gordo, evidente modelo del monumento, es el lugar en el que se encuentra la mayor parte de las fuentes de agua que abastecen a la ciudad.

Excavaciones recientes en el interior de la Pirámide de la Luna han revelado una serie de ofrendas y tumbas sacrificiales enterradas durante las diversas remodelaciones que la pirámide sufrió con el paso del tiempo. En las cistas de oferta, además de los cuerpos de numerosos prisioneros sacrificados, se han encontrado jaguares, cánidos y aves rapaces enterrados con objetos de valor en obsidiana, piedra verde y concha.

El ángulo suroeste de la Plaza de la Luna es ocupado por dos edificios superpuestos: el Palacio de Quetzalpapálotl ("Mariposa Emplumada") y el Templo de las Conchas Emplumadas. El patio central del palacio (periodo Xolalpan, 400-650 d.C.), ampliamente restaurado, está rodeado de un pórtico con pilares decorados con bajorrelieves que representan pájaros, mientras la cúspide del pórtico está ornada con pinturas y una serie de "mirlos" (almenas) que forman el símbolo del año. Las pinturas que pueden verse en las paredes laterales forman grecas con conchas seccionadas, un símbolo asociado al planeta Venus. Por ahí se accede al Patio de los Jaguares, cuyas paredes están ornamentadas con diversas figuras de los animales que le dan nombre; algunos de ellos portan penachos emplumados, tocan instrumentos musicales en forma de concha emplumada de los que sale algo parecido a una "coma" que representa el sonido. La simbología acuática de estas imágenes es indicada por las gotas que caen de los instrumentos así como por las conchas que rodean los cuerpos de los felinos. Atrás del palacio se encuentra el más antiguo templo de las Conchas Emplumadas (periodo Tlamimilolpa, 200-400 d.C.), así llamado por las imágenes en bajorrelieve que decoran su fachada. En la parte inferior del basamento externo del templo, se aprecian pinturas que representan pájaros de cuyo pico brotan chorros de agua.

Al noreste de la Pirámide el Sol se halla el moderno Museo del Sitio, donde se pueden admirar muchas obras maestras del arte teotihuacano y la reconstrucción de algunas sepulturas de sacrificio del Templo de la Serpiente Emplumada.

La mole de la Pirámide de la Luna domina la plaza del mismo nombre. Dentro de la estructura fueron halladas recientemente importantes ofrendas. El basamento con talud y tablero fue anexado a la fachada del colosal monumento en un periodo posterior al de su fundación.

◀ *Basamentos piramidales de la Plaza de la Luna. Todas las estructuras teotihuacanas de factura similar sostenían templos, hoy completamente perdidos.*

Inferior izquierda La escalinata que conduce al pórtico del Palacio de Quetzalpapálotl. A la derecha s e ve la escultura de un jaguar con las fauces abiertas.

Inferior derecha En estas pinturas murales del Patio de los Jaguares, los jaguares portan tocados de plumas y aparecen insuflando caracoles emplumados.

Los complejos residenciales

Alrededor de los edificios del centro monumental se extendían a lo lejos los complejos habitacionales, verdaderos bloques amurallados, en cuyo interior vivían probablemente grupos de parentesco dedicados a actividades artesanales específicas. Las paredes de estos barrios estaban recubiertas de espléndidas pinturas murales, que es posible apreciar todavía en algunos complejos ubicados fuera de la barda que delimita la zona arqueológica.

Tepantitla

En el complejo habitacional de Tepantitla, al noreste de la Pirámide del Sol, se encuentran las célebres pinturas murales del Pórtico 2, que representan a decenas de personas bailando, cantando y jugando pelota en un ambiente rural, irrigado por un río que emerge de la cueva de una montaña. Toda la escena, rodeada por cornisas con cuerpos de serpientes entrelazadas y caras de Tláloc, aparece dominada por una divinidad.

Durante mucho tiempo se pensó que las pinturas de Tepantitla representaban al Tlálocan, el paraíso acuático dominado por Tláloc, donde –según la tradición azteca– andaban las almas de quienes habían muerto por causas relacionadas con el agua (anegamiento, rayos, hidropesía, etcétera). Sin embargo, estudios más detallados han revelado que el sujeto principal al parecer es la Gran Diosa, una divinidad teotihuacana que puede identificarse con la azteca Chalchiuhtlicue.

Detalle de la pintura mural del complejo habitacional de Tepantitla, conocido como el Tlalocan, se aprecian individuos bailando, jugando y cantando, las grandes comas floridas que indican el canto y numerosas mariposas.

◀ *En este mural, del barrio de Tepantitla, aparecen representados dos sacerdotes presidiendo el rito de la siembra.*

A pesar de que el significado de las pinturas se nos escapa, es evidente que se refiere al complejo simbólico diosa-montaña-agua cuya expresión ya habíamos encontrado en los monumentos de la Plaza de la Luna.

Las pinturas en las paredes de la Sala 2 de Tepantitla representan una procesión de sacerdotes en el momento de esparcir semillas y de cuyas bocas salen las grandes comas usadas para indicar palabras o canto. Esta era la manera común de representar a la élite local, que al parecer fundaba su poder en la asociación de conceptos ligados a la fertilidad.

Atetelco

En el gran complejo de Atetelco, al oeste de la ciudad, es el que mejor –gracias a notables restauraciones– permite comprender la estructura interna de los núcleos habitacionales, organizados en torno a uno o más patios, en los que se hallaba el altar

con arcos y flechas, bailando y cantando; mientras la parte superior, enmarcado por plantas entrecruzadas bajo escudos con cabezas de aves de rapiña, es ocupada por figuras de guerreros.
Las representaciones marciales del Patio Blanco muestran cómo el elemento militar también estuvo presente en Teotihuacán según la forma de órdenes guerreras, que recuerdan a los caballeros-águila y a los caballeros-tigre de la época azteca.

La Ventanilla

Con el nombre de La Ventilla se conocen diversos complejos residenciales al suroeste del centro monumental. El conocido como Sector 1 tenía probablemente un carácter político-administrativo; a su interior se encontraban el Templo de los límites rojos, decorado con caracoles seccionados y volutas policromadas que hacen recordar la iconografía de la costa del Golfo, y la Plaza de los Chalchihuites (círculos de jade,

▼ *Detalle del gran fresco de Tepantitla, conocido como el Tlalocan, en el que fue retratado un personaje nadando en una corriente de agua.*

▶ *Una de las grandes diosas que decoran el Pórtico 11 de Tetitla; véase el impresionante tocado y los ricos ornamentos.*

Inferior derecha Este jaguar de aspecto amenazante es parte de la rica decoración mural visible en el Patio Blanco de Atetelco.

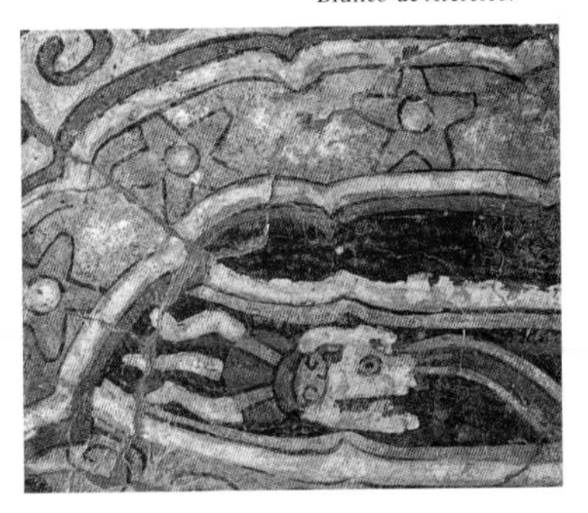

a la divinidad titular de grupo residente. El altar en forma de templo reconstruido que se encuentra en el centro del Templo Pintado, es un ejemplo de ello.
El Patio Blanco es el más célebre de Atetelco: en sus costados hay tres arcadas decoradas con pinturas murales que datan del periodo Xolalpan (400-650 d.C.). El Pórtico 1 conserva todavía escenas que representan una procesión de coyotes; unas bandas diagonales visibles en la parte superior delimitan una serie de recuadros en cuyo interior hay imágenes muy fragmentadas de guerreros-coyote. En el Pórtico 2 en cambio, se puede observar un grupo de coyotes y jaguares desfilando. Estos últimos se reconocen por su típico pelambre en forma de red; en la parte superior, dividida en recuadros similares a los de la "red" que forma el pelo de los jaguares, se observan personajes con grandes caracoles de los que salen las comas que indican la música. La parte inferior del Pórtico 3 presenta imágenes de guerreros

Tetitla

El complejo residencial de Tetitla, en las presas de Atetelco, es el que conserva la mayor variedad de pinturas murales y tal vez el que brinda una idea más clara de cómo debieron lucir estos edificios multicolores. Entre las pinturas más célebres de Tetitla destacan las que tienen como tema a un personaje que se sumerge en el agua para recoger conchas (Pórtico 26), águilas con las alas desplegadas (Pórtico 25), espléndidos jaguares que se alimentan de corazones humanos (Pórtico 13), un caballero-tigre arrodillado frente a un templo (Sala 12) y, sobre todo, la serie de Grandes Diosas que decora el Pórtico 11: se trata de figuras femeninas colocadas en posición frontal, con enormes penachos emplumados y cubiertas de joyas preciosas de jade, como collares, orejeras y ornamentos nasales. De sus manos surgen chorros de agua que contienen diversas imágenes simbólicas.

símbolo de gran valor), donde se observan numerosos ejemplares pintados de dichos ornamentos, además de corazones atravesados por navajas para el sacrificio.
El Sector 2 incluye el Complejo de los Jaguares –con siluetas de montañas que tienen estrellas y jaguares anaranjados coronados con figuras humanas– y la Plaza de los Glifos, cuyo pavimento está decorado por una serie de motivos de gran refinamiento y significado oscuro. En el mismo sector, sobre un pavimento cercano a un canal de desagüe, se halla la figura de un personaje fálico, de cuyo órgano genital sale un chorro líquido que fluye al canal de drenaje. Otras pinturas pueden observarse en el Sector 4, mientras en el Sector 3, menos deslumbrante desde el punto de vista arquitectónico, se han restituido una gran cantidad de sepulturas acompañadas de ricos objetos de piedra producidos en el lugar. Algunas de las obras maestras encontradas en la zona pueden ser admiradas en el Museo del Sitio.

Tula

La historia

Tula fue la capital del imperio tolteca y, aunque su florecimiento duró sólo tres siglos, adquirió una verdadera aura mítica: la ciudad de Tollán por excelencia, aquella de la que los aztecas se decían descendientes para asentar su poder. Fundada alrededor de 700 d.C. por grupos nahuas provenientes del norte (de los actuales estados de Guanajuato, Querétaro, Zacatecas y Jalisco), durante casi tres siglos Tula se desarrolló como uno de los tantos centros epiclásicos que se beneficiaron con el vacío de poder que quedó tras la caída de Teotihuacán. En su primera época el asentamiento se limitaba a la zona que hoy conocemos con el nombre de Tula Chico, un kilómetro y medio al norte del posterior centro monumental.

Alrededor de 900 d.C. Tula Chico fue abandonada y en la cima de la colina El Tesoro fue edificada la nueva Tula Grande, que retomaba parcialmente la traza urbana del asentamiento más antiguo. Cerca de un siglo después, entre el 1000 y el 1050 d.C., el centro monumental fue reconstruido con la forma que actualmente lo conocemos. En esa época Tula alcanzó 16 kilómetros cuadrados de extensión y debe haber hospedado a decenas de miles de habitantes.

El arte tolteca no nos ha legado retratos individuales de sus gobernantes, y es probable que como Teotihuacán, Tula haya sido gobernada por grupos de nobles "bajo la égida de patrones divinos" como la Serpiente Emplumada y el Jaguar. Esta élite debe haber habitado cerca del centro monumental, mientras el resto de la población –probablemente dividida en grupos de parentesco similares a los *calpultin* aztecas– vivía en los numerosos barrios identificados durante las excavaciones arqueológicas, que también han revelado la existencia de talleres artesanales especializados.

Tula, como había ya sucedido también con Teotihuacán, se volvió uno de los principales centros comerciales de todo el territorio mesoamericano, cuya amplitud puede imaginarse por la presencia en la ciudad de objetos provenientes de zonas tan lejanas como Nicaragua y el sur de los Estados Unidos. Se desconoce la manera en que los toltecas lograron tal expansión, pero es posible que se haya hecho en parte mediante conquistas militares –creando, por lo tanto, provincias tributarias– y por misiones específicamente comerciales. Es posible también que el área directamente dominada por Tula se extendiese hasta el valle de Puebla. No sabemos cuales hayan sido las causas de la repentina crisis que culminó en el abandono definitivo de Tula alrededor de 1200 d.C., cuando gran parte de los edificios fueron saqueados e incendiados, tal vez por los propios habitantes de la ciudad. Suponemos la existencia de tensiones internas entre las diversas clases sociales, así como una ruptura en el sistema comercial que constituía la base de la riqueza de la ciudad ocasionada por nuevos grupos humanos inmigrantes en la zona. Pero Tula tampoco fue olvidada: los aztecas la frecuentaban y hacían excavaciones en las ruinas de la que pensaban que era la verdadera Tollán, fuente y justificación de su poder.

◀ *Escultura de basalto policromado que representa un Atlante. Este tipo de estatuas sostenían losas de piedra que se usaban como altares. Véase el pectoral del personaje, probablemente realizado con placas de concha.*

▲ *Vaso esculpido con la representación de un guerrero con casco en forma de cabeza de coyote, hallado en Tula. Las conchas con las que está cubierto provienen del Golfo de California, mientras el centro está hecho con cerámica producida en Guatemala.*

◀ *Los célebres Atlantes de Tula que sostenían el techo del Templo B, constituyen las imágenes paradigmáticas de los guerreros toltecas, con un pequeño tocado emplumado, pectoral de mariposa y lanza angosta en la mano derecha.*

El sitio

El centro monumental de Tula está organizado en torno a una plaza central que alberga los principales edificios de la ciudad. En el lado norte de la plaza se encuentra el Templo B, conocido también como templo de Tlahuizcalpantecuhtli (Venus como estrella matinal), una de las manifestaciones de Quetzalcóatl. Se trata de una pirámide con terrazas, cuyos lados estaban completamente revestidos de paneles escultóricos que representaban águilas devorando corazones humanos,

Vista del Palacio Quemado. Este tipo de estructuras con amplias salas con columnas es de origen septentrional y se difundió en Mesoamérica, hasta Chichen Itzá, durante el periodo Postclásico. Se piensa que la función de las salas estaba ligada a las grandes asambleas de los guerreros, que deben haber constituido uno de los momentos ceremoniales más importantes de los estados militares del Postclásico.

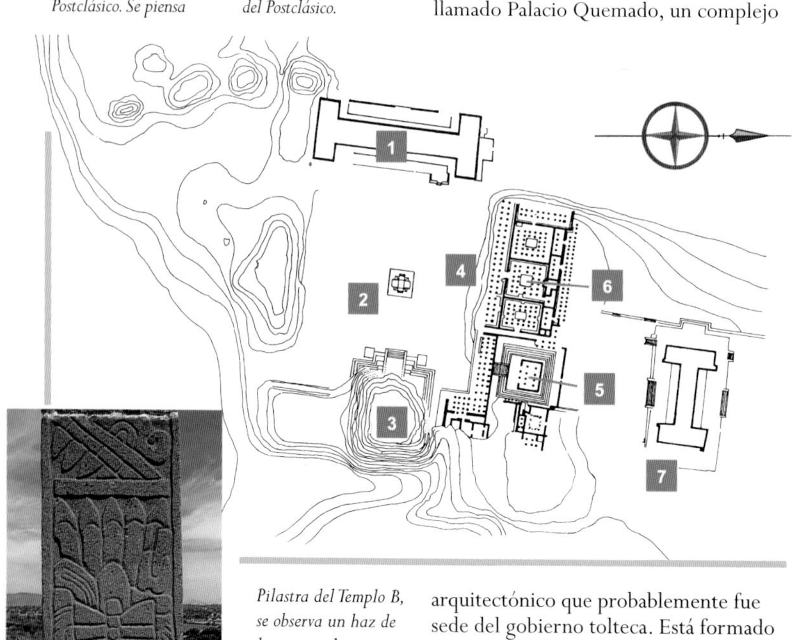

Pilastra del Templo B, se observa un haz de lanzas atadas mediante un nudo.

además de jaguares y pumas que todavía podemos observar en la parte inferior de la construcción. Hay también figuras de guerreros y una representación del rostro del propio Tlahuizcalpantecuhtli emergiendo de las fauces de un jaguar.

En la cúspide de la pirámide estaba el templo, cuyo techo era sostenido por tres columnatas. La del centro estaba constituida por los llamados Atlantes, cuatro colosales esculturas en piedra y de bulto redondo que representan guerreros con penachos de plumas, pectorales en forma de mariposa, discos decorativos sobre la espalda y con armas en las manos. La fila posterior presentaba en cambio, pilastras rectangulares con bajorrelieves de guerreros, mientras la anterior, desafortunadamente incompleta, estaba compuesta por columnas cilíndricas en forma de serpientes emplumadas, probablemente muy parecidas a las del Templo de los Guerreros de Chichen Itzá. En el lado posterior de la pirámide se encuentra un fragmento del Coatepantli ("muro de las serpientes"), que delimitaba el centro sagrado y que constituyó el prototipo de los muros análogos de las ciudades aztecas.

El Coatepantli de Tula está decorado con bajorrelieves que representan serpientes devorando figuras esqueléticas, sobre las cuales hay grecas y una fila de "mirlos" que forman caracoles seccionados.

Al oeste del Templo B se encuentra el llamado Palacio Quemado, un complejo arquitectónico que probablemente fue sede del gobierno tolteca. Está formado por tres grandes salas con columnas y de una serie de estancias más pequeñas.

Todo el perímetro del edificio, así como el frente del Templo B, está rodeado de grandes vestíbulos con columnas y estucos blancos.

En el interior del Palacio Quemado hay algunas bancas de piedra decoradas con bajorrelieves policromados que representan procesiones de guerreros. Al

Tula

1. Juego de pelota
2. Altar Central
3. Templo del Sol
4. Gran columnata
5. Templo de Tlahuizcalpantecuhtli
6. Palacio Quemado
7. Juego de pelota

centro de la sala principal se encontraron importantes ofrendas, entre las que había un disco de madera con un mosaico de 3000 turquesas que dan forma a cuatro "serpientes de fuego" y un pectoral hecho con 1600 placas de concha Spondylus roja; tanto el disco como el pectoral son parte de la vestimenta de los guerreros retratados en los Atlantes.

Una estructura bastante similar a la del Palacio Quemado, pero en peor estado de conservación, delimita el lado meridional de la plaza y es probable que su función haya sido precisamente repre-

◀ *En la cima del Templo B se erguían tres filas de columnas. La primera estaba conformada por columnas cilíndricas en forma de serpientes emplumadas, la segunda por los Atlantes y la tercera con pilastras cuadrangulares con bajorrelieves de guerreros.*

▼ *Pectoral realizado con más de 1600 placas de la codiciada* Spondylus *(concha roja del Pacífico) y de madreperlas, del que penden adornos de concha. Este objeto fue hallado entre las ofrendas del centro del Palacio Quemado.*

▲ *Vista del centro monumental desde la cima del Templo C. Se observa el Templo B, el Palacio Quemado y la columnata frente a las dos estructuras.*

▶ *Estela tolteca que representa a un guerrero con tocado, aretes, pectoral, ornamentos en las piernas y sandalias.*

sentar el límite. Debido a que ninguno de estos edificios parece haber tenido la función de habitación, se piensa que la élite de Tula vivía en las grandes plataformas que se encuentran al este de la plaza, sobre cuya superficie se han encontrado múltiples objetos de lujo importados de regiones lejanas.

El lado oriental de la plaza es dominado por la mole de la Pirámide C, la mayor de las estructuras religiosas de la ciudad, dedicada probablemente a Tezcatlipoca ("antagonista cósmico" de Quetzalcóatl) o al aspecto vespertino del planeta Venus, y que hoy se encuentra desafortunadamente en pésimo estado de conservación.

A espaldas del Templo B se encuentra uno de los campos de juego de la ciudad, con la típica forma en "I" y similar al que delimita el lado occidental de la plaza. Junto a uno de los campos, los arqueólogos encontraron una plataforma en la que habían sido enterrados miles de fragmentos de cráneos humanos: se trata de los restos de un *tzompantli*, la estructura empleada para mostrar los cráneos de quienes eran sacrificados en la plaza principal y probablemente también en el campo de juego. El tzompantli, las bancas policromadas, las salas con columnas, la escultura conocida como Chac Mool y el Coatepantli son todos elementos de origen septentrional que se convirtieron en prototipos de los objetos aztecas análogos: su presencia es testimonio de la manera en que Tula constituyó el modelo al que se refirieron siglos después los artistas y políticos aztecas.

Quetzalcóatl y Tollán,
entre historia y mito

Quetzalcóatl, señor de Tollán, es la figura central de una compleja serie de sucesos mitológicos en los que cosmología, mitología e historia se confunden de manera inextricable.

Con el nombre Quetzalcóatl (Serpiente Emplumada) los nahuas se referían tanto a la antigua divinidad de la Serpiente Emplumada como al "héroe" –mítico o real– protagonista de una suerte de ciclo épico. Esta divinidad es una de las más antiguas de Mesoamérica: participaba en el proceso de creación y destrucción en constante antagonismo con Tezcatlipoca (Espejo brillante o que humea), y jugó un papel fundamental en la creación de la humanidad, del maíz, del calendario y de muchos otros aspectos de la cultura mesoamericana. Entre sus principales manifestaciones se encuentran Tlahuizcalpantecuhtli ("Venus como estrella matinal") y Ehécatl, dios del viento.

El personaje humano se distingue de la divinidad solamente por el hecho de ser llamado con el nombre completo de Topiltzin Quetzalcóatl precedido del nombre del calendario Ce Acatl (1 Caña). Se trata evidentemente de un hombre considerado divino y por lo tanto portavoz y representante de los dioses, cualidad que le confería además el poder de guiar a su pueblo. Debido a la íntima relación entre ambas figuras, no resulta sorprendente que sea difícil distinguirlas.

De acuerdo con varios documentos de la época azteca y colonial Ce Acatl Topiltzin Quetzalcóatl nació en circunstancias milagrosas y, después de haber recuperado la osamenta del padre muerto, se convirtió en rey de la ciudad de Tollán (Lugar de las Cañas) donde hizo construir cuatro templos y se distinguió por la intensidad de sus actos ceremoniales y penitencia. Bajo su reino, Tollán vivió un momento de esplendor y los toltecas, artesanos extraordinarios, la transformaron en una ciudad maravillosa.

El espléndido reino de Quetzalcóatl terminó cuando su adversario Tezcatlipoca lo indujo a emborracharse, empujándolo así a cometer una grave infracción ritual que lo obligó a abandonar la ciudad.

Ce Acatl Topiltzin guió entonces a sus fieles hacia el este, a un lugar llamado Tlapallan, donde se transformó en estrella matinal.

La Tollán de Quetzalcóatl se volvió una suerte de ciudad ideal para muchos pueblos mesoamericanos y los aztecas, por ejemplo, afirmaban que la sangre real de sus gobernantes provenía directamente del linaje reinante en Tollán, gracias a los matrimonios que habían contraído los señores aztecas con algunas mujeres nobles de la ciudad de Culhuacán, donde se habían refugiado los toltecas después de la caída de Tula.

Los estudiosos que se abocaron a tratar de distinguir el sustrato histórico de la leyenda estuvieron fuertemente divididos entre quienes veían en Teotihuacán la única posible Tollán histórica y quienes la buscaban entre los múltiples sitios arqueológicos cuyo nombre pudiera ser asociado al de la ciudad mítica. La controversia quedó de alguna manera resuelta cuando algunos descubrimientos demostraron que la Tollán a la que se referían los documentos aztecas no podía ser más que la Tula arqueológica del estado de Hidalgo.

La migración de Quetzalcóatl hacia el oriente pareciera confirmar la extraordinaria semejanza entre los monumentos de Tula y los de Chichen Itzá, en Yucatán, donde a partir del siglo X se construyeron grandiosos edificios al estilo tolteca; la ciudad maya habría sido por lo tanto la Tlapallan a la que Ce Acatl Topiltzin Quetzalcóatl llegó importando el culto tolteca de la Serpiente Emplumada.

A pesar de que esta tesis es ampliamente aceptada en la actualidad –sobre todo en lo que respecta a la identificación de la Tollán de los aztecas con la Tula arqueológica–, algunos especialistas han comenzado a dudar de ciertos aspectos de la historia. Antes que nada, Chichen Itzá parece mucho más una ciudad hermana bastante más grandiosa de Tula que su copia. Pero es sobre todo el hecho de que algunos de los elementos ideológico-políticos reconocibles en la historia de Quetzalcóatl parecen haberse originado en Teotihuacán: el culto a la Serpiente Emplumada como divinidad creadora del calendario, su estrecho nexo con los gobernantes de una espléndida ciudad que fue sede de artesanos extraordinarios, el conflicto entre la Serpiente Emplumada y el Jaguar, etcétera.

Cada vez resulta más claro que la combinación de mito y realidad histórica que encontramos en los documentos debe haber sido característica de una ideología político-religiosa que existió durante siglos en la mayor parte de Mesoamérica. Si fuera cierto que los aztecas identificaban las ruinas de Tula con la antigua Tollán entonces es también verdad que el lugar donde la ideología político-religiosa a ella ligada podría haber sido conformada en Teotihuacán, la ciudad que en la mitología azteca había sido elevada a lugar de la creación. Más adelante (en el recuadro titulado "¿Mayas-toltecas o zuyuanos?") veremos la importante contribución de estos nuevos análisis para la comprensión de la trayectoria histórica de todas las "Tollán terrestres" que surgieron en la Mesoamércia del periodo Postclásico.

◄ *Escultura tolteca que representa a un personaje cuyo rostro emerge de las fauces de una serpiente emplumada. Es muy probablemente un retrato de Ce Acatl Topiltzin Quetzalcóatl, mítico rey de la ciudad de Tollan.*

► *Efigie esculpida de la Serpiente Emplumada, una de las grandes divinidades de Mesoamérica, de origen azteca. Entre los muchos atributos de Quetzalcóatl estaba el relacionado con una especie de "patronato" de los linajes que gobernaban.*

MÉXICO-TENOCHTITLÁN

La capital del imperio azteca fue la ciudad más impresionante que encontraron los españoles. México-Tenochtitlán se levantaba sobre las isletas que estaban en medio del lago de Texcoco y, como Venecia, era una ciudad acuática dividida por canales pero unida a tierra firme por cuatro grandes calzadas. Son célebres las palabras con que Bernal Díaz del Castillo describió la entrada de los españoles a través de una de estas vías de acceso: "...cuando vimos tantas ciudades y pueblos poblados en el agua y otras grandes ciudades sobre tierra firme, y aquella calzada tan recta que dirigía a México, quedamos admirados y dijimos que se parecían a las cosas descritas en el libro de Amadigi, por las grandes torres y templos y edificios que tenían dentro del agua y hechos con cal y piedra; algunos de nuestros soldados se preguntaban si lo que estaban viendo no era un sueño".

Según la tradición, la ciudad había sido fundada en 1325, cuando la visión de un águila sobre un nopal puso fin a la larga migración por la que el dios tribal Huitzilopochtli había conducido a los mexicas, provenientes de Aztlán. Ahora sabemos que los aztecas fueron obligados a asentarse en estas isletas poco hospitalarias por los tepanecas, que dominaban la región a principios del siglo XIV. Doce años después, un grupo de disidentes mexicas fundó México-Tlatelolco, la ciudad gemela que se convirtió muy pronto en rival de Tenochtitlán hasta que fue conquistada por los tenochcas (habitantes de Tenochtitlán), en 1473. A pesar de que Tenochtitlán haya sido la ciudad indígena mejor conocida por los españoles, paradójicamente la conocemos muy poco desde el punto de vista arqueológico.
Después de la conquista en 1521, Cortés decidió mantener la capital de la Nueva España en el mismo lugar lo que,

Izquierda superior
Escultura azteca que representa la cabeza de un caballero-águila. La identificación de las órdenes guerreras con algunos animales sagrados y, por lo tanto, con las fuerzas cósmicas que éstos representaban, bastante difundida en la época azteca, tenía en Mesoamérica una larga tradición que data por lo menos del periodo Clásico.

▲ *Reconstrucción del recinto sagrado de Tenochtitlán, dominado por el Templo Mayor y los templos dedicados a Tláloc y Huitzilopochtli. El templo circular estaba consagrado a Ehécatl, dios del viento. Figuran otros edificios sagrados, un campo de juego, un tzompantli, una escuela para jóvenes nobles y algunas estructuras destinadas a los guerreros.*

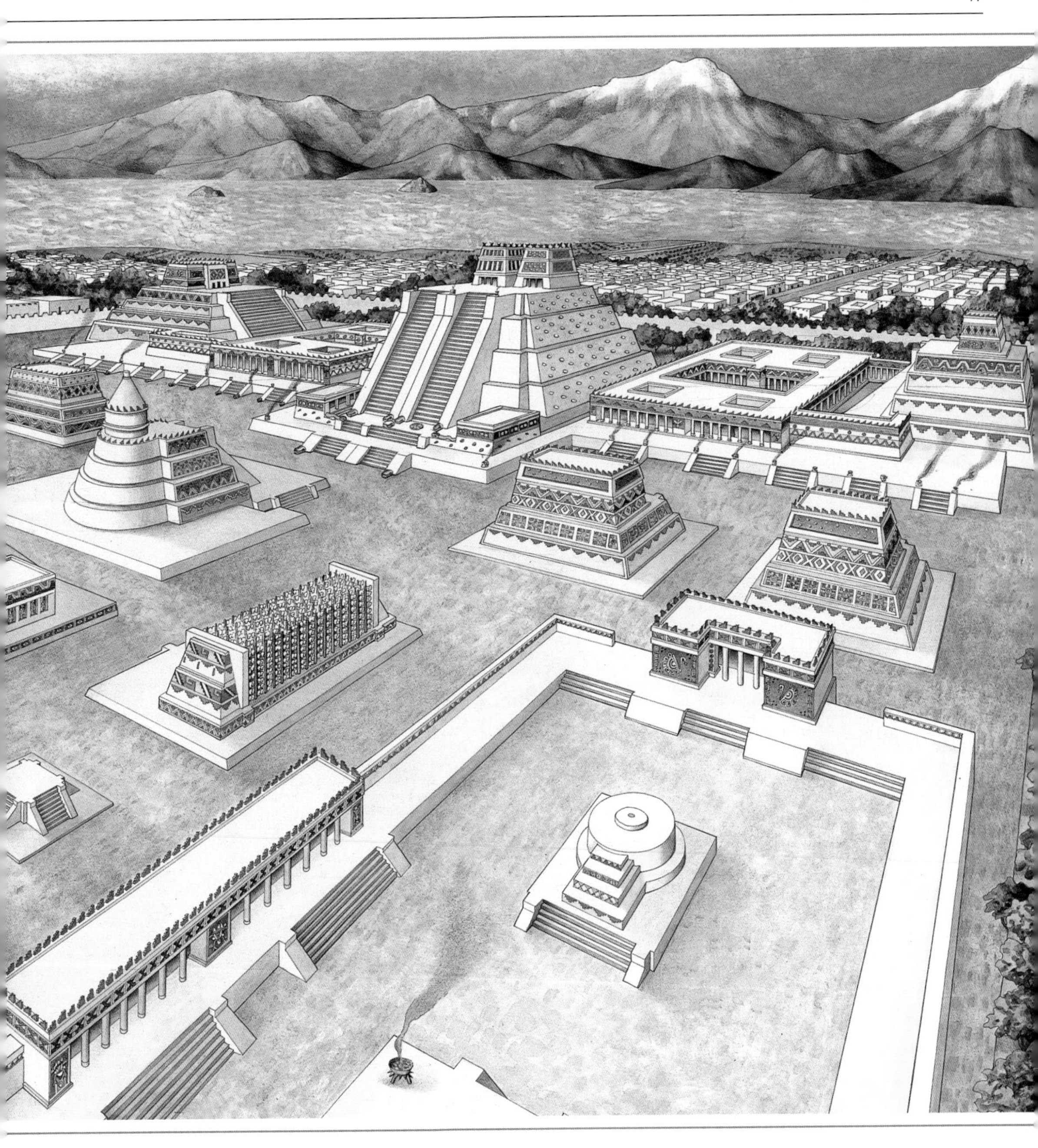

sumado al aterrador crecimiento de la Ciudad de México durante la colonia y la modernidad –que entre otras cosas ha devorado casi por completo el lago de Texcoco–, cubrió los vestigios de la ciudad antigua, escondiendo incluso el recinto sagrado que, según la descripción de Bernardino de Sahagún, contenía 78 edificios monumentales entre los que se hallaba el Templo Mayor, principal templo del imperio.

Aunque hoy es posible apreciar importantes ruinas aztecas en la Plaza de las Tres Culturas (centro del antiguo Tlatelolco), el lugar donde mejor se aprecia la majestuosidad de la antigua Tenochtitlán es realmente el Templo Mayor, verdadero corazón religioso y político del imperio, hoy rodeado de edificios de similar valor simbólico como la Catedral de la Ciudad de México y el Palacio Nacional, cuyos frescos pintados por Diego Rivera constituyen un templo de la ideología del México revolucionario y moderno.

Antes de pasar a la descripción de las ruinas del Templo Mayor queremos resumir brevemente lo que las fuentes coloniales y las recientes excavaciones han revelado en cuanto a su simbología. El Templo Mayor era concebido como modelo del cosmos, centro simbólico y real de una ciudad que, como una nueva Tollán, se erigía en el centro del universo. La plataforma de la que surgía el templo era una representación de la Tierra que se superponía al inframundo, sobre la que se elevaban dos pirámides gemelas simbolizando los niveles celestes del cosmos.

La pirámide del norte, coronada por el templo del dios de la lluvia Tláloc, era a su vez una representación simbólica del

◀ *Gran escultura azteca que representa a Coatlicue, "La de la falda de serpientes", diosa terrestre madre del Sol, la Luna y las estrellas. Se puede ver la cabeza de serpiente bicéfala, el collar de corazones y manos, el cráneo como pendiente y la falda de serpientes. La escultura, descubierta en 1790, causó tanto terror que fue enterrada nuevamente y ocultada durante varias décadas.*

▶ *Esta escultura azteca descubierta en el Templo Mayor, conocida como* cuauhxicalli, *presenta una cavidad en el dorso destinada a contener el corazón de los prisioneros sacrificados. Las ofrendas de seres humanos y las guerras cuyo fin era la obtención de prisioneros para inmolarlos tuvieron un papel fundamental en la ideología imperial azteca.*

▶ *Sobre la célebre Piedra del Sol los prisioneros de guerra eran amarrados y sacrificados. El complejo bajorrelieve representa al Quinto Sol o "Sol Movimiento", rodeado de los símbolos de los cuatro soles precedentes y de los nombres de los días del calendario.*

Tonacatépetl, "Monte del sustento", de cuyo interior –una especie de tienda de la fertilidad– se suponía que provenía el maíz. La pirámide meridional, coronada por el templo del dios de la guerra Huitzilopochtli, representaba en cambio a Coatepec, "Monte de la serpiente", la colina que fue escenario de las empresas "astrales" de la divinidad, claramente identificable como alusiones metafóricas del conflicto entre el Sol y los astros del cielo nocturno.
De acuerdo con la tradición, en realidad Huitzilopochtli había nacido sobre esta montaña de su madre Coatlicue, "La de la falda de serpientes", y había enfrentado inmediatamente la hostilidad de sus hermanos Centzon Huitznahua ("Los cuatrocientos del sur", las estrellas) conducidos por su hermana Coyolxauhqui ("Cascabeles en las mejillas", la Luna). Huitzilopochtli los venció con el arma mágica Xiuhcóatl ("Serpiente de fuego") y aventó sus cuerpos desmembrados por las pendientes de la colina.

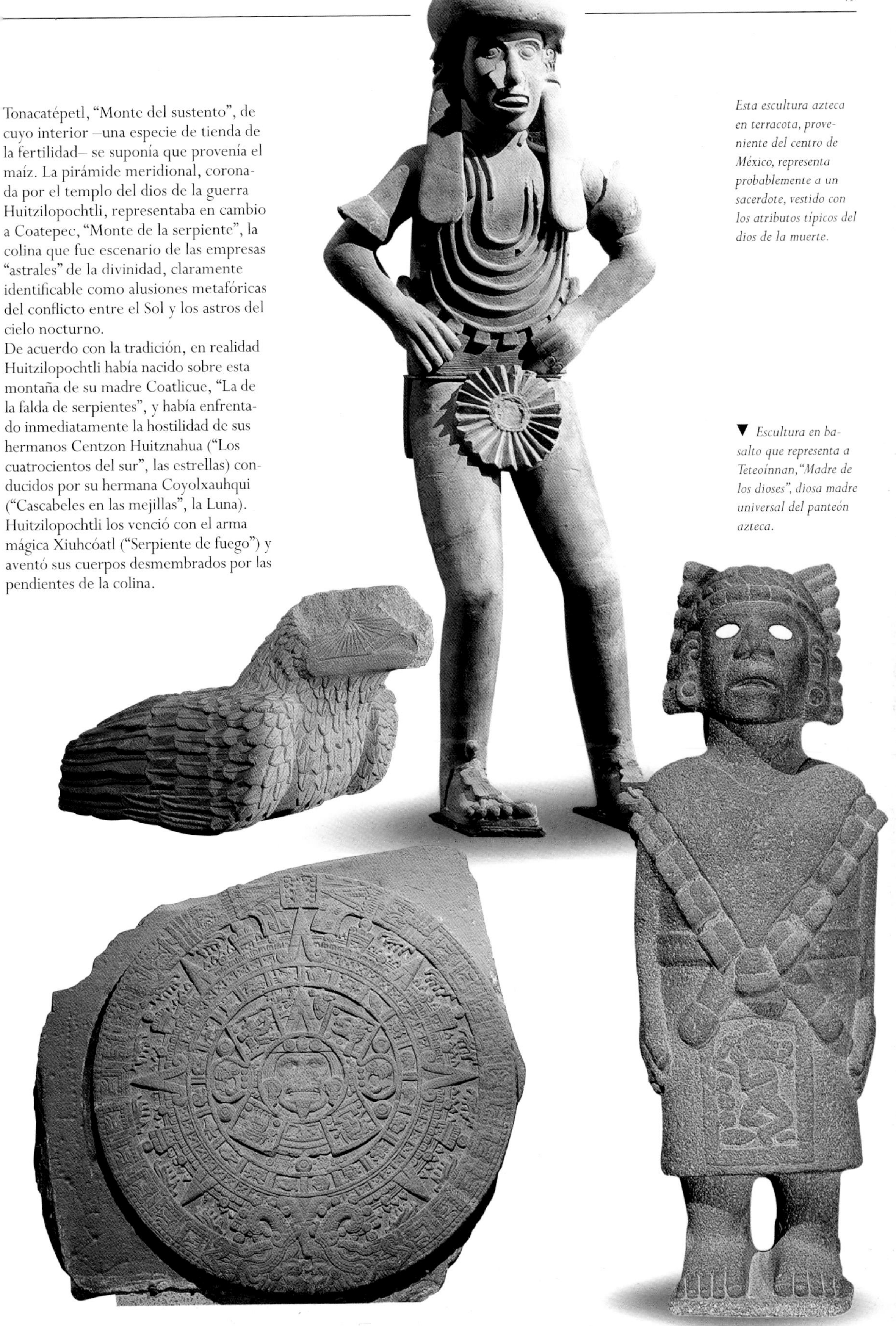

Esta escultura azteca en terracota, proveniente del centro de México, representa probablemente a un sacerdote, vestido con los atributos típicos del dios de la muerte.

▼ *Escultura en basalto que representa a Teteoínnan, "Madre de los dioses", diosa madre universal del panteón azteca.*

Templo Mayor

Siempre se ha sabido que existe una correspondencia entre el antiguo recinto ceremonial y la actual plaza central de la Ciudad de México, sin embargo con el paso del tiempo se fue olvidando el lugar exacto en que estaban los edificios antiguos, hasta que empezaron a emerger de la tierra casualmente. En 1790 fueron encontradas dos de las más célebres esculturas aztecas: la Piedra del Sol y la colosal estatua de la Coatlicue, que hoy se conservan en la sala mexica del Museo Nacional de Antropología. También fue casual el hallazgo que inauguró el redescubrimiento del Templo Mayor: en 1978 algunos obreros encontraron una gran escultura circular que representaba a Coyolxauhqui desmembrada. Sabiendo que debía haber estado

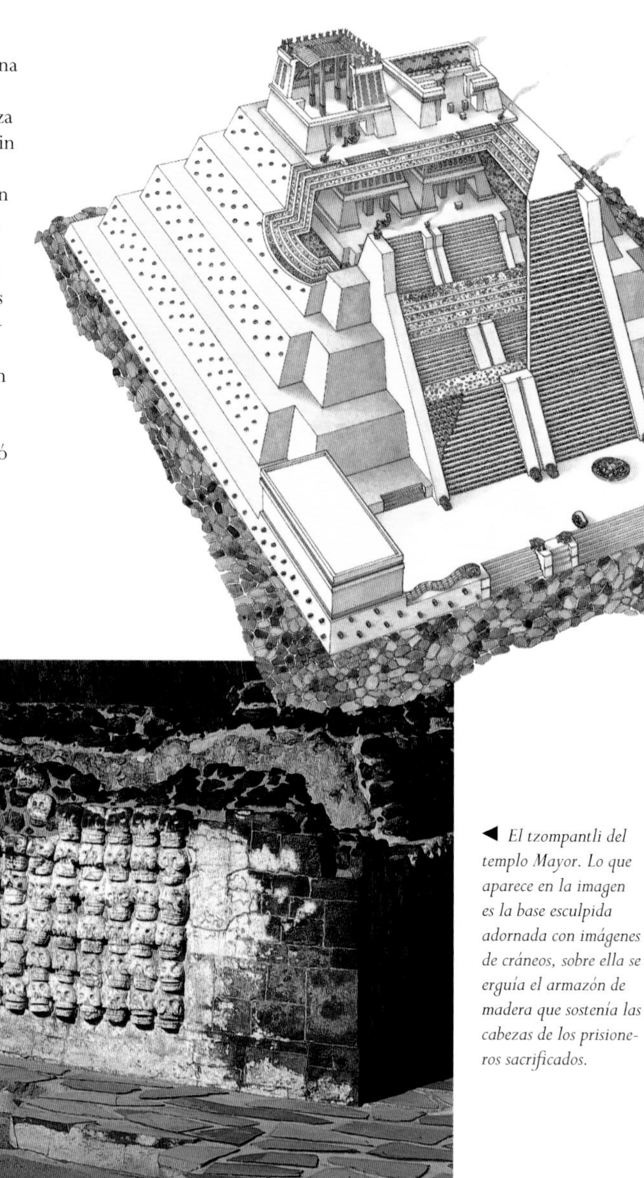

▲ *Reconstrucción del Templo Mayor en la que se puede observar que el doble templo fue remodelado siete veces, incluidas una en otra, a la manera de las cajas chinas. La única estructura que quedó entera y es completamente visible en la actualidad, es la segunda. Como podrá observarse, la escultura circular de la Coyolxauhqui se encuentra exactamente bajo el Templo de Huitzilopochtli.*

◄ *El tzompantli del templo Mayor. Lo que aparece en la imagen es la base esculpida adornada con imágenes de cráneos, sobre ella se erguía el armazón de madera que sostenía las cabezas de los prisioneros sacrificados.*

a los pies de la escalinata del Templo de Huitzilopochtli, es decir, en el lugar donde, según el mito, la había aventado su hermano, fue posible ubicar con certeza las diversas estructuras que conformaban el Templo Mayor.

La excavación puesta en marcha entonces ha permitido distinguir las ruinas de las siete reconstrucciones (épocas I a VII) que el Templo Mayor sufrió entre 1325 y 1521.

En la actualidad es posible ver restos de esos periodos, como si fueran las "capas de una cebolla" cortada horizontalmente, y en el centro se encuentran los mejor conservados, pertenecientes a la época II. De las últimas versiones del templo no quedan más que pocas huellas, mientras que la primera construcción (época I, 1325 d.C., aproximadamente) no es visible porque está cubierta por una construcción posterior y por estar sumergida en el nivel freático que subyace el Templo.

Al entrar a la zona arqueológica está la plataforma de base (época Ivb, 1470 d.C.), decorada con cuerpos ondulados de serpientes, grandes braceros y con un altar coronado por dos ranas.

De la plataforma se accede a la zona de los templos, cruzando los restos de las distintas remodelaciones, de las que hoy dan testimonio una serie de escalinatas superpuestas.

Frente al templo de Huitzilopochtli hay una copia de Coyolxauhqui (época IVb, 1470 d.C., aproximadamente), bajo la cual yace una versión precedente en estuco de la misma escultura (época IV, 1454 d.C., aproximadamente). Continuando hacia las estructuras más antiguas se pasa cerca de una serie de portaestandartes antropomorfos, apoyados sobre la escalinata de la época III del templo (aproximadamente 1431 d.C.).

▲ *El Chac Mool policromado que se encuentra ante el santuario de Tláloc, sobre el Templo Mayor, pertenece a la segunda fase de construcción del edificio. Esta imagen divina, destinada a contener las ofrendas en el recipiente que lleva en el vientre, se originó en el norte de Mesoamérica y se difundió después en toda la región cultural durante la época tolteca.*

▼ *Esta escultura en basalto policromado representa una cabeza de serpiente, que adorna la plataforma del Templo Mayor.*

Derecha superior
Algunas de las ofrendas enterradas en la plataforma del Templo Mayor contenían máscaras que representaban al dios de la muerte: Mictantecuhtli. La que aquí aparece fue obtenida tallando un cráneo humano, tal vez perteneciente a una víctima sacrificada: los ojos son de concha y amatista, mientras cuchillos de sacrificio en piedra formaban nariz y lengua.

▶ *Gran piedra esculpida que representa a la diosa Coyolxauhqui. El casual descubrimiento de la escultura durante la cuarta remodelación del templo, impulsó el "Proyecto Templo Mayor" y las excavaciones en todo el complejo.*

▶ *Vista del Templo Mayor de Tlatelolco, cuyas imponentes escalinatas conducían, como en Tenochtitlán, a los templos dedicados a Tláloc y a Huitzilopochtli.*

▼ *Centro monumental de Tlatelolco, ciudad gemela de Tenochtitlán. Fue en este lugar cargado de historia que se llevó a cabo la batalla definitiva entre el ejército español y el azteca, bajo el mando de Cuauhtémoc. La plaza central de Tlatelolco se conoce en la actualidad como Plaza de las Tres Culturas porque en ella coexisten ruinas aztecas, la iglesia de Santiago Tlatelolco y edificios modernos.*

Los dos templos de la época II (1390 d.C., aproximadamente) se han conservado casi completamente y permiten imaginar como debe haber sido el Templo Mayor en la antigüedad. En el sur está el Templo de Huitzilopochtli, frente a cuyo acceso se encuentra una piedra sacrificial en la que se apoyaba la espalda de los prisioneros a los que se extraía el corazón. Al norte se encontraba el templo de Tláloc, precedido de un Chac Mool policromado; esta escultura de origen tolteca estaba destinada a recibir las ofrendas que la gente presentaba al dios. Del lado norte del Templo Mayor se encuentran otros tres edificios del recinto sagrado, todos datan de la época VI (1500 d.C., aproximadamente); entre ellos hay un tzompantli decorado de cráneos esculpidos, que servía como sostén de un armazón de madera en el que se colocaban cráneos reales. Junto al tzompantli se halla el Templo C o Templo Rojo, una pequeña estructura en estilo teotihuacano decorada con círculos rojos que simbolizaban agua y valor elevado. Otro lugar de culto similar se encuentra en el lado meridional del Templo Mayor. Al norte de estos tres templos se encuentra uno de los más bellos complejos arquitectónicos del recinto, conocido como "Casa de las Águilas".

La estructura de la Casa de las Águilas (época V, aproximadamente 1482 d.C.) está constituida por diversas secciones a cuyos lados se hallan bancas policromadas, muy parecidas a las de Tula, en las que aparecen dos filas de guerreros que convergen en el *zacatapayolli* –pelota de paja– en la que se clavaban las espinas ensangrentadas usadas en las ceremonias de autosacrificio. En este complejo fueron encontradas dos estatuas de terracota que representan caballeros-águila de tamaño natural. Las excavaciones recientemente realizadas en el lado norte del recinto (bajo la calle moderna que bordea el área arqueológica) permitieron

cabello. Estos recientes hallazgos han permitido reinterpretar la función de la Casa de las Águilas, que con toda probabilidad era el edificio donde el rey azteca recién elegido practicaba los autosacrificios que escenificaban una muerte simbólica y su renacimiento como soberano solar.
El hallazgo arqueológico más reciente en el área del Templo Mayor es un enorme monolito esculpido con la imagen de la diosa de la tierra. Algunos elementos de la escultura dejan suponer que cubre una cripta en la que estarían enterrados los restos cremados de Ahuítzotl, rey azteca muerto en el 1502.
Durante las excavaciones del Templo Mayor se encontraron también, más de 100 ofrendas con objetos valiosos enterradas en la plataforma base, es decir, simbólicamente, en el inframundo.
Entre las cosas excepcionales que estas ofrendas contenían se cuentan estatuas de piedra (que tal vez representaban al dios del fuego Xiuhtecuhtli), objetos de jade, alabastro y obsidiana, recipientes de terracota, restos de animales marinos y terrestres, y en un caso, adornos de tela y papel policromado. Gran parte de lo ofrendado, así como las grandes esculturas de terracota, la Coyolxauhqui y muchos otros tesoros del arte azteca pueden ser admirados en el espléndido museo que se encuentra atrás del Templo Mayor.

▲ *Detalle de las ruinas de Tlatelolco con una estructura anexa al Templo R en primer plano. Arriba a la izquierda se puede ver el Templo de los Números o Templo del Calendario, decorado con paneles de piedra con bajorrelieves que representan los nombres de los 260 días del calendario.*

descubrir otras dos estancias con más de 30 metros de bancas policromadas. Cerca de la entrada fueron hallados dos grandes braceros en los que aparece representado Tláloc llorando. Sobre las bancas estaban colocadas dos estatuas de terracota del dios del mundo de los muertos, Mictantecuhtli, representado como esqueleto cuyo hígado cuelga de la caja torácica y con unas uñas larguísimas tanto en las manos como en los pies. Sus hombros y cabeza tienen hoyos por los que se vertía sangre humana e insertaba

▲ *Escultura azteca hallada en el Templo Mayor que representa a Huehuetéotl, el Dios Viejo del fuego. Esta insólita versión azteca de la divinidad se caracteriza por los elementos distintivos del dios de la lluvia Tláloc (círculos sobre los ojos, colmillos salientes).*

Esta estatua en terracota de tamaño natural, que representa un caballero-águila, fue hallada junto a una estatua "gemela" en la llamada "Casa de las Águilas" cerca del Templo Mayor de Tenochtitlán y data aproximadamente de 1480 d.C.

El Museo Nacional de Antropología

La colección arqueológica del Museo Nacional de Antropología (que, incluyendo los objetos no expuestos, cuenta con 100,000 piezas) está dividida en 12 salas temáticas dispuestas en torno al gran patio en cuyo centro hay una imponente columna-fuente diseñada por el arquitecto Pedro Ramírez Vázquez.
La visita inicia con salas introductorias dedicadas a la antropología, Mesoamérica y los orígenes del poblamiento de México. En la siguiente sala, dedicada al Preclásico del altiplano, se pueden admirar las célebres cerámicas olmecas de Tlatilco y Tlapacoya. La sala Teotihuacana hospeda obras maestras de la gran metrópoli clásica, como la máscara con mosaicos de turquesas, el marcador usado en el juego de pelota, los incensarios-teatro y la gran escultura de Chalchiuhtlicue; una reproducción de tamaño natural y policromada de la fachada del Templo de la Serpiente Emplumada domina este espacio.
La Sala tolteca contiene objetos provenientes de sitios epiclásicos como Xochicalco, Cacaxtla y Xochitécatl, además de obras maestras toltecas como la cabeza de caballero-coyote recubierta de conchas, un Chac Mool y un Atlante del Templo B.
Al interior de la Sala mexica, imponente por su monumentalidad, se expone una extraordinaria galería de esculturas aztecas, entre ellas la Piedra del Sol, la Coatlicue, la Piedra de Tizoc y la escultura de Xochipilli.
En la sala Oaxaca se pueden admirar objetos como una máscara de jade con la forma del dios murciélago, una excepcional serie de urnas zapotecas y algunos de los mejores ejemplos de cerámica y orfebrería mixteca, además de dos tumbas con pinturas murales de Monte Albán, reproducidas en tamaño natural.
La siguiente es la Sala del Golfo, dominada por la colosal Cabeza 6 de San Lorenzo, en la que se expone una excepcional colección de obras olmecas y de otras culturas del Golfo, así como la estatua en

▼ Este elegante caracol de piedra es parte de la colección del Museo del Templo Mayor.

◄ Esta espléndida máscara teotihuacana –hoy en el Museo del Templo Mayor– fue hallada entre las ofrendas aztecas del templo y probablemente fue descubierta en las excavaciones realizadas en Teotihuacán por los aztecas.

▼ Escultura de un Chac Mool proveniente de Chichen Itzá, conservada en el Museo Nacional de Antropología. El nombre de la divinidad "Garra Roja" es moderno y no tiene nada que ver con ella.

Incensario policromado en terracota proveniente de Mayapán, conservado en el Museo Nacional de Antropología. El objeto, perteneciente al Postclásico Tardío, representa al dios de la lluvia Chac.

► *Urna zapoteca en terracota que representa una divinidad vestida con un traje de extraordinaria complejidad, conservado en el Museo Nacional de Antropología.*

terracota del dios del fuego proveniente del Cerro de las Mesas y las refinadas esculturas huastecas, admiradas por todos los visitantes.
Las obras maestras de la Sala maya son tantas que no es posible enumerarlas: baste recordar la arquitrabe 26 de Yaxchilán y la reconstrucción de la tumba de Pacal, con los espléndidos objetos de su ofrenda funeraria.
Las últimas dos salas están dedicadas al norte de México (Casas Grandes, una cultura no mesoamericana afín a los Pueblos de los Estados Unidos) y a las culturas del occidente, con una espléndida colección de obras en terracota.

El Museo del Templo Mayor

El museo, notable además desde el punto de vista arquitectónico, se eleva a espaldas del Templo Mayor y contiene muchos de los objetos encontrados durante las excavaciones del templo. A la entrada puede verse una gran maqueta que reproduce el antiguo recinto ceremonial de Tenochtitlán, además de un objeto que es de carácter arqueológico, pero que reviste un gran valor simbólico: el premio Nobel de la paz conferido a la indígena maya Rigoberta Menchú. Las ocho salas en las que está dividido el museo están dedicadas a: Antecedentes, Guerra y sacrificio, Tributo y comercio, Huitzilopochtli, Tláloc, Fauna, Agricultura y Arqueología histórica. Otro local, al final acoge las exposiciones temporales.
Entre las innumerables obras maestras conservadas en el Museo del Templo Mayor se cuentan la escultura circular original de Coyolxauhqui, el gran rostro de esta diosa, las imponentes estatuas de terracota que representan dos caballeros-águila y dos dioses de la muerte, la escultura del Dios Viejo del fuego y sobre todo los múltiples objetos hallados en las ofrendas enterradas en la plataforma del templo: recipientes, esculturas, navajas utilizadas en los sacrificios, máscaras realizadas con cráneos humanos, esqueletos de animales y joyas de piedras preciosas. Especialmente notables son los objetos antiguos y exóticos que los aztecas brindaban como ofrenda, como las piezas de jade olmecas, las máscaras teotihuacanas y las esculturas provenientes del estado de Guerrero. Muy importantes también son las bases de columnas provenientes de edificios sagrados de la época colonial, en las que los escultores indígenas labraron la imagen del dios de la Tierra Tlaltecuhtli, que seguía siendo adorado en el periodo en que fue sometido el mundo indígena por el europeo.

ITINERARIO 2

MORELOS, PUEBLA, TLAXCALA Y VERACRUZ: DE LA CIUDAD SANTA DE CHOLULA AL ESPLENDOR DE LOS CENTROS EPICLÁSICOS

Las tierras en las que mejor se pueden comprender algunas de las revueltas étnicas, políticas y económicas que condujeron al fin del periodo Clásico, son las que se extienden inmediatamente al sur y al este del Valle de México. Los actuales estados de Morelos, Tlaxcala, Puebla y Veracruz, que han sido siempre tierras de paso entre el altiplano central y las dos costas, conservan espectaculares sitios arqueológicos, testimonio de la complejidad de los sucesos históricos y étnicos.

Todas estas regiones, durante el periodo Clásico formaron parte, de manera más o menos directa, del ámbito de influencia teotihuacana, y constituían sus principales objetivos de expansión. El valle de Morelos era de hecho el área más importante de la ruta comercial que unía al altiplano central con la rica depresión tropical del río Balsas y la costa del Pacífico.

El valle de Puebla-Tlaxcala era en cambio, el paso obligado de las vías de comunicación que unían al altiplano con la costa del Golfo y el mundo maya. Cholula, sitio en el valle de Puebla, habitado desde el Preclásico hasta nuestros días de manera ininterrumpida, fue sin duda la ciudad clásica más importante de la región; durante siglos dominó la parte meridional del valle poblano-tlaxcalteca, en diálogo constante con el llamado "corredor teotihuacano". Este último, ubicado en el norte del valle, unía la gran metrópoli con la costa del Golfo, donde a partir del 600 d.C. El Tajín se volvió el mayor centro regional y en su área norte floreció la milenaria tradición cultural huasteca. En la parte meridional de la costa, no lejos del sitio epiolmeco de Cerro de las Mesas, se encontraba Matacapan, verdadera colonia teotihuacana sobre las costas del Golfo, destinada probablemente a controlar la vía comercial que permitía que fluyeran hacia Teotihuacán los productos tropicales provenientes del mar y la región maya.

Cuando la crisis de finales del periodo Clásico golpeó a Teotihuacán, todas las regiones que se habían desarrollado bajo su influencia fueron escenario de migraciones masivas y del florecimiento de nuevos sitios, que durante el Epiclásico transformaron el panorama étnico-político de toda Mesoamérica.

Lugares como Teotenango (Estado de México), Xochicalco (Morelos), Cacaxtla (Tlaxcala), Cantona (Puebla) y El Tajín (Veracruz) son quizá los mejores ejemplos de aquellos centros políticos que se beneficiaron con la gran crisis del Clásico y que dieron vida a una breve, aunque intensa, vida cultural. El arte epiclásico, caracterizado por un estilo ecléctico y refinado que parece fundir elementos provenientes de las diversas tradiciones regionales, es claro reflejo de la mezcla étnica en que se había convertido Mesoamérica en ese periodo.

El bélico y dinámico panorama político del Epiclásico sufrió una profunda reorganización entre el 900 y el 1100 d.C., cuando empezaron a consolidarse los nuevos marcos étnico-políticos que dominarían después el Postclásico.

Los tolteca-chichimecas se establecieron en el valle de Puebla, mientras los otomíes ocuparon la parte norte del valle de Tlaxcala y los totonacas extendieron su propio dominio junto a la costa del Golfo. Nacieron así algunos de los más importantes asentamientos del Postclásico, como Cholula, Tlaxcala y los centros totonacas de Tuzuapan y Cempoala: ciudades todas que seguían siendo prósperas y florecientes cuando llegaron los españoles.

La indómita Tlaxcala, que había resistido incluso a las invasiones aztecas, se volvió la principal aliada de los invasores europeos durante la conquista de México, contribuyendo de manera significativa a la derrota de los ejércitos imperiales.

Decoración en bajorrelieve de la fachada del Templo de las Serpientes Emplumadas, en Xochicalco. El detalle representa la cabeza de la Serpiente Emplumada y su cuerpo, decorado con signos de caracoles seccionados. La asociación entre la Serpiente Emplumada, el caracol seccionado y el planeta Venus fue constante hasta la época de la Conquista. Durante el Epiclásico, en lugares como Xochicalco se elaboró una ideología política de origen teotihuacano, centrada en el culto de la Serpiente Emplumada, que evolucionó hasta convertirse en la llamada "ideología zuyuana" típica de numerosos regímenes multiétnicos del Postclásico.

Xochicalco

La historia

El centro monumental de Xochicalco ("Lugar de la casa de las flores"), ubicado en la parte occidental del valle de Morelos, fue edificado a partir del 650 d.C. por diversos grupos humanos, reunidos para dar vida a un nuevo centro de poder que sustituyó al entonces ya débil dominio teotihuacano en el valle. Como muchos otros asentamientos epiclásicos, Xochicalco muestra evidentes características de arquitectura de defensa, que da cuenta del bélico panorama político de la época.

Durante el periodo Clásico el valle de Morelos había sido un crucero comercial por el que pasaban productos tropicales como el cacao, plumas, algodón y piedras verdes, provenientes del sur y el oeste, en dirección a Teotihuacán; durante el Epiclásico (650-900 d.C.), en cambio, Xochicalco interrumpió sus relaciones con el altiplano central, manteniendo sin embargo las actividades de intercambio con regiones como Guerrero, la Mixteca, Michoacán, el valle de Puebla-Tlaxcala y la costa del Golfo.

Es probable que incluso el nacimiento de asentamientos como Xochicalco, que de alguna manera redujeron los flujos comerciales teotihuacanos a sus propios centros y cuyo desarrollo fundaron precisamente sobre las riquezas obtenidas de esa manera, hayan tenido un papel importante en la crisis de la gran capital clásica.

El fin de Xochicalco fue tan rápido como su despegue: alrededor del 900 d.C. la ciudad fue destruida y abandonada, probablemente a causa de una revuelta interna; los edificios fueron incendiados y muchas de las esculturas, dañadas.

Poco tiempo después, la sustituyó el nuevo centro de Miacatlán, que se volvió la ciudad más importante de la jerarquía regional.

▲ *La Plaza Principal de Xochicalco, con el Templo de las Serpientes Emplumadas.*

Superior Sobre el altar ubicado en la Plaza de las Estelas de los Dos Glifos de Xochicalco se encuentra la estela homónima. Al fondo, se puede ver la mole de la Estructura E, la pirámide más importante de Xochicalco.

▲ *Espléndida máscara funeraria y collares en piedra verde hallados en una sepultura de Xochicalco. El estilo de la máscara muestra que en muchos casos el arte de Xochicalco provenía de la tradición teotihuacana.*

Arriba izquierda Estela de los Dos Glifos. Esta es una copia del original en la que pueden verse los dos glifos "10 Caña" y "9 Ojo de Reptil". Al fondo aparece la Estructura C.

Arriba derecha Una de las escalinatas de acceso a la parte superior del sitio de Xochicalco. Al fondo se observan los restos de la Acrópolis de la ciudad epiclásica.

Xochicalco

1 Plaza de la Estela de los Dos Glifos
2 Templo C
3 Templo D
4 Estructura E
5 Juego de pelota sur
6 Templo de la Malinche
7 Acrópolis
8 Plaza principal
9 Templo de las Serpientes Emplumadas
10 Estructura A
11 Juego de pelota este
12 Juego de pelota norte

El sitio

El sitio de Xochicalco ocupa un área de cerca de 4 kilómetros cuadrados, en gran parte sobre la cima de siete colinas.
Los edificios están dispuestos sobre terrazas protegidas por precipicios naturales y grandes murallas verticales, además de un complejo sistema de fosas y trincheras. Sobre el cerro de Xochicalco fue levantado el núcleo central del asentamiento, mientras los barrios habitacionales ocupaban las grandes terrazas artificiales construidas sobre las laderas de las colinas. El acceso a la ciudad se hacía por el sur, a través de una rampa que conducía hasta la Plaza de la Estela de los Dos Glifos, ubicada en el sector sur del cerro Xochicalco. El mayor edificio piramidal del sitio (Estructura E) domina el lado norte de la plaza delimitada hacia el este y el oeste por los templos C y D.
En el centro de la plaza, donde se llevaban a cabo los principales rituales colectivos, se halla un altar coronado por una gran estela decorada con los glifos "10 Caña" y "9 Ojo de Reptil". Desde la plaza es visible uno de los principales conjuntos arquitectónicos de Xochicalco, construido en la cima del llamado "Cerro de la Malinche". En él se encuentran diversos edificios, entre los que destaca el juego de pelota principal en cuyos lados siguen conservándose los aros que servían como "meta" en los partidos.
Al interior del campo de juego fue hallada una escultura con forma de papagayo, animal solar que representaba el significado astral de esta actividad lúdica.
Del otro lado del juego de pelota, la "Calzada de la Malinche" conduce hacia un edificio religioso, un suntuoso palacio de la nobleza y a la gran Pirámide de la Malinche, así llamada por la figura femenina en piedra que tiene en la cúspide.

Al norte de la Pirámide E se encuentra el conjunto más elevado de la ciudad. La cima de la colina es ocupada por la Acrópolis, un vasto complejo arquitectónico en el que probablemente vivían los miembros de la élite de Xochicalco. Está compuesto por edificios residenciales de dos pisos que rodean un patio, unidos por rampas y escalinatas, además de otras estructuras de funciones diversas, como tiendas y un temazcal o baño de vapor.

La fachada de la Acrópolis mira hacia la Plaza Principal, en cuyo centro se eleva el más célebre edificio de Xochicalco, es decir el Templo de las Serpientes Emplumadas. Su basamento –en forma de talud y tablero, y de cuatro metros de alto– sostenía los muros del templo que en aquella época lo coronaba. Cada uno de los taludes del basamento está decorado con bajorrelieves que representan a dos serpientes emplumadas con las fauces abiertas. En las curvas que forman sus cuerpos aparecen seis personajes que portan grandes tocados –probablemente los gobernantes de la ciudad–, además de dos glifos “9 Ojo de Reptil” y dos símbolos que aluden a la ceremonia del Fuego Nuevo. Aunque muchos de los elementos iconográficos muestran claramente una ascendencia teotihuacana, otros, como la posición de los personajes con las piernas cruzadas, denotan una clara influencia maya que probablemente llegó por la costa del Golfo.

En la cornisa vertical del tablero aparecen representados treinta individuos con tocados, el signo “coma” con el que se representaba el habla y una bolsa para el incienso. Están sentados frente a un enigmático signo compuesto por una boca abierta que parece devorar un círculo con una cruz, cuyo significado probable es “de gran valor, precioso”; junto a cada uno de los personajes hay además un glifo. Entre las distintas propuestas de lectura de estas imágenes, hay dos que gozan de mayor consenso. La primera identifica los relieves del tablero con los glifos onomásticos de las diversas ciudades sometidas por Xochicalco; el acto de conquista o de colecta del tributo estaría representado por el conjunto “boca que devora lo que es de gran valor”. La

▼ *En esta vista del Templo de las Serpientes Emplumadas se observa como el binomio talud-tablero, de origen teotihuacano, fue transformado por los arquitectos de Xochicalco: el talud es muy alto y el tablero se caracteriza por tener una cornisa saliente.*

▼ *Central Figuras que representan probablemente a los gobernantes de la ciudad sentados entre los anillos de las serpientes emplumadas en Xochicalco. El alto contenido de elementos estilísticos mayas en el retrato de la figura humana muestra el eclecticismo estilístico que distinguió al Epiclásico.*

Templo de las Serpientes Emplumadas

1 Caracoles, símbolo del viento y de la Serpiente Emplumada
2 Signo calendárico
3 Escamas de la Serpiente Emplumada
4 Serpiente Emplumada
5 Signo calendárico

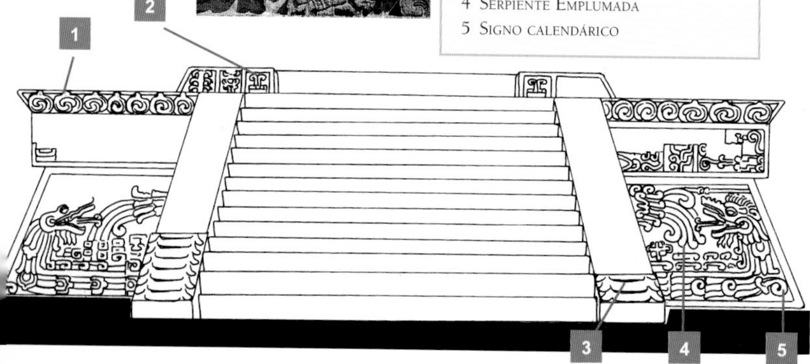

▼ *Estela 2, hallada junto a la 1 y a la 3 en el Templo de las Estelas. En la cara principal de la Estela 2 aparecen representados, de arriba a abajo, el glifo “7 Lluvia” y la cara de Tláloc con un tocado en forma de signo del año y un pectoral con las fauces de Tláloc.*

▲ *Cabeza de una de las serpientes emplumadas que decoran la fachada del templo homónimo: se observa la lengua bífida que surge de las amenazadoras fauces abiertas.*

► *Esta vista del interior del Templo de las Serpientes Emplumadas deja ver parte de lo mejor de la arquitectura de una versión anterior del templo.*

segunda hipótesis, menos convincente, identifica en cambio a los personajes con algunos sacerdotes reunidos en ocasión del eclipse de Sol en 743 d.C., fenómeno que el símbolo mandíbulas-círculo sugeriría.

Uno de los relieves de Xochicalco sobre el que más se ha discutido, visible sobre el talud que se encuentra del lado izquierdo de la escalinata del Templo de las Serpientes Emplumadas, es el que representa una mano que emerge de un glifo del calendario y jala una cuerda a la que está amarrado otro glifo. Durante mucho tiempo se sostuvo que esta imagen aludía a una reforma del calendario realizada por un grupo de sacerdotes-astrónomos reunidos en un congreso en Xochicalco y representados en los personajes del Templo de las Serpientes Emplumadas. En la actualidad, ha dejado de sostenerse esta hipótesis, aunque el sentido del bajorrelieve sigue escapándoseles a los especialistas.

Las excavaciones llevadas a cabo al interior del Templo de las Serpientes Emplumadas han permitido comprender que fue construido en tres diferentes épocas, pero en un lapso de tiempo particularmente breve. En una de las estructuras más antiguas, los constructores sepultaron una rica ofrenda que contenía conchas de caracol, estatuillas, recipientes de cerámica y un espléndido vaso de alabastro pintado al fresco.

Al sur del Templo de las Serpientes Emplumadas se encuentra la Estructura A, una gran plataforma coronada por un pórtico que abre sobre un patio en el que concurren tres edificios. El central es conocido como "Templo de las Estelas" porque a su interior se encontraron las bellas Estelas 1, 2 y 3, a las que "se les dio muerte" y sepultó en una fosa de manera ritual. Al norte se yergue un templo cuya forma es parecida a la del Templo de las Serpientes Emplumadas, sólo que éste está decorado con pinturas y no con bajorrelieves.

Al este de la Plaza Ceremonial, además de los dos edificios que rodean algunos patios, y situados a un nivel más bajo se encuentran el Juego de Pelota Este y una rampa compuesta por 252 placas de piedra esculpidas con imágenes de animales como mariposas, pájaros y serpientes. Otro juego de pelota (Campo Norte) está ubicado en el nivel más bajo, al norte de la plaza.

Uno de los sectores más enigmáticos de la ciudad es el del noroeste conocido como "Los Subterráneos", compuesto por una serie de cuevas artificiales cuya función –a parte de la de cuevas para materiales de construcción– todavía sigue siendo un enigma. Lo cierto es que al menos algunas de ellas deben haber tenido una función astronómica, pues en la gruta conocida como "Observatorio", dos veces al año (14-15 de mayo y 28-29 de julio) los rayos solares penetran por un hoyo que está en el techo proyectando un contorno hexagonal en el pavimento.

Cholula

La historia

Cholula, habitada de manera ininterrumpida desde el Preclásico hasta nuestros días, es uno de los centros religiosos más antiguos de Mesoamérica, y debe parte de su celebridad a la presencia de la pirámide más grande del continente americano. Después de una primera ocupación en el Preclásico (500-200 a.C.), el asentamiento situado en las cercanías de una laguna que ya no existe se transformó lentamente, alrededor del inicio de la era cristiana, en un vasto centro monumental rico en templos y esculturas. Durante todo el periodo Clásico, Cholula constituyó el principal centro de poder del valle de Puebla, y se calcula que entre el 400 y el 500 d.C. tenía alrededor de 30000 habitantes. La ciudad mantenía intensas relaciones con los pueblos de la costa del Golfo y con Teotihuacán, ciudad con la que compartía el dominio de la región poblano-tlaxcalteca.

Alrededor del 650 d.C., Cholula vivió el momento culminante de una fuerte crisis, marcada por la irrupción en la región poblano-tlaxcalteca de nuevas etnias, algunas de las cuales probablemente provenían incluso de la ciudad de Teotihuacán en decadencia.

◄ *Una impresionante labor de restauración ha restituido el aspecto original de parte de una de las escalinatas que salían de la cúspide de la Gran Pirámide. Esta estructura, con sus 4 millones de metros cúbicos, es el mayor edificio monumental construido por el hombre.*

Los olmecas-xicalancas, un grupo con estrechos lazos culturales con las poblaciones del Golfo y con los mayas de Campeche, ocuparon la zona de Cholula e impusieron su propio dominio durante uno de los periodos más oscuros de su historia, mientras su importancia era opacada por la nueva capital olmeca-xicalanca de Cacaxtla. Sabemos que durante el dominio olmeca-xicalanca, la ciudad tenía dos gobernantes: Tizacozcue, señor de los olmecas asociado a la tierra, y Aquiyach Amapane, señor de los xicalancas asociado al agua. Este último residía en la gran pirámide. Al final de periodo Epiclásico, posteriores transformaciones sociales llevaron a la consolidación de dos nuevas esferas étnico-políticas en el valle de Puebla-Tlaxcala. En la parte norte de la región se desarrolló un importante señorío otomí, que mantuvo su poder hasta el siglo XVI, mientras la zona meridional fue ocupada por un grupo que había emigrado de Tula, los toltecas-chichimecas. Se asentaron en Cholula, de donde expulsaron a los olmecas-xicalancas durante el siglo XII. La *Historia tolteca-chichimeca*, un documento en lengua náhuatl de la segunda mitad del siglo XVI, narra que los toltecas-chichimecas emigraron de Tula guiados por el rey-sacerdote Couenan, quien viajó al gran centro religioso de Cholula para hacer penitencia, ahí Quetzalcóatl se le manifestó de manera milagrosa y lo indujo a establecerse con su pueblo en ese lugar. Los toltecas-chichimecas convivieron con los olmecas-xicalancas desde el 1168 d.C. hasta cuando, inspirados por el dios Tezcatlipoca, se apoderaron del gobierno de la ciudad. Bajo el dominio tolteco-chichimeca, Cholula vivió un nuevo florecimiento y se convirtió en Tollán Chollolán, una de las varias Tollán que existieron en Mesoamérica,

◀ *Como puede verse en la imagen, la Gran Pirámide estaba rodeada por una serie de edificios satélite, plazas y escalinatas.*

Inferior Esta estela monolítica está colocada ante una de las escalinatas que dan a la Gran Pirámide.

sede de un importante santuario dedicado al culto de Quetzalcóatl. Al nombre de Tollán Chollollán ("Lugar de las cañas de los que huyeron") se agregaba el de Tlachihualtépetl ("Montaña hecha a mano"), una evidente referencia a la gran pirámide clásica que seguía dominando el antiguo centro monumental. Bajo los toltecas-chichimecas la ciudad restableció contacto con el centro de México y durante el periodo Postclásico, Cholula fue el principal centro de la refinada tradición poblano-mixteca, conocida por la producción de cerámica policromada y de los códices pictográficos. Se sabe que muchos soberanos de diversas regiones de Mesoamérica iban a Cholula-Tollán a recibir una suerte de investidura oficial de parte del dios Quetzalcóatl y de sus representantes en la Tierra.

El renovado poder de Cholula duró siglos y la ciudad continuaba siendo próspera cuando llegaron a ella los españoles y perpetraron una de las más terribles masacres de la historia de la conquista de México. Siguió conservando sin embargo, un estatus religioso muy importante del que las innumerables iglesias son prueba: según la tradición popular existen 365, una por cada día del año.

El sitio

En la actualidad, el centro monumental de Cholula está conformado esencialmente por la gran pirámide y las construcciones del periodo Clásico que se encuentran en su entorno. El conjunto del Postclásico fue destruido por el crecimiento de la ciudad colonial y moderna; sobre el Templo de Quetzalcóatl, por ejemplo, fue edificado el Monasterio de San Francisco. La Gran Pirámide que con sus 62 metros de altura por 16 hectáreas de superficie es la más imponente del Nuevo Mundo, parece hoy una colina coronada por el santuario de siglo XVII de Nuestra Señora de los Remedios. Los ocho kilómetros de túneles que se han excavado en su interior han permitido conocer su historia arquitectónica y comprender que la estructura que hoy vemos es fruto de cuatro etapas de construcción consecutivos en el periodo que va del 200 a.C. al 800 d.C. La mole primitiva era de alguna manera similar a la Pirámide del Sol de Teotihuacán, con grandes taludes separados por estrechas terrazas horizontales. A esta estructura le fueron agregados, a partir de 200 d.C., diversos edificios de

tipo teotihuacano, con taludes y tableros decorados con pinturas que representan lo que parecen ser cabezas de insectos o cráneos humanos. Alrededor de 300 d.C. fue construida una nueva gran pirámide que abarcó las construcciones precedentes y a la que se anexaron nuevos edificios. La última ampliación, aproximadamente en el 800 d.C., realizada con un imponente núcleo de

▶ *Durante las excavaciones llevadas a cabo alrededor de la Gran Pirámide fue también hallada esta escultura monolítica que representa la cabeza de un caballero-jaguar.*

adobes, dio origen a la gigantesca pirámide que podemos admirar en la actualidad. Además de las diversas etapas constructivas que pudieron verse desde el interior del túnel, las excavaciones arqueológicas han llevado al descubrimiento de numerosas estructuras más. Al frente de la pirámide se encuentra, por ejemplo, un gran basamento con taludes y tableros perteneciente a la tercera etapa de construcción, mientras otros edificios y esculturas en piedra se pueden observar en el lado sur. En esta área se encuentra el célebre Mural de los Bebedores (desafortunadamente cerrado al público), en el que están representados personajes con extrañas caras de pájaros bebiendo pulque. En el Patio de los Altares hay en cambio diversas esculturas ornadas con elegantes volutas, cuyo estilo testimonia los intensos contactos que Cholula tenía con la costa del Golfo a finales del periodo Clásico.

Como dijimos anteriormente, no hay que confundir la Gran Pirámide con el santuario de Quetzalcóatl que hizo famosa a la Cholula del periodo Postclásico. Es probable que, como la Pirámide del Sol de Teotihuacán, la de Cholula haya estado dedicada al dios de la lluvia conocido como Tláloc. Tal hipótesis, fundada en la semejanza entre los dos edificios y en la presencia de algunas decoraciones pictóricas que representan caracoles, parece que puede ser confirmada a partir de un testimonio de 1581 según el cual el monumento estaba coronado por un templo que contenía un ídolo llamado Chiconahuiquiáuitl, literalmente "9 Lluvia". De acuerdo con la *Historia tolteca-chichimeca* sobre la cima de la pirámide caía un gran bloque de jade en forma de sapo, animal tradicionalmente asociado al mundo inferior y acuático. De esta leyenda derivan probablemente dos nombres más con los que se conocía esta estructura: Chalchiutepec ("Montaña de Jade") y Chollollán-Tamazol-Xamiltepec, cuyos dos últimos términos significan "Sapo" y "Montaña de Ladrillos de Adobe". Resulta interesante recordar que el culto a la Virgen de los Remedios, a la que está dedicado el santuario que se eleva hoy en la cima de la pirámide, está centrado principalmente en propiciar la lluvia.

Cacaxtla

La historia

Aunque desde el Preclásico el valle de Tlaxcala conoció un periodo de gran desarrollo –del cual, por ejemplo, son testimonio las imponentes estructuras del centro monumental de Xochitécatl–, durante el periodo Clásico las poblaciones de la región tuvieron que enfrentar la expansión de Teotihuacán (cuyo "corredor teotihuacano" ocupaba la parte norte de la región) y de Cholula (que extendía sus dominios en la zona sur). Cuando comenzó la crisis de estos huacana con un dinamismo y una gama cromática de evidente origen maya, reflejando la intricada mezcla étnica y cultural que fue la marca distintiva del Epiclásico. El dominio de los olmecas-xicalancas en el valle de Tlaxcala fue vulnerado, entre 900 y 1100 d.C., por la llegada de nuevos grupos étnicos que se apoderaron de ciudades como Cholula y por el fuerte desarrollo de los prósperos señoríos otomíes y tlaxcaltecas, que ocuparon el valle hasta la llegada de los españoles.

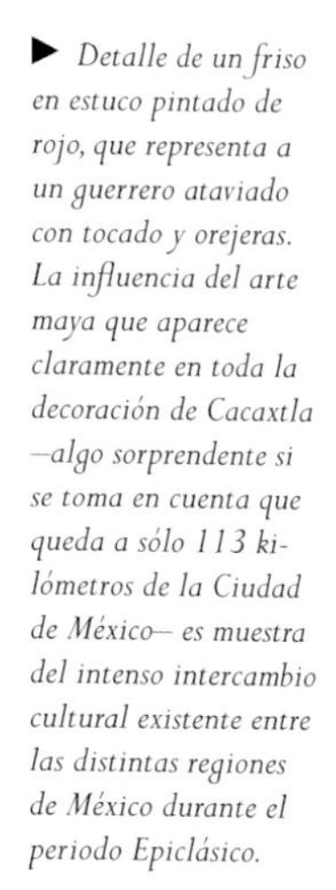

▶ *Detalle de un friso en estuco pintado de rojo, que representa a un guerrero ataviado con tocado y orejeras. La influencia del arte maya que aparece claramente en toda la decoración de Cacaxtla –algo sorprendente si se toma en cuenta que queda a sólo 113 kilómetros de la Ciudad de México– es muestra del intenso intercambio cultural existente entre las distintas regiones de México durante el periodo Epiclásico.*

◀ *Vista de las ruinas del palacio de Cacaxtla, en la región de Puebla-Tlaxcala; al fondo se yergue la mole del volcán Iztaccihuatl.*

dos grandes centros clásicos (650 d.C., aproximadamente), el ingreso en el valle de Tlaxcala de nuevos grupos étnicos dio impulso a una especie de renacimiento cultural: elementos portadores de cultura "tajinesca" del Golfo de México se asentaron en la zona del "corredor teotihuacano", mientras otomíes, mixtecos y olmecas-xicalancas, ocuparon otras zonas del valle. Fueron los olmecas-xicalancas de Cholula quienes fundaron alrededor del 600 a.C. la nueva capital de Cacaxtla, cerca del antiguo centro de Xochitécatl ("Lugar del linaje de las flores"), que también fue ocupado y ampliado. El centro monumental de Cacaxtla ("Lugar del bulto del mercader"), ubicado en posición defensiva en la cúspide de una colina baja protegida por murallas y terraplenes, estaba decorado con unas de las más espléndidas pinturas de Mesoamérica. Su estilo, como el de muchas manifestaciones artísticas del Epiclásico, funde elementos de la iconografía teoti-

El sitio

El sitio arqueológico de Cacaxtla está constituido esencialmente por un gran conjunto fortificado con estructuras residenciales que dividen el espacio en dos plazas, y en cuyo entorno fueron construidos los principales edificios sagrados. En el monte que domina el lugar se eleva por su parte Xochitécatl, importante localidad que se originó en el Preclásico y que durante la ocupación de Cacaxtla probablemente llegó a formar con ella un sólo asentamiento. La Plaza Norte de Cacaxtla está delimitada por una gran estructura de pórticos en cuyo basamento se encuentra el célebre Mural de la Batalla. En él aparece representado un combate en el que algunos caballeros-jaguar, ataviados con pieles del animal, derrotaron a caballeros-águila, que portaban voluminosos tocados de plumas. La representación es extremadamente cruda y realista y está habitada por un dinamismo insólito, que aunado al amplio uso del color azul denota una clara influencia maya. Las dos escenas principales, a los lados de la escalinata central, representan la captura de dos jefes de los caballeros-águila: el de la derecha es atrapado en el momento en que se saca una lanza del rostro, mientras que el de la izquierda está erguido, con los brazos cruzados, vestido con una especie de capa blanca adornada con símbolos estelares de Venus.

Innumerables hipótesis han sido formuladas acerca del significado de la escena, pero puede decirse que existen dos tendencias básicamente: la de quienes ven en esta batalla la representación de un hecho histórico real (es decir, la victoria de los olmecas-xicalanca sobre algún otro grupo étnico) y la de quienes ven en cambio la representación simbólica del encuentro entre fuerzas cósmicas opuestas o, más probablemente, entre grupos de poder que se identificaban con tales fuerzas.

Continuando el recorrido por el lado occidental de la plaza, llegamos al Templo Rojo, cuyas paredes situadas a ambos lados de la escalinata están decoradas por pinturas más antiguas que las de la Batalla. En ellas aparece retratado un anciano ricamente vestido con una piel de jaguar, detrás de él se ve un bulto de comerciante (*cacaxtli* en náhuatl; término del cual deriva también el nombre del lugar) coronado con un tocado en forma de animal, un caparazón de tortuga, manojos de plumas y algo que tiene la apariencia de bloques de copal.
Frente al personaje, además del glifo "4 Venado" que podría indicar el nombre del calendario, hay una planta de cacao sobre la que está parado un pájaro, y dos de maíz cuyas pencas están formadas por pequeñas cabezas humanas. Hay un gran sapo azul con manchas (como las del jaguar que aparece pintado en la otra pared), y otro animal entre la vegetación de un terreno por el que cruza una corriente de agua, representado por un haz de símbolos acuáticos y por el cuerpo de una gran serpiente emplumada que enmarca toda la escena.

Con el fin de proteger a las delicadas pinturas murales y los estucos policromados del daño ambiental, gran parte de las estructuras fue cubierta con un techado permanente. Por el brillo de sus colores y la maestría de la ejecución, las pinturas de Cacaxtla son consideradas las más bellas de Mesoamérica.

La simbología de la pintura contiene muchas alusiones al agua y al inframundo, pero sigue resultando poco clara la interpretación del conjunto; la representación del mercader (quizá una divinidad protectora) y el nombre tradicional del sitio parecen aludir al importante papel que las actividades comerciales tuvieron en el desarrollo de Cacaxtla.
En el Templo Rojo puede todavía observarse un escalón, más antiguo, decorado con pinturas que representan cuerpos de prisioneros y glifos que

Izquierda Detalle del famoso Mural de la Batalla, con una escena de combate en la que se ven dos caballeros-águila abatidos por algunos caballeros-jaguar; nótese el crudo realismo descriptivo de la pintura.

Inferior y central Tortugas, moluscos, venados y otras criaturas embellecen los frescos descubiertos hace mucho tiempo en Cacaxtla. Los dos detalles que aquí se reproducen son parte de las pinturas que pueden verse en el Pórtico A.

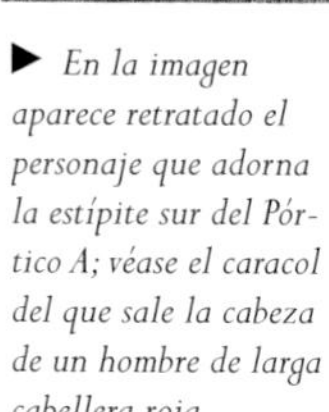

▶ *En la imagen aparece retratado el personaje que adorna la estípite sur del Pórtico A; véase el caracol del que sale la cabeza de un hombre de larga cabellera roja.*

indican probablemente topónimos de ciudades conquistadas.
Las pilastras del contemporáneo Templo de Venus, en el límite suroeste del conjunto, están decoradas con dos figuras humanas simétricas, que al parecer personifican los dos aspectos del planeta.
La mejor conservada es la de un personaje masculino con un taparrabos de jaguar en el que hay un símbolo de Venus, tiene una gran cola de escorpión y miembros emplumados que terminan en garras de jaguar. El personaje parece flotar en una corriente de agua y está enmarcado por una serie de símbolos de Venus similares a las de la "capa" del jefe de los caballeros-águila. La segunda figura en el Templo de Venus es la figura de una mujer, análoga a la del hombre, que aparece mostrando un seno, pero que no reproduce los elementos de escorpión.
Las pinturas del templo de Venus, cuyo culto era con frecuencia asociado con la guerra y el inframundo, muestran el papel central que tenía ese planeta en la ideología de los olmecas-xicalancas. La simbología que se le asocia aparece de manera reiterada en el conjunto Templo Rojo-Templo de Venus, en el Mural de la Batalla y en pinturas más recientes que se encuentran en el Pórtico A de la ciudad y que datan del 800 d.C., aproximadamente.
El Pórtico A se encuentra en un ángulo de la Plaza Norte y es adyacente al mural de la Batalla; fue cuidadosamente cubierto por una capa de arena y enterrado bajo nuevos edificios antes de que las pinturas fueran realizadas. En estas aparecen representados dos personajes, probablemente soberanos, sosteniendo grandes "bastones de mando". En la pared norte el hombre aparece completamente ataviado con una piel de jaguar. De su bastón de mando, conformado por un haz de lanzas, caen gotas de agua; atrás de él hay un gran glifo "9 Ojo de Reptil", y frente a su rostro se ven otros glifos menores, entre los que podría encontrarse su nombre calendárico. La escena está enmarcada por una banda acuática y por una serpiente que tiene manchas en el cuerpo y una gran cola emplumada. Por su parte, el personaje del muro del sur que aparece vestido de pájaro, con un gran tocado que tiene un pico de ave y garras de ave de rapiña, sostiene un bastón de mando de forma tradicional, conformado por una serpiente bicéfala. Atrás de él se encuentran

◀ *Esta imagen reproduce la célebre pintura mural que adorna la pared norte del Pórtico A, en la que aparece representado un personaje vestido con una piel de jaguar empuñando un "bastón de mando".*

▼ *Sobre la estípite norte del Pórtico A se halla la figura de un personaje vestido con una piel de jaguar, vertiendo agua con un vaso. Sus miembros parecen más de jaguar que de humano.*

un pájaro y un glifo "13 Pluma". Los estípites cercanos a las figuras están también decorados con bajorrelieves (de una época más reciente) y con pinturas en las que aparecen dos figuras humanas. La del estípite norte está vestida de jaguar y vierte agua de un vaso que tiene la efigie del dios de la lluvia Tláloc, mientras la del estípite sur, ataviada con un extraordinario tocado que le llega hasta los pies, sostiene un gran caracol del que surge un pequeño individuo de cabellos rojos. Ambas figuras tienen a sus lados el glifo "7 Ojo de Reptil" y junto a la del sur aparece además un glifo "3 Venado". Aunque las pinturas de Cacaxtla pertenecen a distintos periodos, se puede encontrar en ellas una alusión constante a la simbología acuático-venusina y al encuentro entre jaguares y seres emplumados. Como ya vimos cuando hablamos de Teotihuacán, en el mito sobre la disputa entre Quetzalcóatl y Tezcatlipoca y en la organización de los soldados aztecas, estos conceptos eran asociados a la dinámica del poder político y a la presencia de grupos militares específicos de "batallas cósmicas" como la de Cacaxtla. La concepción dual del poder que surge de la interpretación de las pinturas coincide con los datos etno-históricos relacionados con los dos soberanos olmeco-xicalanca que gobernaban en la misma época la ciudad de Cholula.

▶ *La figura que adorna la pared sur del Pórtico A es similar a la de la imagen precedente; en este caso el personaje –un soberano o un sacerdote– está vestido de ave de rapiña.*

El Tajín

La historia

La zona central de la costa del Golfo de México, donde en la actualidad se encuentra el estado de Veracruz, ha gozado siempre de una notable prosperidad gracias a la gran fertilidad de sus suelos y a que era paso obligado de las rutas comerciales que se dirigían a la zona maya gracias a su ubicación. Durante el periodo Clásico, El Tajín había dominado el panorama político de la región, manteniendo relaciones muy estrechas con Teotihuacán, con Cholula y con la enclave teotihuacana de Matacapan.

Después de la caída del poder teotihuacano, El Tajín gozó de un periodo de apogeo cultural, dando vida a un espectacular estilo arquitectónico y escultórico. La ciudad, que debe haber sido habitada por cerca de 20000 personas, controlaba importantes yacimientos de obsidiana y dominaba la región central del Golfo de México gracias también a la gran fuerza militar de sus gobernantes, como "13 Conejo" que fue protagonista de muchas escenas de guerra, presentes en los bajorrelieves de los monumentos de la ciudad.

La identificación del origen étnico de los constructores de El Tajín constituye un complejo problema historiográfico. Durante mucho tiempo se pensó que la ciudad había sido construida por totonacas, el pueblo que dominaba la parte central de la costa del Golfo en la época de la Conquista. Hoy sabemos, sin embargo, que los totonacas llegaron a la región hasta el siglo VIII: según algunos autores se asentaron en el centro multiétnico de El Tajín, donde contribuyeron a su tardío florecimiento y aprendieron estilos artísticos y arquitectónicos que más tarde desarrollaron en sus propias ciudades postclásicas. Otros especialistas piensan que precisamente a los totonacas se debe la destrucción del centro urbano y la reorganización político-económica que de ello derivó en la región.

Lo cierto es que alrededor de 1100 d.C. El Tajín fue destruido y abandonado, y que los totonacas fundaron una serie de prósperos centros independientes, como Tuzuapan y Cempoala, que es la primera ciudad de Mesoamérica que conocieron los conquistadores españoles.

▲ *La Estructura 16 delimita el lado norte de la Plaza del Arroyo de El Tajín.*

Esta escultura en terracota, de factura totonaca y proveniente de El Zapotal (Veracruz), representa un personaje ataviado con un curioso tocado. Los círculos alrededor de los ojos podrían permitir asociarlo con el dios de la lluvia.

El sitio

El centro monumental de El Tajín está dividido en una parte baja y llana, y en una alta, ubicada sobre la colina.
El primer conjunto arquitectónico que se encuentra en la zona baja es el llamado "Grupo del Arroyo", en el que diversos edificios monumentales (16, 18, 19 y 20) rodean una plaza principal, en la que se habrían llevado a cabo importantes ceremonias y actividades de carácter comercial. Desde entonces en esas estructuras son evidentes las características del estilo arquitectónico local: grandes basamentos piramidales adornados con nichos y cornisas que los aligeran visualmente y les confieren su típico aspecto "orientalizante".

El Tajín

A	Plaza del Arroyo
B	Edificio 5
C	Edificio 2
D	Pirámide de los Nichos
E	Edificio 3
F	Edificio 4
G	Grupo de Tajín Chico
H	Edificio de las Columnas
I	Pirámide de la Acrópolis
1-10	Juegos de pelota

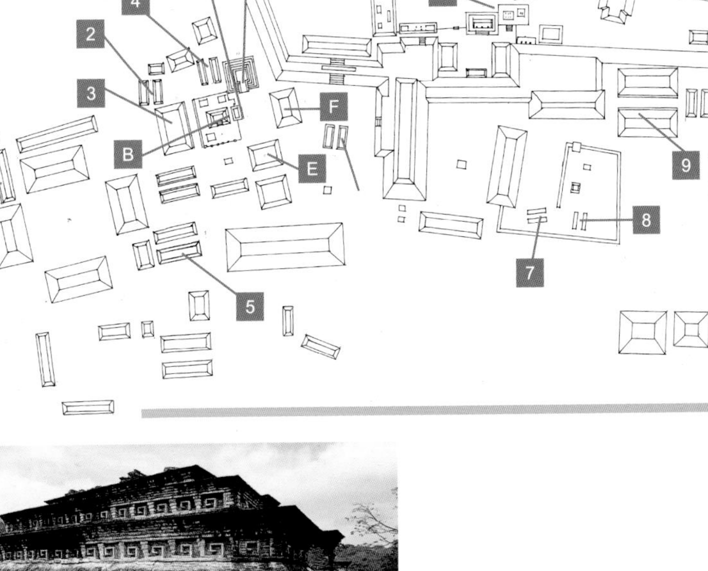

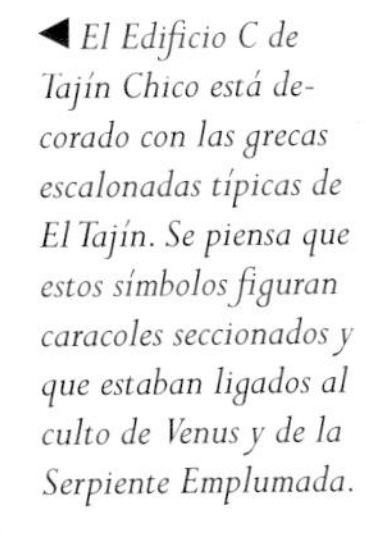
◀ *El Edificio C de Tajín Chico está decorado con las grecas escalonadas típicas de El Tajín. Se piensa que estos símbolos figuran caracoles seccionados y que estaban ligados al culto de Venus y de la Serpiente Emplumada.*

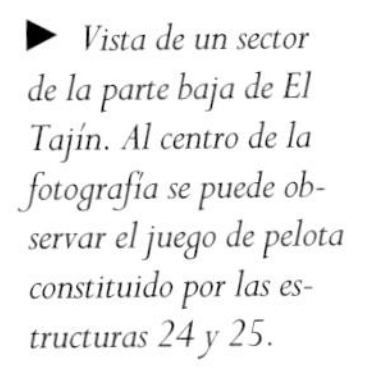
▶ *Vista de un sector de la parte baja de El Tajín. Al centro de la fotografía se puede observar el juego de pelota constituido por las estructuras 24 y 25.*

Alrededor del "Grupo del Arroyo" se pueden observar algunos de los 17 juegos de pelota que hay en El Tajín, cuyas esquinas frecuentemente están decoradas con esculturas que representan al Monstruo de la Tierra.

El Juego de Pelota Sur, que está en el norte de la plaza, es célebre por los bajorrelieves que lo decoran. Los cuatro paneles de las esquinas representan dos escenas que precedían al juego y dos de los últimos momentos, entre ellos el sacrificio de los jugadores. Los dos paneles centrales muestran, a su vez, otros actos rituales, como el autosacrificio en el que un hombre se perfora el pene.
Continuando hacia el norte, se llega al conjunto religioso más célebre de la ciudad, dominado por la llamada "Pirámide de los Nichos". Los siete niveles del monumento –quizá construido como mausoleo del soberano "13 Conejo"– están adornados con 365 cavidades, lo cual confiere a la estructura un significado relacionado con el calendario.
Sobre la escalinata del vecino Edificio 5 se puede ver una escultura que representa a una divinidad llamada Tajín, dios de la lluvia y los rayos.
Continuando hacia el noreste se llega a un edificio espectacular, la *xicalcoliuhqui*, que es un muro de 360 metros en forma de greca, con dos juegos de pelota y otros lugares de culto. La greca, una forma muy común en la ciudad, alude al caracol seccionado, que es uno de los principales símbolos de Quetzalcóatl. Diversas pinturas murales de El Tajín representan serpientes emplumadas, lo cual confirma la importancia de su culto en la ciudad epiclásica.
La parte monumental ubicada en la colina adyacente se conoce como "Tajín Chico". En ella, hay diversos edificios residenciales ricamente decorados en los que probablemente habitaba la élite de la ciudad. Un túnel subterráneo del Edificio D unía esta zona habitacional con el centro monumental que se halla abajo.
El conjunto de Tajín Chico es dominado por el gran Edificio de las Columnas, que se encuentra en la cima de la colina y parece haber sido la residencia del gobernante de la ciudad. En sus columnas, compuestas por tambores monolíticos esculpidos con representaciones de carácter histórico, se hallan escenas de captura de prisioneros, sacrificios y ofrendas que tienen como protagonista al propio soberano "13 Conejo", cuyo reinado debe haber coincidido con el apogeo de la ciudad.
Todas las pinturas murales halladas durante las excavaciones, en parte visibles en algunos edificios, así como

La Pirámide de los Nichos aparece semi oculta por el contorno de la Estructura 5. Por las cornisas salientes y la "ligereza" de los edificios de los nichos, este estilo arquitectónico ha sido comparado con el de Extremo Oriente.

▲ *Bajorrelieve del Juego de Pelota Sur, decorado con una escena que podría representar el inicio del encuentro. Al centro se observan dos jugadores ataviados con cinturones, "hachas" y "palmas", que parecen conversar. Entre los dos personajes se encuentra el signo* ollin *(movimiento) esculpido sobre la pelota. Junto a los dos hombres aparecen otras figuras entre las que se encuentra un dios-coyote y, en el extremo izquierdo, el dios de la muerte. La escena es enmarcada por las típicas grecas de El Tajín.*

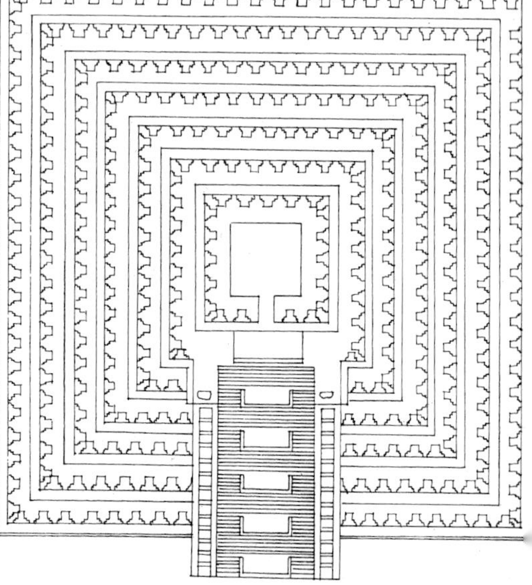

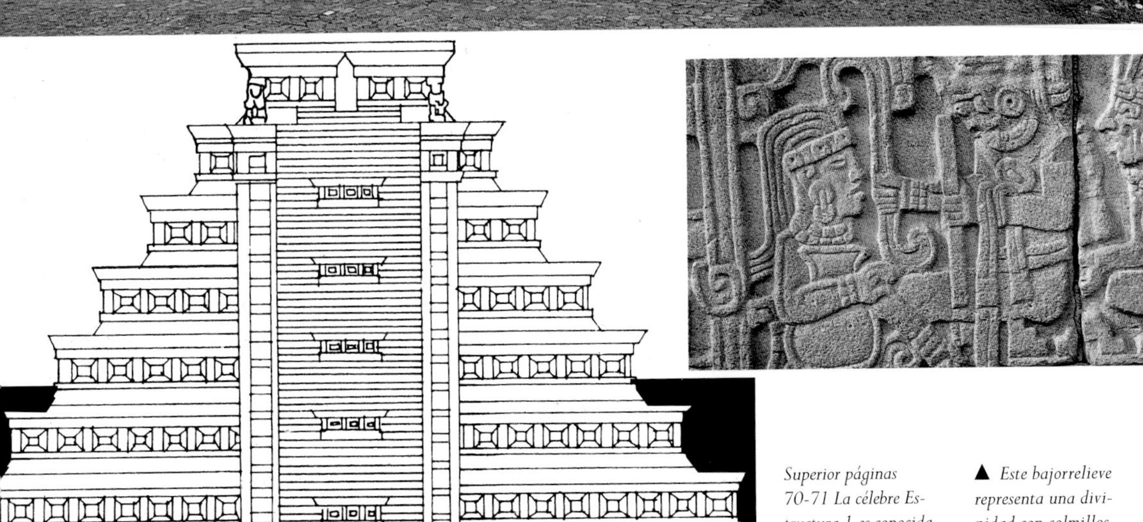

Izquierda y derecha Planta y fachada de la Pirámide de los Nichos; el número de estos elementos arquitectónicos hace una clara referencia a los días del año solar.

los fragmentos de esculturas de bulto redondo y estuco policromado, nos permiten imaginar el antiguo esplendor de la elegante arquitectura de El Tajín.

Superior páginas 70-71 La célebre Estructura 1 es conocida como "Pirámide de los Nichos" por las 365 cavidades que decoran sus fachadas, en clara referencia al ciclo solar. Según algunos, esta pirámide podría ser el mausoleo del célebre soberano "13 Conejo".

▲ *Este bajorrelieve representa una divinidad con colmillos salientes ofreciendo una especie de cetro a un dignatario. El personaje de la izquierda porta sobre su cuerpo un símbolo estelar, muy probablemente asociado a Venus y Quetzalcóatl.*

El juego de pelota

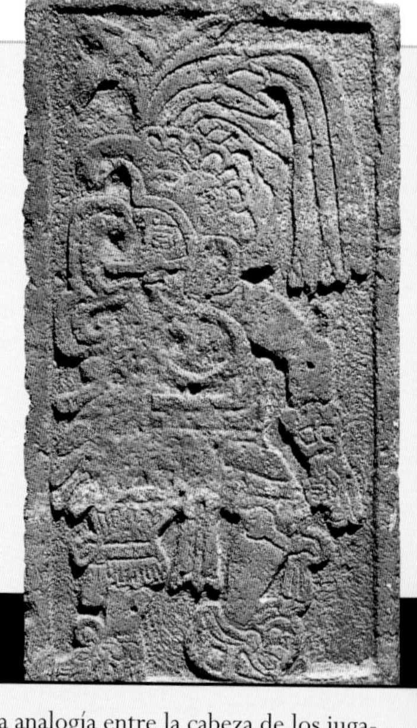

El juego de pelota, una de las actividades lúdico-rituales más antiguas y difundidas de Mesoamérica, parece haber gozado de particular popularidad en la región del Golfo de México. En El Tajín hay 17 campos de juego (cantidad que sólo superan los 22 de la cercana ciudad de Cantona); de esta zona proviene la extraordinaria serie de esculturas en piedra que representan los elementos principales de la vestimenta de los jugadores.

El juego de pelota fue practicado en toda Mesoamérica desde el periodo Preclásico hasta la Conquista: los primeros campos de juego aparecieron en la costa del Pacífico, en el estado de Chiapas, y en el recinto sagrado de Tenochtitlán un campo bastante grande ocupaba un lugar importante.

Los campos, que normalmente tenían forma de "I", están decorados con marcadores de distinto tipo y en las paredes que delimitan el terreno de juego hay bajorrelieves esculpidos.

Entre los más célebres se encuentran los de Copán, adornados con marcadores circulares con bajorrelieves colocados de manera horizontal sobre el terreno, y con esculturas en forma de cabeza de papagayo en clara referencia a la simbología solar del juego (el animal solar más común en la iconografía mesoamericana era el papagayo). Resulta extraño que el único lugar en el que no hay un juego de pelota sea Teotihuacán, los partidos –como lo demuestran las pinturas de Tepantitla– se jugaban a campo abierto y se clavaban bastos y marcadores en el terreno. Uno de ellos fue encontrado en el sitio teotihuacano de La Ventilla, y otro casi idéntico fue hallado en Tikal, en un conjunto arquitectónico de estilo teotihuacano. Sin embargo, las reglas del juego y las asociaciones simbólicas de esta tradición milenaria no resultan claras, se desconoce además si fueron siempre las mismas en los distintos lugares y las distintas épocas. Sabemos que los jugadores ataviados con cinturones de cuero, rodilleras y manoplas, tenían que golpear la pesada pelota de goma con la cadera y los hombros, evitando que tocara tierra. Al final del periodo Clásico se difundió el uso de círculos de piedra colocados verticalmente a los lados del campo a manera de "canastas": quien lograba insertar la pelota –algo que sucedía muy raras veces– vencía inmediatamente la contienda.

Los mejores indicios sobre el valor simbólico del juego aparecen en el *Popol Vuh*, la narración épica maya donde se describen los partidos entre los dos héroes gemelos y las divinidades del mundo de los muertos. Es evidente la alegoría astral del juego, que parece poner en escena la "batalla" que cada noche enfrenta al Sol con Venus durante el viaje subterráneo de los gemelos. En los diversos episodios de decapitación que aparecen en el *Popol Vuh* es muy clara la analogía entre la cabeza de los jugadores y la pelota, lo que explica tanto el sacrificio de decapitación ilustrado en El Tajín o en Chichen Itzá, como las frecuentes representaciones de pelotas que contienen cráneos. A pesar de que la creencia común supone que el vencedor era asesinado, no existe ningún indicio que permita afirmarlo y podemos imaginar que los partidos sacrificiales fueron una suerte de puesta en escena ritual en la que era muy claro desde el inicio quien era el que debía morir, como por ejemplo en los casos en los que aparecen reyes vencedores –tal vez vestidos como los gemelos del *Popol Vuh*– jugando contra soberanos vencidos en una batalla. Resulta claro, entonces, por qué los

◀ *Estatuilla en terracota proveniente de las regiones mayas de Guatemala. Esta imagen de un atlético jugador a punto de lanzar la pelota se distingue por su inusual realismo.*

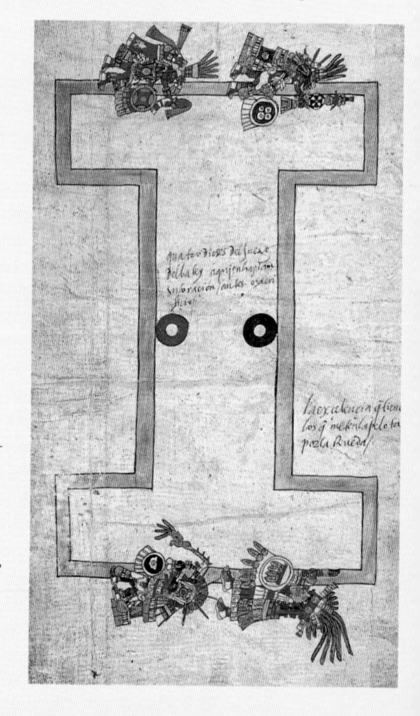

Página del Códice Borbónico *en el que aparece un campo de juego con su típica forma de "I" y los dos aros que fungían como "canastas" comunes en Mesoamérica. Las figuras representan a los dioses patrones del juego.*

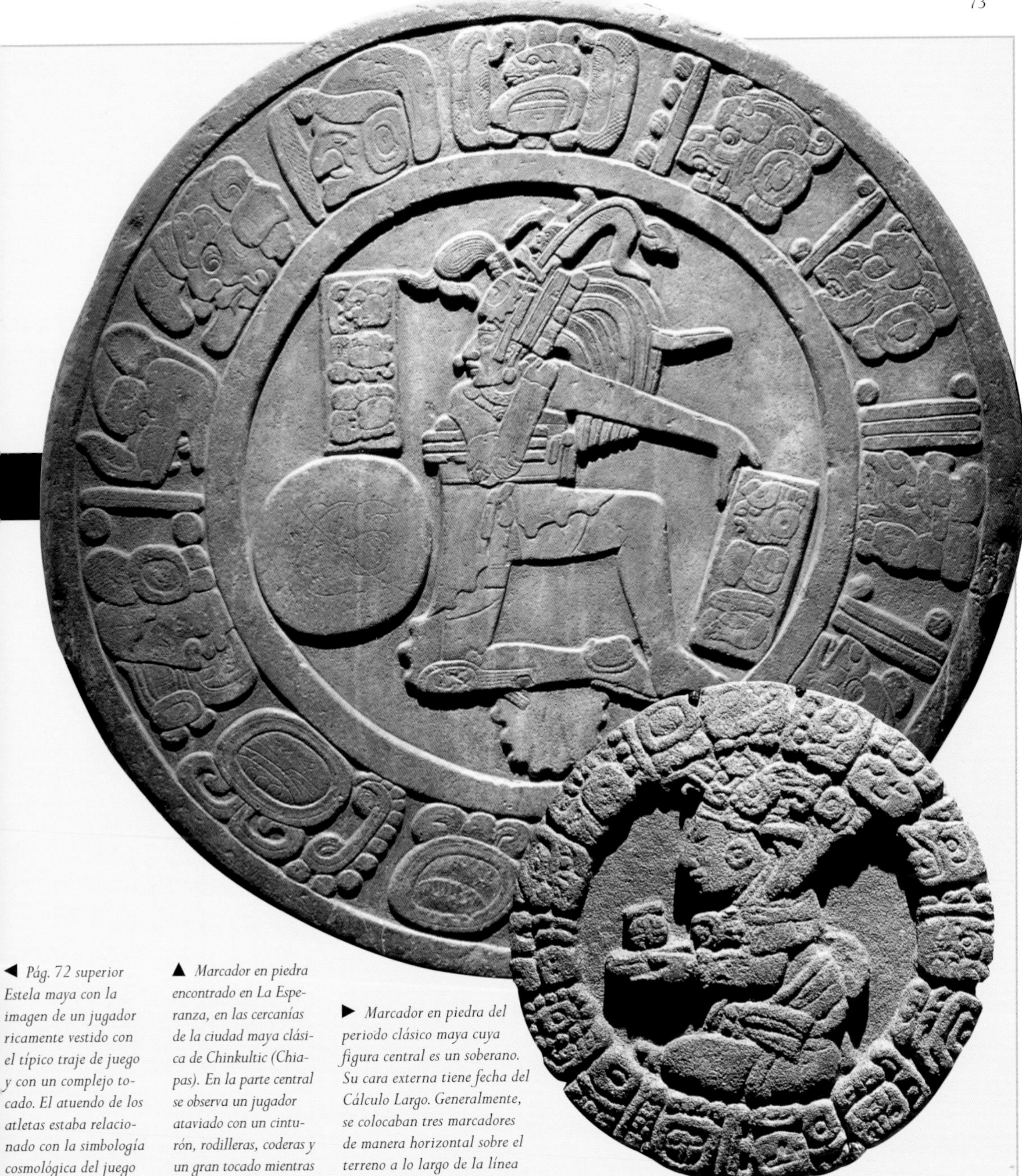

◀ *Pág. 72 superior Estela maya con la imagen de un jugador ricamente vestido con el típico traje de juego y con un complejo tocado. El atuendo de los atletas estaba relacionado con la simbología cosmológica del juego ritual de pelota.*

▲ *Marcador en piedra encontrado en La Esperanza, en las cercanías de la ciudad maya clásica de Chinkultic (Chiapas). En la parte central se observa un jugador ataviado con un cinturón, rodilleras, coderas y un gran tocado mientras golpea a una pelota.*

▶ *Marcador en piedra del periodo clásico maya cuya figura central es un soberano. Su cara externa tiene fecha del Cálculo Largo. Generalmente, se colocaban tres marcadores de manera horizontal sobre el terreno a lo largo de la línea central del campo. Su función exacta es aún desconocida.*

terrenos de juego eran percibidos como verdaderas entradas al mundo de los muertos, tanto en sentido simbólico como literal. Además de estos aspectos rituales y alegóricos existía, claro, el propiamente lúdico, que tal vez con el paso del tiempo se fue acentuando. Bernardino de Sahagún describe el juego de la época azteca, de la siguiente manera: "El señor, quizá como pasatiempo, jugaba a la pelota y para ello lo proveían con pelotas de Hule; estas pelotas tenían las dimensiones de una pelota de bolos grande y eran sólidas, de cierta resina o goma llamada *ulli* que es muy ligera y rebota como una pelota llena de aire; el señor conducía un grupo de buenos jugadores de pelota que jugaban en su presencia, los adversarios eran también jugadores ilustres, y competían por oro… y turquesas, esclavas y ricos abrigos… los campos de maíz y casas y plumas y granos de cacao y ropa de plumas". A los españoles les llamó tanto la atención la pelota de hule –material hasta entonces desconocido para los europeos– y las acrobacias de los jugadores que enviaron a un grupo de atletas a la corte de Carlos V para ofrecer una exhibición al soberano.

En la época azteca, aunque seguía conservando su valor cosmológico, se difundió la práctica de llevar a cabo partidos "profanos" durante los que el público podía apostar sobre el resultado. La tradición se mantuvo incluso después de la Conquista y algunas formas del juego se siguen practicando en algunas regiones del norte de México.

Itinerario 3

Los pueblos de las nubes

Las montañas de Oaxaca parecen comprimirse bajo los cielos más majestuosos de México, no resulta difícil entender por qué algunos de los principales pueblos de la región tenían nombres que significan "Pueblo de las Nubes". En esta zona han vivido muchos grupos étnicos, entre ellos los zapotecas y los mixtecos, cuyas milenarias tradiciones tuvieron un papel preponderante en el largo proceso de desarrollo de la cultura mesoamericana.
Durante el periodo Preclásico, los centros del valle de Oaxaca fueron protagonistas de algunos de los más antiguos procesos de jerarquía social y de desarrollo de sociedades complejas; en el 1400 a.C. el sitio de San José Mogote, un pueblo de cerca de 150 chozas, contaba ya con un edificio público y ejercía su dominio sobre algunas poblaciones satélites.
Entre el 1150 y el 500 a.C., durante el Preclásico Medio, San José Mogote se convirtió en el centro dominante de la región y llegó a albergar 1400 habitantes. En el umbral de uno de sus edificios públicos se hallaba una escultura que representaba a un prisionero sacrificado. Mucho han contribuido los estudios de las relaciones entre San José Mogote y la región olmeca a nuestra comprensión sobre el tipo de interacciones existentes entre la cultura típica de esta zona y otras de Mesoamérica, mostrando que se trataba de relaciones comerciales de carácter exclusivo, fundadas esencialmente en el intercambio de bienes de lujo y en mecanismos de legitimación del poder político.
La élite zapoteca importaba objetos de piedra verde, espinas de mantarraya para el autosacrificio, caracoles, instrumentos musicales y otros bienes que se convertían en la manifestación tangible y prestigiosa de su poder. A necesidades similares parece estar ligado el nacimiento precoz de la escritura zapoteca, quizá la más antigua en México. A partir del 500 a.C. el prestigio de San José Mogote fue eclipsado por el nuevo centro de Monte Albán, que se volvió la capital del Estado zapoteco durante todo el periodo clásico. Desde su espléndido centro monumental, la élite zapoteca dominó durante siglos gran parte del actual estado de Oaxaca y mantuvo intensas relaciones con Teotihuacán a través de un grupo de emisarios que residían en el "barrio zapoteco" de la gran capital del centro de México. En Monte Albán la arquitectura, la escultura y la pintura alcanzaron su máximo esplendor y la ciudad se convirtió en uno de los más importantes centros de influencia cultural del periodo Clásico. Contemporáneos de Monte Albán fueron los asentamientos zapotecas Lambyteco y Huijazoo, así como Mitla y Yagul. Como las otras grandes capitales de la época, Monte Albán sufrió también una crisis al final del periodo Clásico; posteriormente, en el Epiclásico zapoteca (750-1000 d.C.) se desarrollaron ciudades como Zaachila, Jalieza, Mitla y Yagul, que conservaron su prestigio hasta la Conquista y fueron lugar de encuentro entre los zapotecas y sus vecinos mixtecos.
La Mixteca, región noroccidental del estado de Oaxaca, que fungía como lugar de paso en la ruta hacia el valle de Puebla-Tlaxcala, fue una de las pocas zonas oaxaqueñas que se mantuvieron siempre independientes del estado zapoteca; ahí residían los mixtecos (en náhuatl, "Pueblo de las Nubes"), que durante el Preclásico y el Clásico dieron vida a una plétora de señoríos independientes, cuya influencia –después del 650 d.C.– se extendió hasta la región de Puebla-Tlaxcala. Entre ellos, el más importante fue el de Etlatongo, ubicado en el valle de Nochixtlán y contemporáneo al desarrollo de San José Mogote, mientras durante el periodo Clásico las pequeñas ciudades de Cerro de las Minas, Diquiyú, Huamelulpan, Monte Negro y Yucuita dominaron el panorama político de la mixteca. El periodo de mayor desarrollo de los señoríos mixtecos coincidió con el fin de la supremacía zapoteca de Monte Albán. Primero, centros como Yucuñudahui y después Tilantongo, Chalcatongo y Yanhuitlán se convirtieron en capitales de bélicos señoríos cuyos soberanos se empeñaron en una intensa actividad política. Guerras y alianzas matrimoniales los llevaron a extender su poder hasta el valle de Oaxaca –donde fueron fundadas Cuilapan y Xocotlán– y sobre la costa del Pacífico, donde surgió Tututepec.
Este fue un periodo de fuerte interacción entre mixtecos y zapotecas: las fuentes históricas nos hablan de matrimonios contraídos entre los nobles de ambos pueblos y en los sitios zapotecas de Zaachila, Mitla y Monte Albán varios muertos fueron sepultados con ofrendas fúnebres entre las que se encontraron las más grandes obras maestras del arte mixteco. Durante todo el Postclásico el estilo mixteco fue uno de los más prestigiosos de Mesoamérica y jugó un papel fundamental en la creación de la llamada "tradición mixteco-poblana", verdadero lenguaje artístico "internacional" del Postclásico mesoamericano.
La fragmentación política de la región oaxaqueña fue un elemento que jugó a favor de los objetivos expansionistas de los aztecas; a partir del 1458 y por casi sesenta años los ejércitos de la Triple Alianza realizaron campañas en Oaxaca donde, salvo pocas excepciones, lograron someter a los señoríos locales. Bastante más difícil resultó a los aztecas mantener el control de estas regiones que, hasta la Conquista, fueron unas de las provincias más indómitas y turbulentas del imperio.

Pectoral mixteco en oro encontrado en la Tumba 7 de Monte Albán. El personaje tiene un rostro esquelético y porta en el pecho dos signos del calendario con los nombres de los años Viento y Casa. La rica ofrenda funeraria mixteca de esta tumba es prueba de que, a partir de los últimos años del periodo Clásico, las relaciones étnicas entre los dos grupos fueron intensas y que intercambiaban objetos de prestigio.

Monte Albán

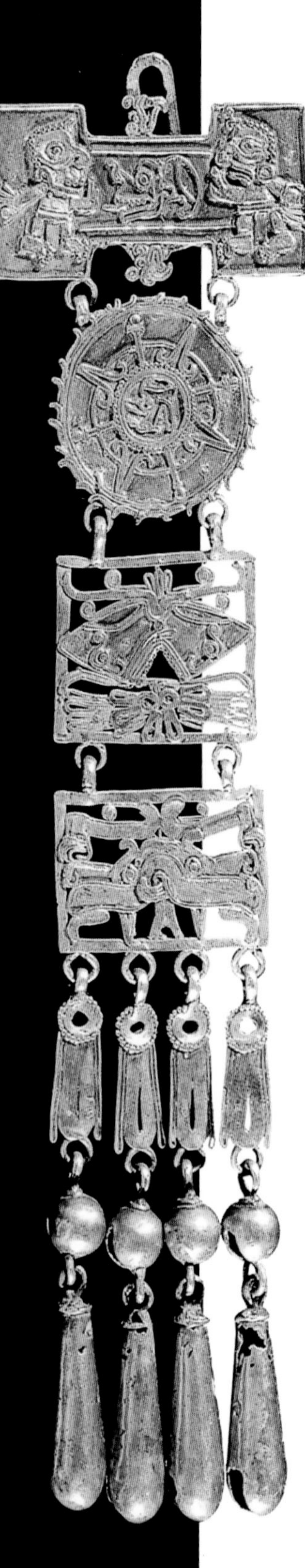

Este suntuoso pendiente de oro proviene de la célebre Tumba 7 de Monte Albán, donde el arqueólogo Adolfo Caso descubrió en 1932 un impresionante conjunto de gargantillas de oro. Como se puede observar, la orfebrería de los mixtecos había logrado un alto grado de maestría.

▲ *La plaza central de Monte Albán vista desde la cúspide de la Plataforma Norte. La ciudad, construida alrededor del 500 a.C., se convirtió en la capital zapoteca y fue una de las principales ciudades de Mesoamérica hasta finales del periodo Clásico.*

La historia

Monte Albán fue construida sobre una colina a casi 2000 metros de altura, en el punto de unión de las tres ramas que constituyen el valle de Oaxaca. Su posición, adecuada para la defensa pero alejada de las mejores tierras agrícolas, fue elegida alrededor del 500 a.C. por una confederación de diversos grupos zapotecas del valle para edificar una ciudad. Después del eclipse de grandes centros de poder como San José Mogote, Monte Albán se convirtió durante siglos en la poderosa capital del Estado zapoteca, y en uno de los más esplendorosos sitios monumentales de Mesoamérica.

En la etapa Monte Albán I (500-200 a.C.) fueron erigidos algunos edificios importantes como el Templo de los Danzantes, y durante la etapa posterior (Monte Albán II, 200 a.C.-300 d.C.), con la nivelación y pavimentación de la gran plaza central,

Pendiente de piedra verde y concha encontrado en Monte Albán, dentro de una sepultura sacrificial que data entre el 100 a.C. y el 200 d.C. Representa al dios murciélago, divinidad asociada con las grutas y la oscuridad, y por lo tanto al mundo subterráneo de las divinidades acuáticas y de los muertos.

quedó establecido el trazado urbano definitivo del sitio y fueron erigidos conjuntos arquitectónicos como la Plataforma Norte y el célebre edificio J. Se piensa que durante esta etapa Monte Albán contaba con 16000 habitantes, divididos en 15 barrios residenciales dotados de edificios públicos y culturales.

La ciudad alcanzó su máximo esplendor en el periodo Clásico, cuando se construyó o renovó la mayor parte de los edificios que rodean a la gran plaza. Entre el 300 y el 500 d.C. (Monte Albán IIIa) mantuvo importantes relaciones con Teotihuacán, mientras que la disminución de relaciones con el centro de México, entre el 500 y el 750 d.C. (Monte Albán IIIb), marcó el momento de apogeo cultural del asentamiento. Muestra de la opulencia que había alcanzado la ciudad son las espléndidas tumbas hipogeas, ricas en ofrendas y decoradas con complejas series pictóricas que parecen reflejar una organización política muy ligada al ámbito familiar, de linaje, fundada en el culto a los ancestros, más que en el de grandes divinidades protectoras.

A pesar de la crisis que afectó a Monte Albán durante las revueltas políticas del Epiclásico –correspondiente a la etapa Monte Albán IV, entre el 750 y el 1000 d.C. –, la ciudad nunca fue abandonada y siguió siendo frecuentada durante todo el Postclásico. De hecho, una de las más extraordinarias ofrendas fúnebres preservadas hasta nuestros días, fue realizada en el 1400 d.C. y colocada en una tumba clásica que ya había sido utilizada (Tumba 7); incluye objetos de oro, mosaicos de turquesa, cerámicas policromadas, huesos grabados y otros elementos en el más puro estilo mixteco, puestos ahí para acompañar a nueve individuos. No resulta clara la presencia de estos objetos, aunque se ha llegado a pensar que estaban relacionados con una posible invasión de la ciudad por parte de los mixtecos, quizá se deba en realidad a que las élites zapotecas del Postclásico consideraban que los objetos artesanales mixtecos eran particularmente prestigiosos, por haber sido producidos por un pueblo que estaba en la cúspide de su desarrollo y que extendía su hegemonía cultural incluso en el corazón del mundo zapoteca.

Las placas de piedra que forman la Galería de los Danzantes están decoradas con imágenes de prisioneros sacrificados, conocidos como Danzantes porque sus posiciones distorsionadas hicieron inicialmente pensar que se trataba de personas bailando.

El sitio

El centro monumental de Monte Albán está organizado alrededor de la gran plaza, uno de los lugares más bellos de la arqueología mexicana. En el ángulo suroeste de este gran espacio público (270 x 125 metros) se encuentran los restos de uno de los edificios más antiguos de la ciudad: el Templo de los Danzantes. Esta plataforma, construida durante la fase Monte Albán I, estaba originalmente cubierta por cerca de 300 lajas de piedra que representaban prisioneros sacrificados, a los que se les había extraído el corazón y arrancado los genitales, rodeados de inscripciones breves en lengua zapoteca que probablemente registraban su nombre calendárico o la fecha en que habían sido capturados. Algunas de estas lajas fueron después utilizadas en una remodelación del edificio. A ambos lados del Templo de los Danzantes se encuentran dos conjuntos arquitectónicos muy parecidos, conocidos como "Sistema IV" y "Montículo M". Sobre ellos fueron erigidos templos decorados con la típica cornisa zapoteca "a doble escápula", visible en muchas otras construcciones de la ciudad, como la Plataforma Sur y los conjuntos arquitectónicos con grandes escalinatas que ocupan el lado oriental de la plaza.

▼ *Vista del Montículo M que, junto con el Montículo O, forma el llamado "Sistema M". Los diversos escalones de la fachada están decorados con molduras de "doble escápula", sello distintivo de la arquitectura zapoteca.*

Monte Albán

1 Plataforma Norte
2 Edificio B
3 Sistema IV
5 Edificio U
6 Edificio P
7 Edificio G
8 Edificio H
9 Edificio I
10 Templo de los Danzantes
11 Edificio S (palacio)
12 Edificio J (observatorio)
13 Edificio Q
14 Sistema M
15 Plataforma Sur

◄ *Vista del Montículo IV y de la Plataforma N adyacente; la pequeña plaza, delimitada por las dos estructuras, conserva restos de un altar central. El conjunto, conocido como "Sistema IV", fue construido en la primera etapa de Monte Albán y remodelado a finales de la etapa IIIb (500-750 d.C.).*

◄ *El Montículo L se yergue en la esquina suroeste de la plaza central de Monte Albán. Al extremo izquierdo se puede observar la serie de lápidas conocidas como "Danzantes", originalmente colocadas sobre un antiguo edificio en esta parte de la ciudad.*

▼ *Las lápidas de los Danzantes pertenecen a la primera etapa constructiva de Monte Albán, que data entre 500 y 200 a.C., y reflejan un estilo escultórico ampliamente difundido en la zona zapoteca del Preclásico.*

La presencia de imágenes de prisioneros sacrificados en la Galería de los Danzantes muestra la importancia que tuvieron la guerra y la simbología a ella asociada desde los primeros momentos del desarrollo y establecimiento de las entidades políticas zapotecas.

Al centro del espacio público surgen los edificios G, H, I y J. Este último es una estructura con forma de "lanza", que probablemente tenía una función astronómica y que pertenece a la etapa Monte Albán II. Algunas de sus paredes están ornadas con cerca de cuarenta placas de piedra esculpidas con los topónimos de las ciudades conquistadas, representadas mediante una cabeza humana bocarriba. En el ángulo noroeste de la plaza se halla un gran campo de juego, en cuyas esquinas hay unos nichos de función desconocida.
La Plataforma Norte adyacente, con su gran acceso porticado, está constituida por un patio semienterrado, en cuyo centro hay un altar, y por edificios menores que fueron probablemente sede de los grupos nobles que detentaban el poder político en el ámbito del Estado zapoteca.

El patio semienterrado que se encuentra en el centro de la Plataforma Norte constituía tal vez una suerte de plaza, cuyo acceso era privilegio de la élite zapoteca. Al centro se observan los restos de un altar.

▲ *La Plataforma Norte vista desde la cúspide del Montículo IV. Se piensa que este gran conjunto arquitectónico fue la sede de las clases dirigentes de Monte Albán.*

Cerca de la Plataforma Norte surgen algunos conjuntos residenciales formados por cuatro cuartos que dan a patios centrales, bajo los cuales han sido encontrados algunas de las más bellas tumbas zapotecas.
La pieza funeraria de la Tumba 104, en cuya entrada hay una estatua en terracota del dios del maíz Pitao Cozobi, tiene tres paredes con pinturas. En la central aparece un personaje fantástico hacia el cual convergen dos otros retratados en las paredes laterales y ataviados con tocados y bolsas para copal, y ante los que aparecen grandes elementos glíficos.
Sin duda, quienes fueron sepultados en esta tumba pertenecían a la familia noble que residía en el edificio erigido sobre el sepulcro.
Las paredes de la Tumba 105 representan en cambio una especie de procesión de nueve hombres y nueve mujeres ricamente vestidos, acompañados por sus nombres calendáricos. Se trata probablemente de representaciones de los antepasados divinizados del grupo aristocrático al que estaba destinada la tumba. Tanto en estas sepulturas, como en las otras 175 identificadas en la ciudad, se han encontrado las célebres "urnas" zapotecas –vasos con decoraciones tridimensionales– consideradas como unas de las obras maestras de la cerámica de Mesoamérica. Aunque han sido erróneamente definidos como "urnas", estos vasos, sobre los que aparecen representadas las efigies de las principales divinidades zapotecas, constituían ofrendas funerarias y no estaban destinadas a contener las cenizas de los muertos.

▲ *El Edificio J es uno de los más misteriosos y controvertidos monumentos zapotecas. Su curiosa forma de flecha ha dado lugar a innumerables hipótesis sobre su función, sin duda ligada de alguna manera a cuestiones astronómicas. Por otra parte, la presencia en las paredes de muchas placas de piedra con topónimos de ciudades conquistadas indica que, probablemente, la función del edificio estaba ligada a la periodización de las guerras sagradas emprendidas por la nobleza zapoteca.*

▶ *Esta estela con bajorrelieves está colocada a los pies de la escalinata de la Plataforma Norte. Aunque la maestría de los artistas zapotecas se haya expresado principalmente en las tumbas pintadas, el uso de estelas conmemorativas fue constante durante todo el periodo Clásico.*

El Juego de Pelota de Monte Albán, en la esquina noreste de la plaza, se distingue por que sus paredes laterales son particularmente empinadas.

Dainzú, Lambyteco y Yagul

Dainzú

Dainzú fue uno de los principales centros zapotecas contemporáneos al desarrollo de Monte Albán. Su nombre original era probablemente Quiebelagayo, "5 Flores", equivalente al Macuilxóchitl náhuatl, nombre de la actual comunidad local y de una de las divinidades ligadas al juego de pelota. Tal vez no es casualidad que Dainzú sea conocida por sus bajorrelieves en estilo zapoteca arcaico, que representan jugadores de pelota.

La primera ocupación del sitio, ubicado en la parte del valle de Oaxaca conocido como "valle de Tlacolula", data del 700 a.C. aproximadamente, periodo en el que San José Mogote dominaba la zona norte conocida como "valle de Etla". En los primeros siglos de la era cristiana en Dainzú fueron construidos un complejo sistema de drenaje y las primeras estructuras monumentales, entre ellas los edificios A y B. El primero es un gran basamento piramidal compuesto por tres terrazas, la más baja está decorada por una serie de placas de piedra con bajorrelieves que representan jugadores de pelota. Estas figuras, realizadas en un estilo que recuerda al de los "Danzantes" de Monte Albán, muestran a los personajes equipados con cascos en forma de cabeza de jaguar, rodilleras, ornamentos en la cintura y guantes con los que aparecen agarrando pequeñas pelotas de juego. Bajorrelieves similares con cascos y cabezas de jugadores decapitadas se encuentran sobre algunas rocas en la cima del cerro Dainzú.

Como testimonio de la importancia que el juego de pelota tenía en Dainzú quedan diversos campos que estuvieron destinados a la actividad.

Uno de ellos, excavado en 1967, reveló ser un campo con la típica forma en "I" común en la época Clásica, y por lo tanto tardío respecto de los temas lúdicos representados en los bajorrelieves.

El sitio de Dainzú siguió siendo ocupado incluso en el periodo Clásico, como atestiguan las numerosas construcciones pertenecientes a esta época y la Tumba 7 (que está al centro del Edificio B), desafortunadamente saqueada en la antigüedad.

Los estípites y el arquitrabe de la entrada de la tumba, que simbolizaba el acceso al mundo de los muertos, están decorados con un bajorrelieve que representa la cabeza y las patas anteriores de un felino.

El apogeo de Dainzú terminó con la crisis de Monte Albán, aunque es muy probable que haya seguido siendo ocupada hasta el Postclásico. Quizá sea la Macuixóchitl que mencionan algunos documentos coloniales en los que se afirma que en 1580 dicha comunidad era gobernada por el señor mixteca Ocoña-ña.

▲ *Vista del Conjunto A de Dainzú. La base de la gran estructura está decorada con placas de piedra esculpidas.*

◀ *El campo del juego de pelota de Dainzú, parcialmente restaurado, data de 1000 d.C. aproximadamente.*

Lambyteco

Lambyteco está localizado también en el valle de Tlacolula y su desarrollo fue contemporáneo al de Monte Albán; fue un centro zapoteca habitado probablemente por grupos dedicados a la producción y a la exportación de la sal.

Entre los monumentos del sitio sobresalen dos estructuras de tipo palaciego. El Montículo 195, sobre cuyas paredes se observan grecas decorativas, era quizá la residencia del coqui, señor de la ciudad; los tableros del altar que se encuentra en el patio central presentan bajorrelieves en piedra y estuco que representan a dos nobles y sus respectivas esposas. Sobre un lado del altar puede observarse al señor "4 Caña" y la señora "10 Mono", mientras en el lado opuesto están representados el señor "8 Lechuza" y la señora "3 Turquesa"; los dos hombres sostienen fémures humanos. La entrada a la Tumba 6 está frente al altar; en su fachada hay algunos bajorrelieves en estuco en los que aparecen el señor "1 Terremoto" y la señora "10 Caña".

El Montículo 190 es, por su parte, interpretado como la residencia del bigaña, que era el sumo sacerdote; su altar central está decorado con espléndidos mascarones que representan a Cocijo, dios de la lluvia y del trueno, análogo al Tláloc teotihuacano, azteca y del Tajín totonaco y al Chac maya. En el Montículo 190 también se encontraron salas funerarias; entre ellas destaca la Tumba 2, con arquitrabes decorados con las típicas cornisas zapotecas "a doble escápula". Lambyteco fue abandonada alrededor del 800 d.C., cuando el panorama político zapoteca fue sacudido por las revueltas que siguieron a la caída del Estado de Monte Albán.

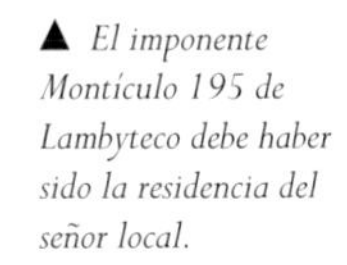

▲ *El imponente Montículo 195 de Lambyteco debe haber sido la residencia del señor local.*

◀ *La imagen muestra la compleja estructura del llamado "Palacio de los Seis Patios" de Yagul. El edificio debe haber sido un suntuoso complejo residencial de la élite aristocrática local.*

▼ *Vista panorámica del sitio de Yagul. A la izquierda se puede ver el juego de pelota (el más grande en toda la región oaxaqueña), mientras en el centro destaca la gran mole del Palacio de los Seis Patios.*

Yagul

Yagul, también localizado en el valle de Tlacolula y cercano a Lambyteco, es un buen ejemplo de los sitios que vivieron un fuerte desarrollo mientras ciudades como Monte Albán, Dainzú y Lambyteco eran golpeadas por la crisis. Ocupada desde el periodo Preclásico, Yagul comenzó a tomar el aspecto con el que hoy la conocemos alrededor del 800 d.C., cuando (quizá como consecuencia de una migración de la población de Lambyteco) fue construido un imponente conjunto monumental de varios niveles sobre el declive de una colina.

En el nivel más bajo se encuentran los Patios 4 y 5 rodeados por antiguos montículos.

En el siguiente nivel fue construido el juego de pelota, que es el más grande en todo el estado de Oaxaca. Un poco más arriba está el gran Patio 1, frente al cual se encuentra la Sala del Consejo, cuya entrada tiene dos pilastras a cada lado.

En el pasaje que se halla atrás de esta sala se puede ver un largo friso de mosaicos, similar a los que ornan los edificios de Mitla. La parte alta del sitio es ocupada por el Palacio de los Seis Patios, un vasto conjunto residencial con estancias de diversas dimensiones en torno a seis patios porticados; la arquitectura de esta estructura –que seguramente albergaba las residencias de la nobleza de Yagul– recuerda a los más antiguos núcleos arquitectónicos de Mitla, de los que era seguramente contemporánea. En varias estructuras de Yagul fueron halladas tumbas cruciformes con arquitrabes decorados de frisos sobre piedra. Como muchas de las sepulturas zapotecas, éstas contenían objetos de lujo de origen mixteco, probablemente obtenidos en intercambios relacionados con alianzas y matrimonios entre los nobles.

Sobre la colina que destaca en el sitio de Yagul, se puede observar una fortaleza que atestigua la belicosidad del panorama político que caracterizó al periodo Epiclásico.

Mitla

La historia

A cerca de 50 kilómetros al este de Monte Albán surge Mitla, el centro monumental más refinado y elegante del mundo zapoteca. Habitada desde el Preclásico, Mitla vivió su periodo de esplendor alrededor del 750 d.C., a partir de la decadencia de Monte Albán. De la misma forma que los otros centros epiclásicos de Yagul y Zaachila, se volvió una floreciente ciudad-Estado cuya riqueza probablemente estuvo basada en una fuerte actividad comercial, desarrollada incluso hasta después de la Conquista.
El nombre náhuatl con el que se conoce a la ciudad (de Mictlán, Mundo de los Muertos), así como su nombre zapoteca original (Liubá, sepultura) indican que la fama de la ciudad pudo haber estado ligada a la memoria de los nobles sepultados en las tumbas.
Aunque claramente fue fundada como ciudad zapoteca, durante el Postclásico Mitla parece haber jugado un papel muy activo en las relaciones interétnicas entre zapotecas y mixtecos, ya que muchas de sus manifestaciones artísticas son de estilo típicamente mixteco. Un signo de la dinámica, aunque turbulenta vida política del Postclásico, es el que constituye la fortaleza erigida en este centro y que debe haber servido de refugio a la élite que gobernó Mitla hasta la llegada de los españoles.

▲ *Patio Norte del Grupo de la Iglesia en Mitla. La distribución de largos salones, dotados de tres entradas, alrededor de un patio cuadrado es característica de la arquitectura local.*

▲ *Las refinadas grecas de mosaicos que decoran la fachada del Edificio de las Columnas de Mitla, se convirtieron en el sello de la arquitectura zapoteca entre el Clásico Tardío y el Postclásico.*

Mitla

A Grupo Sur	1 Patio sur del Grupo de las Columnas
B Grupo del Arroyo	2 Patio norte del Grupo de las Columnas
C Grupo de las Columnas	3 Patio norte del Grupo de la Iglesia
D Grupo de los Adobes	
G Grupo de la Iglesia	

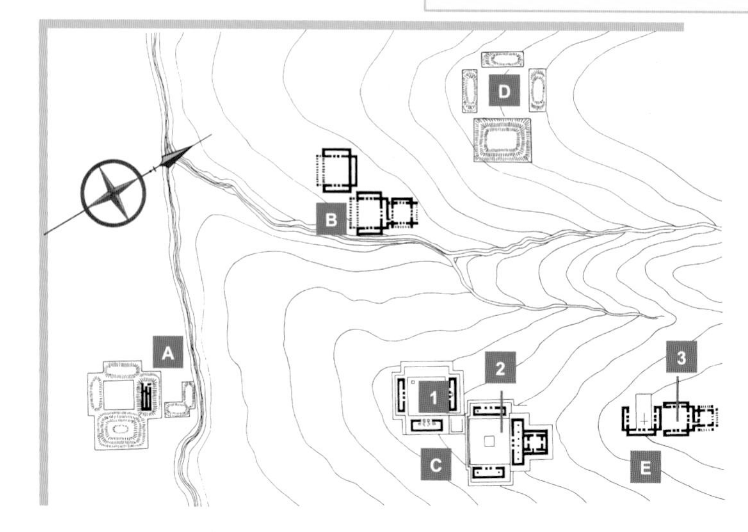

El sitio

El centro monumental de Mitla está conformado por cinco conjuntos arquitectónicos, a cuyos alrededores surgían las áreas residenciales.
El Grupo de Adobe (u Occidental) y el Grupo Sur pertenecen a la etapa más antigua de la historia local. En este último hay una tumba subterránea que data de la época clásica, contemporánea de la etapa Monte Albán III. Ambos conjuntos arquitectónicos están constituidos por cuatro edificios dispuestos en torno a un espacio central de esquinas abiertas.

Una estructura similar caracteriza también al Grupo de las Columnas, perteneciente probablemente al periodo comprendido entre el 750 y el 900 d.C., es decir al momento de mayor esplendor de Mitla. Este conjunto arquitectónico, el más bello y refinado de la ciudad, se yergue en el centro y está conformado por dos patios, cada uno de ellos rodeado por cuatro grandes estructuras.

Las fachadas de los edificios del Grupo de las Columnas están decorados por los extraordinarios frisos de piedra que han hecho famosa a Mitla. A veces esculpidos sobre una sola placa de piedra y otras compuestos con una técnica similar a la del mosaico, los frisos están conformados por complejas grecas y otros dibujos geométricos dispuestos en varios registros. El perfil cónico de los edificios aumenta el juego de sombras que crean estos ornamentos, que debe haber sido más notable cuando todavía tenían sus vivos colores originales.

Bajo las dos estructuras que forman parte del Grupo de las Columnas del Patio Sur, se encuentran los accesos a dos tumbas cruciformes, que también hacen recordar a las tumbas de Monte Albán.

En el Patio Norte se encuentra el espléndido edificio que dio nombre al grupo; una arcada arremete en lo que alguna vez fue una amplia sala cubierta con masivas columnas monolíticas.

Al periodo Postclásico pertenecen dos complejos conocidos como "Grupo del Arroyo" y "Grupo de la Iglesia", sobre el cual fue erigida una iglesia a San Pablo en el siglo XVI. Ambos están conformados por tres patios rodeados de edificios pero, a diferencia de los más antiguos, estos patios tienen las esquinas cerradas y las estructuras que dan a ellos están decoradas con un sólo friso ubicado en la parte superior de las paredes.

Algunos arquitrabes de estas construcciones han guardado trazas de las pinturas que los decoraban. En el Grupo del Arroyo, el tema central parece ser el nacimiento del Sol, mientras en el Grupo de la Iglesia hay representaciones que tal vez aluden al viaje que Venus y el Sol hicieron al inframundo, uno de los temas fundamentales y más comunes de la mitología mesoamericana.

En todas estas pinturas se puede distinguir un estilo de claro origen mixteco, que da cuenta de las fuertes relaciones interétnicas que caracterizaron a Mitla durante el periodo Postclásico.

Izquierda Detalle de las grecas que decoran el Edificio de las Columnas, así como otras construcciones de Mitla. En la parte alta de la imagen se puede ver un motivo que parece provenir de la del caracol seccionado.

Derecha El Patio Norte del Edificio de las Columnas. Las grecas –subrayadas con refinados juegos de luz y sombra– se encuentran al interior de cornisas, una reelaboración de las tradicionales molduras zapotecas de "doble escápula".

Izquierda El salón de acceso del Edificio de las Columnas alberga una serie de columnas monolíticas que sostenían el techo, a las que el edificio debe su nombre.

Derecha La fachada del Edificio Norte, en el Patio Sur del Grupo de las Columnas. En primer plano se ve la entrada a la Tumba 1, una típica sepultura zapoteca en forma de cruz.

Huijazoo

▲ *El acceso a la Tumba 5 está decorado –sobre el arquitrabe de la puerta– con una amenazadora cabeza de serpiente-jaguar, de cuyas fauces abiertas surge una cabeza de pájaro. La compleja decoración está tallada en la piedra y tiene un revestimiento de estuco.*

▼ *Esta estela monolítica está situada al fondo de la sala mortuoria de la Tumba 5. Totalmente pintada en rojo vivo y dividida en dos registros, cuya escena inferior representa a dos personajes –una mujer y un viejo– y la superior, a un joven y a un hombre maduro.*

Huijazoo, localidad conocida también como Suchilquitongo o Cerro de la Campana, es un sitio zapoteca de la época Clásica conformado por una veintena de estructuras, hasta hoy casi completamente inexploradas desde el punto de vista arqueológico.
A pesar de ello, el lugar es famoso por la Tumba 5, uno de los monumentos zapotecas más bellos que conozcamos, fue construida bajo un conjunto arquitectónico residencial y buscando simular el cuarto de una casa de la nobleza zapoteca. El acceso originalmente había sido cancelado mediante una placa de piedra que pesa dos toneladas y media; una escalinata de nueve peldaños –en clara referencia a los nueve niveles del inframundo– conduce a la puerta. Sobre ésta se colocó un relieve "a doble escápula" en cuyo centro se observan las fauces abiertas de una serpiente-jaguar y se ve surgir la cabeza de un pájaro. Este es el acceso a la Antesala I, decorada con cuatro estípites que, como todos las demás en la tumba, están decorados con bajorrelieves que representan individuos ataviados con tocados y bolsas para el copal; cada uno cuenta con un registro jeroglífico sobre su cabeza. Después de esta sala se accede a la Antesala II –correspondiente al patio abierto de las residencias de los vivos– pasando por una puerta sobre la cual hay arquitrabes pintados.
El arquitrabe norte, con bellas pinturas policromadas que representan los nombres calendáricos de los antepasados, fue pintado durante la época de la construcción de la tumba, es decir alrededor del 500-750 d.C. (etapa Monte Albán IIIb). El del sur, con glifos más burdos, debe en cambio haber sido decorado durante una posterior apertura de la tumba, llevada a cabo para agregar la segunda sepultura que incluía objetos mixtecos, probablemente en la etapa Monte Albán IV (750-1000 d.C.).
La antesala tiene portales en todos sus lados: además del de ingreso, hay otros tres coronados por cornisas de "doble escápula" blancas con marco rojo, y flanqueadas por pilastras con bajorrelieves.
Los accesos laterales dan a dos nichos decorados con figuras de hombres y mujeres nobles, procesiones de guerreros y una escena que recuerda la ceremonia azteca de la ascensión del Fuego Nuevo.
La puerta frontal da hacia la sala funeraria propiamente dicha; está flanqueada por dobles pilastras y coronada por un relieve que representa un hombre-murciélago que surge de las fauces de un jaguar, sobre cuya cabeza se observa un gran tocado con el símbolo del año.

▼ *La estípite izquierda del nicho este, en la Antesala II de la Tumba 5, está decorada con un relieve que muestra a un personaje de pie y de perfil. El hombre está ataviado con plumas, orejeras, armas y escudo, bastón, bolsa para el copal y sandalias. En la parte superior de la estípite aparecen algunos glifos, símbolos numéricos y las llamadas "fauces del cielo", típico motivo zapoteca.*

► *La entrada a la sala mortuoria, vista desde la Antesala II. Sobre el arquitrabe de la puerta destaca un mascarón en estuco que reproduce una cabeza de jaguar con las fauces abiertas; de ellas surge un personaje con cabeza de murciélago y brazos humanos. La puerta tiene cuatro estípites monolíticos, dos en cada lado, sobre las que aparecen representados en bajorrelieve un hombre-jaguar y una sacerdotisa.*

La sala destinada a la sepultura está ornada con pinturas dispuestas en dos registros sobrepuestos: en el superior hay ancianos con grandes tocados en forma de pájaro, mientras en el inferior se observa una serie de jugadores que sostienen en su mano una pelota y cuyos rostros están cubiertos con cascos coronados con sorprendentes tocados.
Al fondo de la sala funeraria fue colocada una estela pintada en rojo y decorada con bajorrelieves, que tal vez pertenezca a la época de la segunda utilización de la tumba. La escena que reproduce, dividida en dos recuadros, muestra a un joven y a una muchacha sentados frente a dos hombres; se trata probablemente de la ilustración de un registro genealógico.
Aunque los detalles del complejo ciclo pictórico de la Tumba 5 nos escapan, es evidente que aluden al mundo de los muertos y al papel de los ancestros, representados en forma de ancianos. También pertenecen al mundo subterráneo las pinturas relacionadas con el juego de pelota, actividad que sabemos estaba estrechamente ligada a los "descensos" hacia el mundo de los muertos; la importancia de esta actividad lúdica en el ámbito de los significados simbólicos asociados con la tumba es también atestiguada por el hecho de que, en la entrada de la tumba fue encontrada una pelota realizada en cerámica de una treintena de centímetros de diámetro.

El registro superior de la pared oeste de la sala mortuoria de la Tumba 5, está ocupado por una pintura mural que representa una procesión de ancianos. El detalle reproduce a uno de ellos: véase el elaborado tocado de plumas de vivos colores que lleva.

▼ *La pintura que adorna la pared del fondo del nicho este, en la Antesala II, tiene como tema a cuatro personajes hilando. El detalle ilustra las dos figuras centrales: ambas visten una capa corta y un taparrabos, y llevan el cabello amarrado.*

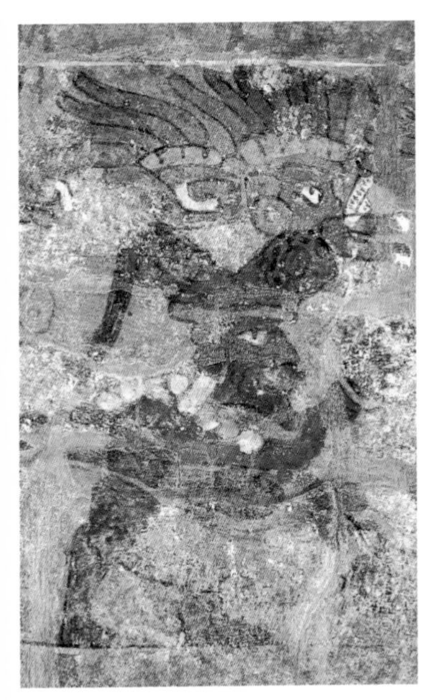

◀ *Este personaje pintado adorna el lado interno de la estípite izquierda de la puerta que lleva a la sala funeraria de la Tumba 5.*

Página 88 Esta célebre pintura mural, una de las mejor conservadas de la Tumba 5, representa a una sacerdotisa de elaboradas vestimentas y que porta un bolsa para copal. La pintura se encuentra en la pared norte del nicho oeste, en la Antesala II.

ITINERARIO 4

LAS CIVILIZACIONES DE LA SELVA

El sureste mesoamericano fue escenario de la evolución de pueblos como los olmecas y los mayas que, en medio de una exuberante escenografía tropical, dieron vida a unas de las más espectaculares tradiciones culturales y artísticas de Mesoamérica.
La olmeca, que se desarrolló en la llanura costera del sur del Golfo entre el 1200 y el 400 a.C., fue la cultura más influyente del periodo Postclásico y contribuyó de manera sustancial al crecimiento de las incipientes sociedades complejas de Mesoamérica.
El arte olmeca, cuyas mejores producciones provienen de los sitios de San Lorenzo y La Venta, se convirtió en una especie de código de la comunicación política y social del Preclásico, al difundirse sus creaciones en lejanas regiones gracias a las rutas de un comercio claramente elitista.
Si la vieja definición de la cultura olmeca como "cultura madre" de Mesoamérica resulta hoy discutible, es indudable que muchos de los conceptos fundamentales de la tradición religiosa mesoamericana, así como buena parte de sus temas iconográficos, tuvieron su más antigua expresión en la zona olmeca. Incluso después de que acabara lo que llamamos exactamente "cultura olmeca", sus herederos –conocidos como epiolmecas– continuaron teniendo un papel preponderante al menos hasta el inicio del periodo Clásico. De hecho, es en el ámbito de estos grupos (que hablaban lenguas mixe-zoque, así como los olmecas y los actuales mixe, zoque y popoluca) donde al parecer se desarrollaron las primeras formas de escritura y los más antiguos registros del calendario.
Es innegable que mucho del bagaje cultural olmeca estuvo en la base del desarrollo de los mayas de las Tierras Bajas en la época clásica; sin embargo, contrariamente a lo que podría pensarse, los contactos entre el mundo olmeca y las Tierras Bajas mayas fueron muy limitados e indirectos. La más intensa y productiva interacción entre ambas culturas parece haber sido realizada entre la costa del Pacífico de Chiapas y Guatemala y los altiplanos guatemaltecos adyacentes. Ahí, a finales del Preclásico, se expresó un estilo artístico sumamente innovador llamado "izapeño", que fue fruto de la interacción entre los centros mixe-zoque como Izapa y centros mayas como Kaminaljuyú. Precisamente, de los altiplanos guatemaltecos salieron las migraciones que, siguiendo las grandes corrientes fluviales, fueron colonizando las selvas tropicales de las Tierras Bajas, y el continuo contacto entre las dos regiones tuvo como resultado que los mayas de las Tierras Bajas absorvieran elementos culturales de origen olmeca o epiolmeca que, reelaborados localmente, constituyeron la base del excepcional florecimiento de las ciudades-Estado clásicas.
Palenque, Tikal, Yaxchilán, Bonampak y Copán son indudablemente los centros monumentales que representan mejor la variedad y el refinamiento de la producción artística maya, verdadero reflejo del esplendor y el poderío de las dinastías reales de la edad clásica. Gran parte del arte maya es la exaltación del poder dinástico de soberanos heroicos y de sus antepasados divinos.
La constante fragmentación política de las Tierras Bajas favoreció la diversificación cultural y dio impulso al desarrollo de un gran número de estilos artísticos; todos estos matices locales pueden ser, sin embargo, "referidos" a un "código" común que fue resultado de las constantes e intrincadas relaciones políticas entre las dinastías que dominaban la decena de ciudades mayas de las llamadas "Tierras Bajas Centrales" durante el periodo Clásico.
Todavía no resulta claro en qué medida ejercían su domino las ciudades-Estado mayores sobre las más pequeñas, y si tal dominio era directo o indirecto. La incertidumbre de los investigadores se refleja en la variedad de las reconstrucciones hipotéticas del panorama político de las Tierras Bajas mayas que han propuesto en relación con el periodo Clásico Tardío: el número de entidades políticas varía entre 63 y 8; de acuerdo con la hipótesis que sugiere esta última cifra se puede hablar de cinco grandes ciudades-Estado regionales que dominaban la zona central (Palenque, Yaxchilán, Tikal, Copán y Calakmul), a las que se suman otros tres Estados yucatecos (Cobá, Río Bec y Chenes Puuc). El mundo maya sintió los efectos de las crisis del Periodo Clásico en una época ligeramente tardía respecto de las culturas del centro de México. De hecho, entre los siglos VII y IX d.C., las ciudades mayas vivieron su máximo esplendor, para después sufrir un repentino abandono alrededor del 900 d.C. Como en toda Mesoamérica, la crisis del periodo Clásico fue más una gran transformación que un inexplicable colapso, y no todas las regiones mayas lo resintieron de la misma manera. A lo largo del Usumacinta, nuevos grupos "mexicanizados" ocuparon sitios como Seibal, mientras en Yucatán nuevas formas artísticas –que por su refinamiento y brevedad cronológica hacen recordar los estilos epiclásicos del centro de México– sirvieron de puente hacia el gran desarrollo de la época Postclásica realizado por una decena de grupos mayas de las Tierras Altas y Guatemala. En esas tierras vivieron los antepasados de algunos de los grupos mayas actuales más importantes, como los tzotziles, los tzeltales y los quiché.

▲ *Este objeto de terracota que representa al Dios Viejo, fue encontrado en la tumba de un noble de Tikal.*

Las cerámicas más bellas estaban destinadas a ser parte de las ofrendas funerarias de nobles y soberanos.

Detalle de la Estela F de Copán en el que puede verse la figura del soberano 18 Conejo. Gran parte del arte maya fue realizado con objetivos propagandísticos, para conmemorar las empresas de los soberanos que gobernaban las distintas ciudades-Estado.

La Venta: el sitio arqueológico y el parque

Escultura hallada en La Venta de un personaje obeso con labios prominentes.

La historia

Los grandes asentamientos olmecas de San Lorenzo, Veracruz, y La Venta, Tabasco, fueron los principales centros ceremoniales de Mesoamérica durante el periodo Clásico. Conformados por imponentes obras arquitectónicas realizadas en tierra y adornadas con esculturas que conforman uno de los vértices de la producción artística americana.

A pesar de la notoriedad del arte olmeca conocemos demasiado poco sobre la civilización que lo produjo: localidades de gran importancia como Laguna de los Cerros permanecen sin explorar y lo que sabemos de la historia de los sitios mayores –aunque en ambos se realizan actualmente excavaciones arqueológicas– es sólo en términos aproximativos.

El sitio

La Venta surgió alrededor del 900 a.C. y entre los siglos VI y V a.C. su centro ceremonial tomó la forma que hoy apreciamos. Está organizado según una directriz aproximada de Norte-Sur y está conformado por una serie de espacios abiertos delimitados por edificios. El grupo mayor arquitectónico es el Conjunto C, donde la gran Pirámide C1, construida con tierra y de más de 30 metros de altura, domina la plaza sobre la que está situada la Acrópolis Stirling. Al norte del imponente monumento se encuentra por su parte el Conjunto A, principal grupo ceremonial de La Venta. El espacio abierto central, dominado por la mole de la pirámide, tiene a sus lados largos montículos paralelos y está dividido en dos patios sucesivos. En el que está más al norte, rodeado de una "cerca" de columnas monolíticas en basalto, han sido encontradas algunas de las más espectaculares ofrendas olmecas: dos grandes mascarones de cerca de 20 metros de lado y compuestos por millares de bloques de piedra serpentina fueron enterrados a una profundidad de ocho metros, bajo estratos de arena de diversos colores, así como sucedió con dos "pisos" realizados también con toneladas de serpentina.

Los mascarones han sido frecuentemente interpretados como cabezas de jaguar, pero en la actualidad se ha puesto en duda esta interpretación. Otras veinte ofrendas menores encontradas en el Conjunto A incluían algunas de las obras maestras del arte olmeca: cerámica, lanzas de piedra verde y el célebre grupo de estatuillas antropomorfas –que actualmente pueden verse en el Museo de Antropología de la Ciudad de México–, colocadas de manera que forman una suerte de reunión cerca de una "cerca" de piedra. Sobre la superficie donde estaban estas ricas donaciones votivas se elevaban montículos de tierra y monumentos, como una sala funeraria con columnas de basalto, un gran sarcófago de piedra y las cabezas colosales ubicadas en el extremo norte del conjunto. Si las grandes esculturas olmecas nos sorprenden por su fuerza estilística, no menos impactante es el esfuerzo que deben haber hecho los olmecas para transportar los grandes bloques de basalto, provenientes de yacimientos localizados a una distancia de cerca de 60 kilómetros de San Lorenzo y 90 de La Venta.

Muy probablemente, estos bloques, que pesan alrededor de 25 toneladas, fueron transportados por vía fluvial y marítima en enormes balsas.

La Venta fue abandonada alrededor del 400 a.C., cuando 20 de sus monumentos fueron mutilados, algo que ya había sucedido en San Lorenzo cientos de años antes. Todavía no resulta claro qué causó estas devastaciones; durante mucho tiempo se ha pensado que hubo una especie de "revuelta" contra el poder político, pero últimamente se plantea la posibilidad de que se haya tratado de mutilaciones rituales o de tentativas de recuperación de la piedra.

Izquierda Uno de los "mascarones" hallados en La Venta, que formaban parte de imponentes ofrendas enterradas por los olmecas en el centro ceremonial.

Centro Escultura que representa al típico personaje obeso con cara de jaguar, uno de los protagonistas del arte olmeca. No se sabe si se trata de la representación idealizada de un soberano o la figuración de un personaje mítico.

Derecha Cabeza colosal 3 de La Venta. Los rasgos de estas enormes esculturas han hecho pensar que se trata de hombres negros, pero este tipo de fisionomía es común entre algunos grupos indígenas. No resulta claro si el daño que presentan se debe a revueltas internas y conquistas o a "asesinatos rituales" de retratos de soberanos difuntos.

► Cabeza colosal 4, conservada en el parque-museo de La Venta, Villahermosa. Estos retratos de antiguos soberanos olmecas son testimonio de su capacidad de movilizar grandes masas de mano de obra, necesarias para transportar los bloques de basalto –que pesan decenas de toneladas– desde yacimientos localizados a más de 60 kilómetros.

El parque

En la época moderna el sitio de La Venta fue parcialmente destruido a causa de la instalación de refinerías de petróleo y sus esculturas monumentales fueron transportadas al Parque La Venta de Villahermosa (Tabasco). Aunque se trata de un parque abierto y no de un sitio arqueológico, es sin duda el lugar en el que mejor se puede admirar un vasto muestrario de escultura olmeca, una de las metas más importantes de un viaje por el sureste de México. Entre su exuberante vegetación fueron colocadas decenas de esculturas, como las cabezas colosales, los grandes altares-trono y otra serie de estatuas y estelas, además de la tumba de basalto y uno de los mascarones de serpentina. Aunque las cabezas colosales son sin duda las esculturas olmecas por excelencia, verdaderos símbolos de su cultura, los altares-trono no son menos impresionantes. El Altar 4 está decorado con la figura de un señor que emerge de las fauces del Monstruo Terrestre sosteniendo en la mano una cuerda que lo une a figuras esculpidas a los lados en bajorrelieve, quizá prisioneros o parientes. En el Altar 5 vemos en cambio al soberano salir de las fauces del monstruo con un niño-jaguar en los brazos, mientras a los lados del monumento otros dignatarios cargan figuras similares.

▲ *El Altar 4 de La Venta está decorado con la conocida imagen del soberano saliendo de una gruta, representada como las fauces de un jaguar, cuyo rostro puede verse en la parte superior del monumento. Este tipo de representaciones tal vez aludían al nexo entre el soberano y las fuerzas cósmicas del inframundo.*

En la Estela 2 aparece retratado el soberano con un cetro y un gran tocado, rodeado por pequeños seres voladores que recuerdan a los siervos del dios de la lluvia azteca, conocidos como "Tlaloques". Personajes similares pueden observarse también en la parte superior de la Estela 3, sobre una escena que parece representar el encuentro entre dos dignatarios; el perfil del personaje de la derecha, conocido como "Tío Sam", ha alimentado muchas especulaciones sobre su origen. Sobre el espléndido Monumento 19 se observa un soberano sentado sobre el cuerpo de una gran serpiente de cascabel con una bolsa para copal en la mano. En estas estelas –eslabón entre la gran escultura tridimensional olmeca y la refinada técnica del bajorrelieve– parece entreverse el nacimiento de todas las características formales y estilísticas que dominarán el gran arte clásico de Mesoamérica.

Palenque

Cabeza de estuco encontrada en la cripta funeraria de Pacal, dentro del Templo de las Inscripciones. No se sabe si se trata de la imagen del propio soberano o de su mujer Ahpo Hel.

La historia

Palenque (Chiapas) es una verdadera joya del mundo maya y sus monumentos en calcárea blanca; inmersos en el verdor de la selva tropical, constituyen tal vez el mejor ejemplo de lo que debió haber sido una ciudad clásica en el momento de su máximo esplendor. Según estudios recientes es probable que haya sido conocida entre los antiguos mayas con el nombre de Lakam Ha (Agua Grande) y que su reino se llamara Bak (Hueso).

El desarrollo del asentamiento –uno de los más occidentales del mundo maya– inició probablemente en el siglo V d.C. cuando Bahlum Kuk (Jaguar Quetzal), que ascendió al trono en el 431 d.C., dio inicio a una dinastía real que decía provenir de U-Kix-Chan, cuyo reino mítico habría comenzado en el 967 a.C. La línea dinástica de Bahlum Kuk gobernó la ciudad hasta el 604 d.C. cuando terminó la regencia de la señora Kanal Ikal (583-604 d.C.), quien la había asumido tal vez a falta de legítimos pretendientes masculinos. El hijo Ac Kan dio vida a un nuevo linaje patrilineal pero una vez más, por razones desconocidas, en el 612 d.C. el poder pasó a manos de la señora Sak Kuk (Quetzal Blanco), casada con un noble ajeno a la estirpe real. Al hijo de la señora Sak Kuk tocó a su vez fundar una tercera línea dinástica, la más célebre de todo el mundo maya. El nuevo soberano era Pacal II (Escudo II), llamado El Grande, verdadero artífice de la grandeza y esplendor de Palenque. Llegado al trono en el 615 d.C. a la edad de 12 años, el nuevo soberano reinó hasta el 683 d.C. y durante su reinado y el de su hijo Chan Bahlum II (684-702 d.C.) Palenque se volvió una de las ciudades más poderosas de las Tierras Bajas, verdadera "capital" de la región suroeste. Pacal y Chan Bahlum II fueron autores de un programa ideológico-arquitectónico que cambió la apariencia de la ciudad, a su iniciativa se debe la mayor parte de los monumentos que hoy existen.

El reinado de Kan Xul II (702-711/720 d.C.), hermano de Chan Bahlum II, marcó el inicio de la decadencia de Palenque. En el 711 d.C. fue de hecho capturado en una batalla por el soberano de Toniná (bella ciudad maya que puede visitarse a poca distancia de Palenque), quien lo mantuvo prisionero hasta el 720 d.C., cuando el rey de Palenque, conocido también con el nombre de Kan Hok Chitam II, fue sacrificado. Aunque tradicionalmente se consideraba que, tras la derrota de Kan Joy Chitam, Palenque había entrado en una espiral de decadencia, las excavaciones recientes en el Grupo de las Cruces han llevado al descubrimiento de magníficas obras de arte que se remontan al reinado de algunos de sus sucesores. A pesar de ello, a finales del siglo VIII Palenque se abandonó de forma definitiva.

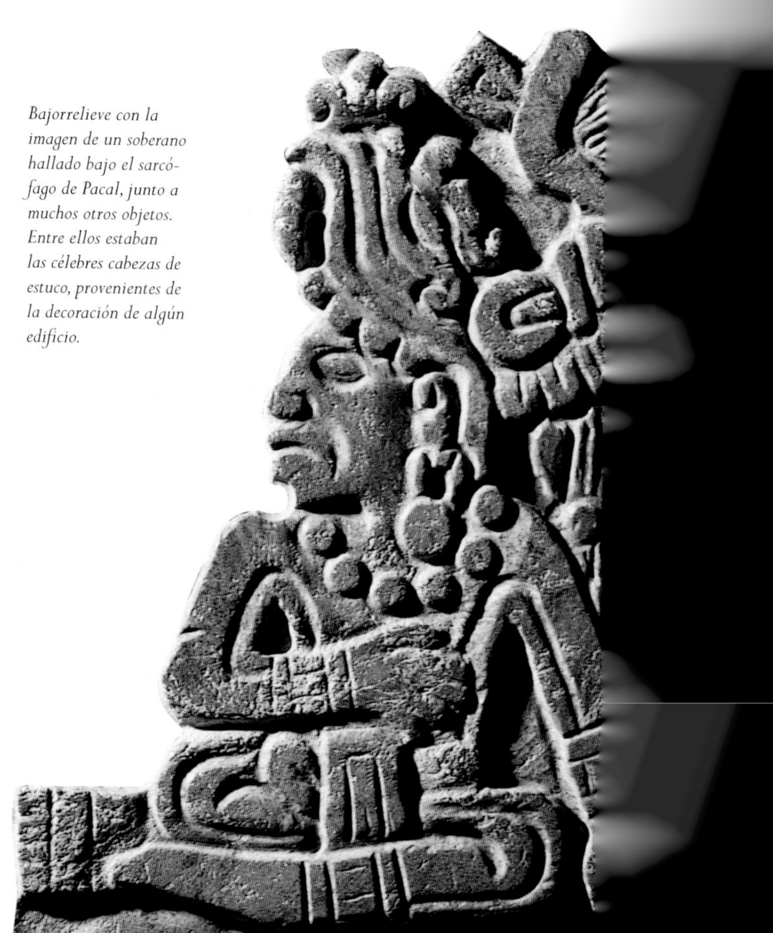

Bajorrelieve con la imagen de un soberano hallado bajo el sarcófago de Pacal, junto a muchos otros objetos. Entre ellos estaban las célebres cabezas de estuco, provenientes de la decoración de algún edificio.

El sitio

Como dijimos anteriormente, gran parte de los monumentos que hoy existen pertenecen al reino de Pacal y de sus hijos. Esto nos permite leer de manera casi exhaustiva los pormenores del sistema ideológico que estos soberanos tenían como la base de su poder y que se manifestaron sobre todo en la renovación de la configuración urbana del sitio.

La preeminencia de la decoración arquitectónica es una característica que distingue a Palenque de otras ciudades clásicas de las Tierras Bajas, donde el "lenguaje del poder" se expresa principalmente mediante el grupo escultórico estelas-altares. En Palenque se encuentran los edificios monumentales y los bajorrelieves en piedra y estuco que adornan las paredes, pilastras, techos y crestas que cuentan la historia de Pacal y de sus hijos.

El punto más importantes del centro monumental de la ciudad es sin duda el Palacio, un edificio conformado por estancias, corredores y patios que fue la residencia de la familia reinante y que fue modificado por cada uno de los soberanos que lo habitaron. Lo que hoy podemos observar pertenece en gran parte al reino de la familia de Pacal, y su rasgo distintivo es la torre que sobresale

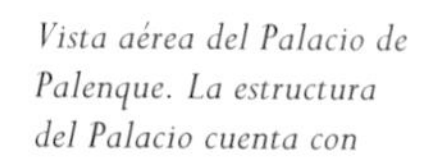

Vista aérea del Palacio de Palenque. La estructura del Palacio cuenta con dos patios alrededor de los cuales fueron construidos varios edificios.

Derecha La torre que domina el Palacio tal vez tenía la función de observatorio astronómico, desde el cual los soberanos de Palenque observaban los sucesos celestes, hábilmente manipulados con fines de propaganda política.

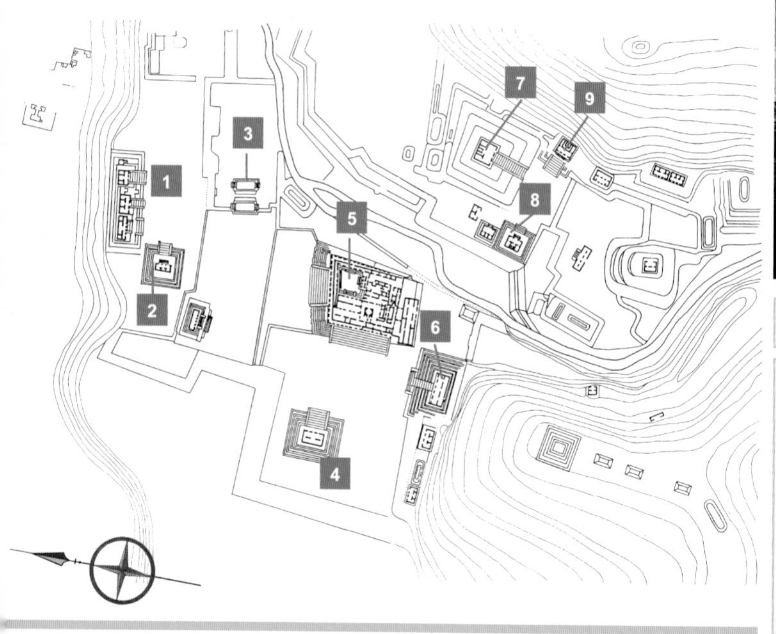

Palenque

1 Grupo norte
2 Templo del Conde
3 Juego de pelota
4 Gran Templo
5 Palacio
6 Templo de las Inscripciones
7 Templo de la Cruz
8 Templo del Sol
9 Templo de la Cruz Foliácea

y que probablemente tuvo la función de observatorio astronómico. Las pilastras del pórtico sobre la escalinata de acceso al Palacio están decoradas con relieves en estuco que representan a los propios soberanos. En los largos corredores en el interior del Palacio se pueden ver todavía trazas de pinturas y de frescos en estuco, además de la célebre Tablilla Ovalada, un bajorrelieve que conmemora la ascensión

▼ *Vista del Palacio de Palenque, el edificio que fue sede de las dinastías reinantes en la ciudad. Gran parte de su fisionomía actual proviene del reino de Pacal II.*

▼ *Patio de la Casa C en el Palacio de Palenque. Las balaustradas de la escalinata están conformadas por grandes placas monolíticas decoradas con bajorrelieves que representan prisioneros de guerra. En estos patios deben haberse llevado a cabo las ceremonias privadas de la familia real.*

▼ *Una de las galerías porticadas del Palacio. Se puede observar la falsa bóveda de la galería, característica de la arquitectura maya, y la pequeña ventana en forma de "T", característica de la arquitectura de Palenque. Las paredes estaban originalmente decoradas con pinturas policromadas.*

◄ *La Tablilla Ovalada del palacio representa la coronación de Pacal II, sentado (derecha) en un trono con forma de jaguar bicéfalo. Su madre –la señora Sak Kuk, anterior reina de la ciudad– coloca al hijo una "tiara" formada de perlas de jadeíta y coronada con un penacho de plumas de quetzal.*

Inferior izquierda
Uno de los bajorrelieves en estuco que decoran las pilastras del Palacio, que representan a varios miembros de las dinastías reales de la ciudad –una de las formas artísticas típicas de Palenque. El arte del bajorrelieve en estelas de piedra no se desarrolló en esta ciudad.

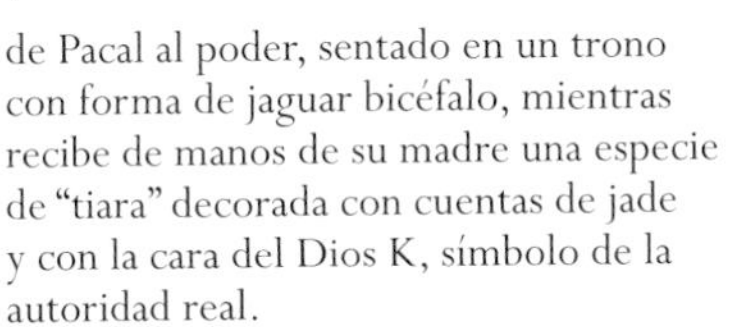

de Pacal al poder, sentado en un trono con forma de jaguar bicéfalo, mientras recibe de manos de su madre una especie de "tiara" decorada con cuentas de jade y con la cara del Dios K, símbolo de la autoridad real.
Sobre uno de los patios internos del Palacio se halla la Casa C, cuya escalinata geroglífica conmemora un suceso bélico y el eclipse lunar del 659 d.C., observado por Pacal en compañía del soberano de Tikal y de un noble de Yaxchilán, que no resulta claro si asiste a la escena en calidad de huésped o de prisionero. En esa ocasión fueron sacrificados seis prisioneros de guerra similares a los representados en las grandes balaustradas.
En la misma escalinata y en otros monumentos se hace mención de los frecuentes choques militares que libraron Palenque y Calakmul, tradicional rival de Tikal y de las ciudades a ella aliadas.

Durante el reino de Pacal fueron construidos también el Templo Olvidado y el Templo del Conde, así llamado por haber sido elegido como residencia por el conde Waldeck –un curioso personaje que fue protagonista de las exploraciones de la ciudad y que, entre 1834 y1836, vivió entre las ruinas que hoy llevan su nombre.

La culminación de la actividad arquitectónica de Pacal fue sin duda la construcción del Templo de las Inscripciones, la pirámide funeraria que concluiría su hijo. Sobre las pilastras del porticado de acceso Chan Bahlum II hizo colocar bajorrelieves en estuco en los que vemos a Pacal y a otros de sus antepasados cargando a Chan Bahlum II, representado como Dios K, como confirmación de su connotación divina.

Los paneles con glifos que están en el interior del templo narran toda la historia dinástica de Palenque, dividida en

tres secciones: en la primera se conmemoran las conclusiones de nueve ciclos calendáricos de veinte años (*katun*) y los nueve reinos correspondientes, hasta las tres ceremonias de conclusión del *katun* presididas por Pacal.

En la segunda sección la fecha de nacimiento de Pacal es relacionada con la mítica de una divinidad de más de un millón de años, y con un futuro suceso calendárico que ocurrirá el 23 de octubre de 4772 d.C. La tercera sesión es la más "profana" y conmemora diversos eventos del reino de Pacal, como la acogida brindada al rey de Tikal, el desarrollo de ceremonias especiales y el matrimonio del soberano. Esta sección fue concluida durante el reinado del hijo Chan Bahlum, ya que registra la muerte de Pacal y el ascenso al trono del heredero.

En las inscripciones del templo resulta evidente la estrategia político-religiosa de Pacal: al no poder jactarse de descender de un soberano hombre, asocia su reino al de sus predecesores recurriendo al calendario y asociando el nombre de su madre al de una diosa llamada Sak Bak (Garza Blanca), mejor conocida como "Señora Bestial" o "Primera Madre", como progenitora de la triada divina que domina al panteón de Palenque. Es evidente que mediante este estratagema lingüístico-calendárico Pacal afirma su propia naturaleza divina y su derecho al trono, contornando las tradicionales reglas de descendencia patrilineal.

En el piso del templo se abre la escotilla que permite el acceso a la estrecha escalinata que desciende hasta el interior de la pirámide atravesando sus nueve estratos, representación simbólica de los niveles del inframundo. Al nivel de la planta baja, donde se hallaría simbólicamente "el fondo del mundo de los muertos", se abre la sala sepulcral de Pacal, ocupada por el gran sarcófago monolítico que marcó el inicio de la construcción

Izquierda El Templo de las Inscripciones, visto desde el Palacio. La escalinata de acceso conduce al templo, en cuyo interior se encuentran los paneles glíficos que narran la historia dinástica de la ciudad y que dieron el nombre moderno a la pirámide. A la izquierda se ve la pirámide que contiene la tumba de la llamada Reina Roja y, al fondo, el Templo del Cráneo.

La pirámide conocida como Templo de las Inscripciones en cuyo interior se encuentra la cripta funeraria con el sarcófago en el que fue sepultado Pacal II en el 683 d.C. Los nueve niveles de la estructura aluden a los niveles en que estaba dividido el mundo subterráneo según la cosmología maya.

(la pirámide fue, de hecho, construida encima).

En una casa de piedra que se yergue frente a la entrada de la cripta, los arqueólogos encontraron los restos de cinco o seis personas sacrificadas y desmembradas para acompañar al soberano en el más allá. En las paredes de la cripta

Máscara funeraria en jadeíta que estaba sobre la cara de Pacal. Muchos otros objetos en piedra verde formaban también parte de los bienes funerarios del soberano.

el que probablemente sea el más célebre bajorrelieve maya: enmarcado con una "banda celeste" compuesta con signos astrales, el cuerpo del rey difunto, representado con la forma del dios del maíz, se extiende a lo largo del tronco del árbol cósmico. El pájaro que se observa en la cúspide de la planta es una manifestación del dragón celeste Itzamná, mientras a mitad del tronco se ve una serpiente bicéfala que representa el conducto a través del cual los soberanos mayas entraban en contacto con los cielos y sus antepasados. El cuerpo de Pacal está a punto de entrar en las fauces abiertas de la "Serpiente Blanca Esquelética" que simbolizan el acceso al mundo de los difuntos y en cuyo interior se ve una bandeja-incensario, decorado con el rostro del Sol muerto y con los instrumentos utilizados para el sacrificio: un caracol, una espina de mantarraya y un elemento vegetal. Según la mitología maya fue gracias a un autosacrificio realizado con este plato que, en el transcurso de la última creación, nació el árbol cósmico, llamado Wakah-Kan (Cielo Elevado).

En el interior del sarcófago se encontraba el cuerpo del rey, cubierto de cinabrio y ataviado con pectoral, brazaletes, diadema y máscara funeraria de jade, que pueden hoy observarse en el Museo Nacional de Antropología de la Ciudad de México. Su boca estaba rodeada por un recuadro de mica y en sus manos ensortijadas sostenía un cubo y una esfera de jade. Una estatuilla del mismo material estaba apoyada sobre su taparrabos, no lejos de una placa de jade grabada en la que se lee *te* (árbol), alusión al árbol cósmico y al papel de pilar del universo que el soberano mismo había tenido en vida. Bajo el sarcófago fueron halladas las dos célebres cabezas en estuco que habían pertenecido a otros monumentos y que fueron colocadas ahí para acompañar al rey; no sabemos si representan a Pacal y su mujer o si se trata de retratos del señor en distintas épocas de su vida.

▲ *Vista de la cripta funeraria de Pacal. Bajo la loza que la cubre se ve el sarcófago con la cavidad destinada a acoger el cuerpo del soberano. Las dimensiones del sarcófago monolítico demuestran que fue colocado antes de la construcción de la pirámide.*

se ven las figuras en bajorrelieve de nueve personas, que podrían ser los Nueve Señores de la Noche o nueve predecesores del rey voluntariamente "confundidos" con dichas divinidades. A los lados del sarcófago se observan los bustos de diez personajes que emergen de delgadas hendiduras en la tierra, cada uno acompañado de un árbol, se trata de representaciones de los antecesores de Pacal en las que sus padres aparecen dos veces.

Los mismos temas son mencionados en las inscripciones que se observan en el borde de la lápida del sarcófago, donde después de la frase "cerraron el sarcófago del dios del maíz" fueron registradas sus fechas de muerte, incluida la de Pacal.

La propia lápida está decorada con

▶ *En este dibujo que reproduce la lápida del sarcófago se aprecia a Pacal descendiendo por el tronco del árbol cósmico.*

Hace apenas algunos años fue descubierta, en el edificio adyacente al Templo de las Inscripciones, la rica sepultura de una señora, probablemente la mujer de Pacal u otra persona de la misma familia. A la derecha del templo donde se halla esta tumba, se yergue el llamado Templo del Cráneo, cuyo nombre se debe al bajorrelieve que puede observarse en su parte frontal. Las celebraciones en ocasión del sepelio de Pacal deben haber constituido uno de los elementos culminantes de la política de Chan Bahlum II –que ascendió al trono 132 días después de la muerte de su padre–, quien continuó por la vía trazada por su antecesor y manifestó la gloria y las razones de su propio poder construyendo un imponente conjunto arquitectónico, hoy conocido como Grupo de las Cruces, en el cual Chan Bahlum afirmó las legitimidad de su reino, subrayando su descendencia de Pacal y retomando el tema del nexo entre Sak Kuk y la mítica Señora Bestial. El Templo de la Cruz, el más alto y situado al norte del grupo, es una gran pirámide "celeste" compuesta por 13 niveles, sobre los que han sido hallados varios grandes incensarios en terracota que representan al dios Sol. El pequeño santuario en el interior del templo que corona la pirámide contiene un bajorrelieve en el que aparecen retratados Pacal (a la izquierda) y Chan Bahlum II (a la derecha), a los lados del árbol cósmico (la llamada "cruz"). Los textos que se ven entre las figuras recuerdan la designación de Chan Bahlum como heredero, su ascenso al trono y el cumplimiento de un autosacrificio.

Los dos bajorrelieves sobre los estípites del santuario representan por su parte, a Chan Bahlum (a la izquierda) y el Dios L (a la derecha), una de las principales divinidades del mundo de los muertos fumando y con una piel de jaguar. Chan Bahlum aparece revestido de todas las insignias reales en ocasión del décimo día de celebración de su ascensión al trono, suceso que coincidió con la máxima trayectoria de Venus como Estrella de la Noche y probablemente con la ascensión formal al poder.

Es evidente que el bajorrelieve legitima el poder de Chan Bahlum, mostrando cómo fue recibido por el padre difunto (que aparece más pequeño y acompañado por el Dios L) durante los diez días de celebraciones, y que éstas coincidieron con eventos astrales estrechamente ligados a la concesión maya de la realeza.

En los paneles glíficos que están a los lados del bajorrelieve central se hace una recapitulación de la historia dinástica de la ciudad, desde el 7 de diciembre de 3121 a.C. (fecha de nacimiento de la Señora Bestial) y la de sus hijos divinos,

▲ *El derrumbamiento de la parte delantera del edificio de la cúspide del Templo de la Cruz Foliácea ha dejado al descubierto la galería interna. El nombre actual del monumento se debe a la interpretación errónea de un bajorrelieve que representa el axis mundi en forma de planta de maíz.*

▼ *La galería frontal del Templo del Sol: a la izquierda se abre el compartimento que contiene el adoratorio y los paneles con bajorrelieves.*

▶ *En el interior del Templo del Sol se encuentran algunos bajorrelieves que aluden al aspecto solar y guerrero de la realeza. En el techo del templo, cuya parte inclinada está decorada con bajorrelieves, se aprecian los restos de la cresta que antiguamente estaba cubierta con bajorrelieves policromados.*

◀ *Chan Bahlum construyó el Grupo de las Cruces tras la muerte de su padre Pacal. Los edificios principales son el Templo de la Cruz a la izquierda, el Templo de la Cruz Foliada en el centro y el Templo del Sol a la derecha.*

▼ *Upakal K'inich, hermano de Ahkal Mo' Nahb III, aparece en el panel de estuco policromado que decoraba un pilar del Templo 19, un edificio del Grupo de las Cruces excavado recientemente, cuyo ciclo decorativo demuestra que las artes plásticas prosperaron más allá de los reinos de Pacal y sus hijos. En el retrato el noble aparece con una vestimenta de pájaro utilizada durante tres eventos rituales, donde el protagonista se describe como Baah Ch'ok (Primer brote), una metáfora que indicaba al principal heredero al trono. Upakal K'inich sucedió a su hermano en el 736 d.C. y reinó en Palenque hasta el 764 d.C.*

desde el mítico U-Kix-Chan (fundador de la dinastía coronado el 28 de marzo del 967 a.C.), hasta la de Chan Bahlum (20 de septiembre del 524 d.C.).

Mientras en el Templo de la Cruz se alude al carácter celeste y supremo de la realeza, en los paneles que contienen los otros dos templos del grupo parece que se pone en primer plano otros dos aspectos simbólicos del poder real. En el Templo de la Cruz Foliácea se subraya el nexo entre el soberano y la fertilidad y, por lo tanto, su connotación terrena: Pacal y Chan Bahlum aparecen de pie junto al árbol cósmico en forma de planta de maíz (la "cruz foliácea"). A los lados se observan dos representaciones de Chan Bahlum: a la izquierda en el momento de su coronación y a la derecha, diez días más tarde. Los dos paneles glíficos establecen una relación entre algunos eventos de la vida de Chan Bahlum con antiguos sucesos míticos.

El aspecto guerrero y relacionado con el inframundo de la realeza es, por su parte, tema del panel del Templo del Sol (no en balde colocado hacia el Oeste), donde, entre los dos soberanos, aparece un escudo con la cabeza del Sol-Jaguar colocada ante dos lanzas cruzadas, apoyadas sobre un trono del cual surgen dos cabezas de dragones y una de jaguar, todas ensangrentadas. El trono es sostenido por dos divinidades del mundo de los muertos, cuya posición –así como la de los personajes en quienes reposan los pies de los soberanos– hace recordar a la de los prisioneros de guerra en las imágenes conmemorativas, y es una evidente alusión al mito narrado en el *Popol Vuh*, donde los gemelos divinos, prototipos de los soberanos mayas, derrotaron a las divinidades del mundo de los muertos. En los paneles glíficos la designación de Chan Bahlum como heredero es asociada a sucesos que lo designan como manifestación solar.

Exploraciones recientes en otros edificios del Grupo de las Cruces (19 y 20) han llevado al descubrimiento de una antigua tumba todavía por excavar y de nuevos bajorrelieves que atestiguan que también algunos soberanos sucesivos, durante el siglo VIII, se refirieron al sistema ideológico manifestado en las obras de Chan Bahlum. Entre ellos destacan los bajorrelieves en piedra y estuco realizados en el Templo 19 durante el reino de Ahkal Mo' Naab' III que representan auténticas obras maestras del arte maya clásica.

Aunque gran parte del sitio arqueológico de Palenque se extiende hacia el sur y el oeste de los grupos centrales (a espaldas del estacionamiento), la ruta establecida para los visitantes pasa frente al ya mencionado Templo del Conde, al campo del juego de pelota y a otros edificios decorados con bajorrelieves. Le sigue después el curso del río Otolum bordeando algunos conjuntos residenciales de carácter nobiliario, hasta desembocar en las cercanías del moderno Museo del sitio, donde se pueden admirar algunas obras maestras halladas durante las distintas campañas de excavaciones en la ciudad.

La escritura

La escritura y el registro de fechas del calendario aparecieron en los monumentos mesoamericanos entre el Preclásico Medio y el Preclásico Tardío (a partir del 600 a.C., aproximadamente) en la zona zapoteca y en la epiolmeca. El Monumento 3 de San José Mogote, que bajo el prisionero sacrificado contiene la inscripción "1 Terremoto", parece ser el más antiguo ejemplo de escritura que conozcamos, precursor de una tradición que continuaría en los Danzantes de Monte Albán y florecería más tarde con la escritura zapoteca clásica. En la zona istmeña, por otra parte, la progresiva formalización simbólica de la iconografía olmeca desembocó en un complejo sistema de escritura ejemplificado por monumentos como la Estatuilla de los Tuxtlas y la Estela de La Mojarra, cuyas inscripciones son evidencia del uso de la lengua mixe-zoque. En esa misma zona, a caballo de la era cristiana, aparecen los primeros registros calendáricos basados en el uso del así llamado Cálculo Largo. A juzgar por la tipología de los monumentos, pareciera que existía un estrecho nexo entre el uso de la forma escrita y las necesidades propagandísticas de las emergentes dinastías reinantes en la época preclásica. No es por lo tanto sorprendente que la escritura mesoamericana haya logrado su nivel de mayor complejidad en el mundo maya clásico, en coincidencia con el apogeo de los sistemas políticos de carácter dinástico. El estrecho lazo que une a la escritura y el poder político es confirmado por la ausencia casi total de testimonios escritos en Teotihuacán: no podemos suponer que los teotihuacanos no la conocieran; es posible que no la hayan necesitado, debido a la particularidad del régimen que instauraron en la ciudad y a que sus maneras de legitimación eran distintas.

La escritura maya se basaba en el uso de signos (glifos) que podían tener valor pictográfico, ideográfico o fonético-silábico, y que eran unidos sin distinción, lo cual les confiere una complejidad que ha resistido por décadas a los esfuerzos de los traductores modernos. Pequeños signos anexos a un glifo principal, a modo de prefijos o sufijos, fungen como indicadores fonéticos que especifican la justa lectura del glifo principal, o cumplen varias funciones gramaticales, como marcadores temporales, pronombres, etc. Al parecer la elección entre diversas maneras en que un mismo concepto podía ser expresado (por ejemplo, de manera mixta o sólo ideográfica), así como el estilo más o menos "áulico" de los glifos empleados, dependía del escriba y sobre todo del tema tratado. Es indudable que el arte de la "caligrafía" tuvo un papel central en la práctica artística maya.

En las últimas décadas, el desciframiento de gran parte de las inscripciones mayas ha modificado profundamente nuestra percepción de esta cultura, revelándonos la compleja relación entre propaganda, mito e historia característica del contenido de las inscripciones. Éstas nos permiten trazar una historia de las ciudades mayas con nombres, sucesos y fechas precisas, a diferencia de lo que pasa con otras civilizaciones mesoamericanas.

Existen tres o cuatro categorías de inscripciones mayas. La más conocida incluye la realizada sobre estelas, altares y bajorrelieves, a los que puede asimilarse la mayor parte de las inscripciones pintadas sobre las paredes de los edificios; este género textual trata únicamente sobre temas históricos, políticos o conmemorativos, siempre asociados a eventos míticos o astronómicos. La segunda categoría es la de las inscripciones sobre vasos policromados, donde tienen un papel "didáctico" y aparecen junto a imágenes que representan episodios míticos o escenas cortesanas. En algunos de estos vasos se han identificado los nombres de los pintores-escribas (resulta significativo que la lengua maya no distinga entre pintar y escribir) y la traducción de algunos textos ha permitido comprender que los artistas más importantes eran miembros de la alta nobleza, cuando no los propios soberanos.

La tercera categoría está constituida por los textos que contienen los tres códices mayas (*Dresdensis*, *Peresianus*, *Tro-Cortesianus*) a los que se suma un cuarto (*Grolier*) cuya autenticidad todavía está en duda; los temas tratados son esencialmente calendáricos, astronómicos y religiosos, pero los textos están todavía casi completamente sin descifrar ya que, al haber sido realizados en el Postclásico, emplean un sistema que no corresponde exactamente con el que mejor se conoce en la actualidad, el Clásico. Sabemos sin embargo, que los códices antiguos trataban también temas más "literarios" o

Reproducción de uno de los paneles en estuco policromado colocados dentro del Templo del Sol, en Palenque; la imagen fue realizada por Frederick Catherwood, pionero de la arqueología mesoamericana (1799-1854).

▼ *Detalle de una inscripción maya esculpida en uno de los lados de la Estela A de Copán. La complejidad del sistema de escritura maya ha dificultado mucho su desciframiento; el paso esencial para resolver el enigma se dio al comprenderse que, además del valor pictórico e ideográfico, cada glifo posee también valor fonético. Las inscripciones clásicas se leen utilizando diversos idiomas mayas similares a algunas lenguas contemporáneas.*

◀ *Detalle de una inscripción maya dentro del Palacio de Palenque, que data del Clásico Tardío. La inscripción está compuesta por una sola columna y los cuatro "cartuchos" se leen de arriba hacia abajo y de izquierda a derecha. Cada "cartucho" está compuesto por un glifo principal y por glifos menores que fungen como sufijos.*

épicos, y de este último tipo debe haber sido el texto glífico del que se transcribió el Popol Vuh.

Después de la crisis que puso fin al apogeo de las ciudades mayas clásicas la práctica de la escritura disminuyó de manera notable y el Cálculo Largo fue abandonado para siempre.

Durante el Postclásico los sistemas de comunicación escrita más importantes fueron el mixteco y el azteca: en ambos casos la escritura se limita a nombres y fechas acompañadas de representaciones pictográficas.

Yaxchilán

La historia

Yaxchilán (Chiapas) fue una próspera ciudad maya ubicada en un recodo del Usumacinta, la mayor vía fluvial de la selva del Petén. De acuerdo con las inscripciones de la ciudad, la fundación de la dinastía local dataría del 320 d.C., cuando Yax Balam ("Pene-Jaguar") fue coronado.
Desde el Clásico Antiguo, Yaxchilán vivió un notable desarrollo –recibía embajadores de ciudades como Tikal, Bonampak y Piedras Negras–, pero en el Clásico Tardío este centro se convirtió en uno de los más importantes del mundo maya, gobernado por soberanos célebres y embellecido con bajorrelieves, quizá los más bellos que conozcamos del mundo maya.
Alrededor del 630 d.C. llegó al trono un soberano llamado "6 Tun Pájaro-Jaguar". Durante su reino sucedió el oscuro acontecimiento al que se refiere la inscripción de la Casa C de Palenque, en el que un pariente cercano al rey fue recibido y capturado por Pacal. En la inscripción de Palenque se menciona también a un hijo de "6 Tun Pájaro-Jaguar", Escudo Jaguar II que, aunque era apenas un niño, era ya muy famoso; durante el reino del padre este príncipe se distinguió en la actividad militar, como cuando en el 680 d.C. capturó a un noble llamado Ah Ahau. Al año siguiente, Escudo Jaguar II sucedió a su padre en el trono, y es muy probable que Ah Ahau haya sido sacrificado en ese momento. Así inició un espléndido reino que duraría 61 años, en los que Escudo Jaguar II se convirtió en uno de los protagonistas de la política maya, como atestigua el hecho de que una de sus mujeres fuese nada menos que Estrella de la Tarde, una princesa proveniente de la lejana y poderosa Calakmul.
Aún después de la muerte de Escudo Jaguar II (742 d.C.), el apogeo de Yaxchilán continuó bajo el reino de su hijo Pájaro Jaguar III, aunque los diez años que transcurrieron entre la muerte de su padre y su subida al trono parecen sugerir que hubo una lucha por el poder, de la cual el legítimo heredero habría sido el vencedor: Pájaro Jaguar III se convirtió en rey en el 752 d.C. y durante las ceremonias de coronación probablemente sacrificó a Chac Cib Tok que él mismo había capturado algunos meses antes.
Las inscripciones de la ciudad nos narran sus empresas bélicas, su inagotable actividad constructora, su estratégico matrimonio con la señora Gran Cráneo –miembro de una de las familias más poderosas de la ciudad– y nos revelan la clara voluntad de asimilar su reino al de su difunto padre; las mismas inscripciones testimonian sin embargo, la continua necesidad de conquistar la alianza de los linajes nobles de la ciudad, probablemente un síntoma del debilitamiento del poder real. La misma sensación de crisis es evidente en la propaganda política que llevó a cabo su hijo Chel Te, que llegó al trono con el nombre de Escudo Jaguar III. Este es el último rey que mencionan los textos de Yaxchilán, cuya espléndida dinastía real desapareció a principios de siglo IX, cuando la ciudad fue abandonada.

En el Arquitrabe 55 se ve un soberano sentado en el trono frente a una mujer, tal vez su esposa. En Yaxchilán el arte del bajorrelieve fue practicado principalmente en los arquitrabes de los edificios, de manera que las escenas deben verse de abajo hacia arriba.

▶ *El Arquitrabe 26 de Yaxchilán: el bajorrelieve representa al soberano Escudo Jaguar recibiendo de su mujer, la señora Xoc, un tocado de guerra con forma de cabeza de jaguar. Este arquitrabe es el único de los tres del Templo 23 conservado en el Museo Nacional de Antropología de la Ciudad de México. Los otros dos, obras maestras de la escultura maya, están actualmente en el British Museum de Londres.*

Uno de los bajorrelieves que decoran la escalera de acceso al Templo 33 de Yaxchilán. En él aparece retratado el soberano Pájaro Jaguar mientras juega a la pelota el 21 de octubre del 744 d.C.

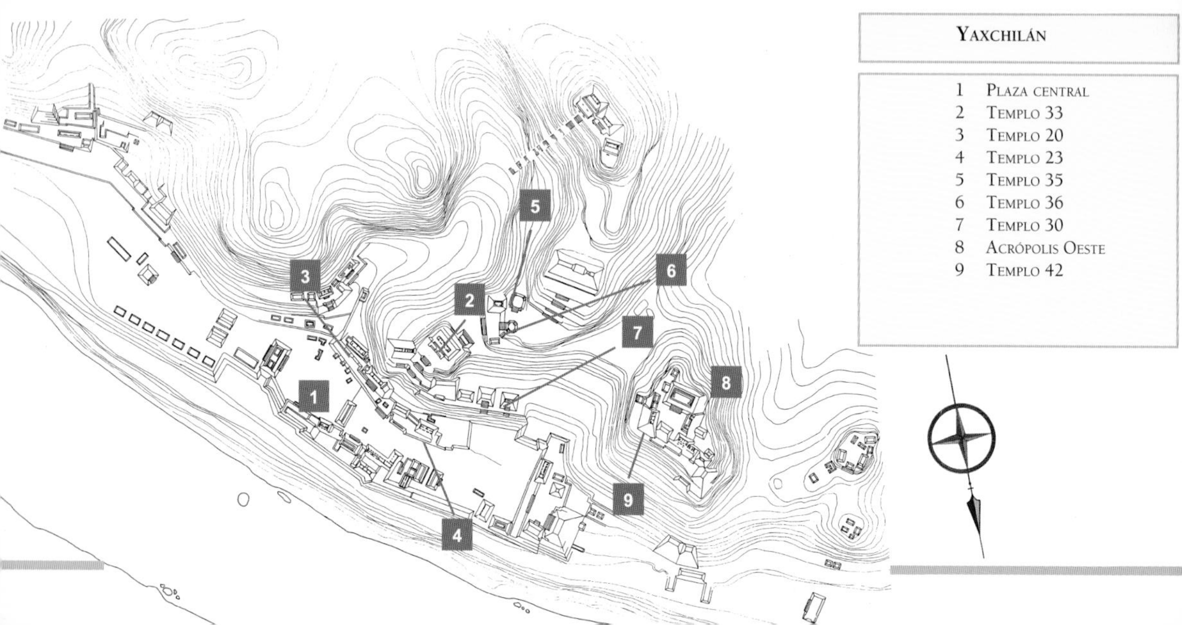
Yaxchilán
1 Plaza central
2 Templo 33
3 Templo 20
4 Templo 23
5 Templo 35
6 Templo 36
7 Templo 30
8 Acrópolis Oeste
9 Templo 42
1
2
3
4
5
6
7
8
9

A Yaxchilán, uno de los más bellos lugares mayas, se llega en canoa por el Usumacinta. Su vasto centro ceremonial cubierto en su mayor parte por la vegetación, ha sido apenas parcialmente excavado. La larga plaza, rodeada por edificios de grandes proporciones, y que incluye un campo de juego, estelas y altares, es dominada al Sur por una serie de complejos arquitectónicos ubicados en las pendientes de imponentes colinas. Gran parte de los monumentos más bellos que pueden apreciarse actualmente pertenecen a los reinos de los soberanos más conocidos de la ciudad, cuyas empresas son celebradas en los bajorrelieves esculpidos sobre las estelas y, especialmente, en los arquitrabes de los edificios. Al reino de Escudo Jaguar pertenece la construcción del Templo 41, sobre la cima de la colina más elevada, donde el soberano hizo colocar la Estela 16 en la que se conmemora un acto ritual realizado durante un solsticio de verano. Pero la construcción más importante de su reino fue sin duda el templo 23 en la plaza central, cuyas tres entradas estaban coronadas por arquitrabes que constituyen la cúspide del arte del bajorrelieve maya, desafortunadamente trasladados al Museo Nacional de Antropología de la Ciudad de México (el 26) y al British Museum (el 24 y el 25). El arquitrabe 24 muestra al soberano sosteniendo una antorcha o un abanico sobre su mujer, la señora Xoc, en ocasión del nacimiento de Pájaro Jaguar II (quien sin embargo era hijo de su otra mujer, Estrella de la Tarde). La señora Xoc, vestida con elaborados vestidos y con el rostro decorado con una refinada cicatriz, aparece concentrada en un ritual de autosacrificio consistente en hacerse pasar por la lengua una cuerda con espinas de agave. La sangre es recogida en una recipiente en el que también hay amate, y que es colocado a los pies del soberano. La siguiente escena, representada en el Arquitrabe 25, muestra el efecto del autosacrificio: la señora Xoc en éxtasis aparece arrodillada ante una serpiente (la "Serpiente de la Visión") que surge del humo que produce la combustión de la hoja de amate impregnada de sangre. De las fauces de la serpiente sale un rostro que es probablemente el de Yax Balam, fundador de la dinastía. El Arquitrabe 26 muestra por su parte, a Escudo Jaguar vestido como guerrero recibiendo de manos de la mujer un casco en forma de cabeza de jaguar.
Uno de los últimos edificios construidos durante el reino de Escudo Jaguar fue la Estructura 44, que se eleva en el centro del complejo arquitectónico que domina el sector occidental del sitio; el soberano octagenario ordenó su construcción para celebrar las diversas empresas militares que había realizado en su vida. Con la subida al trono de Pájaro Jaguar, la ciudad vivió un enorme desarrollo arquitectónico y artístico. Los momentos anteriores a la sucesión del poder real son representados en la célebre Estela 11, originalmente colocada en el Templo 40, edificio que Pájaro Jaguar hizo construir junto al templo 41 de su padre con la intención evidente de subrayar la continuidad entre ambos reinos.

Uno de los edificios que rodean la plaza principal de Yaxchilán. Gran parte de las ruinas de este sitio no ha sido aún excavada y está cubierta por la vegetación.

▲ *Vista de los templos 41, 40 y 39, los más altos de Yaxchilán. El Templo 41, a la extrema izquierda, fue construido por Escudo Jaguar, mientras el 40 fue erigido por su hijo Pájaro Jaguar con la evidente intención de emular la magnificencia del reinado paterno. Frente al Templo 40 estaba originalmente colocada la Estela 11, con la representación de ambos soberanos y de una escena de captura de prisioneros por parte de Pájaro Jaguar.*

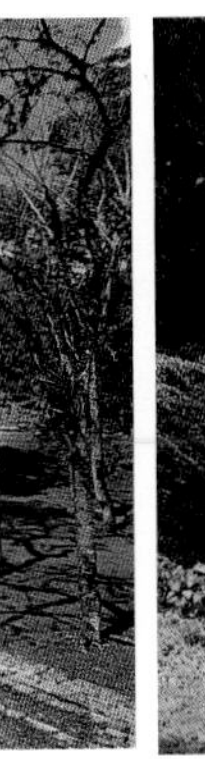
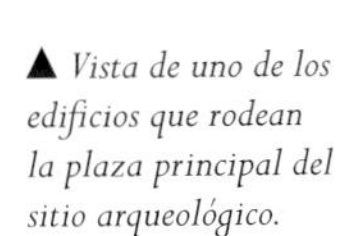

▲ *Vista de uno de los edificios que rodean la plaza principal del sitio arqueológico.*

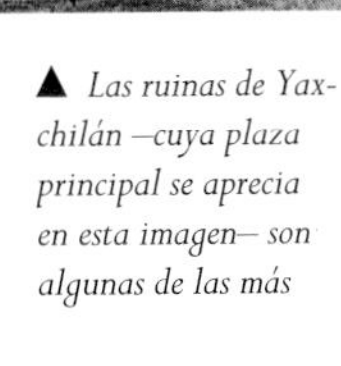
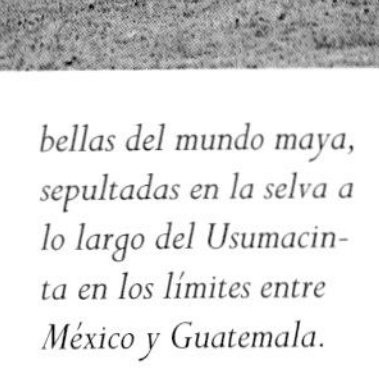

▲ *Las ruinas de Yaxchilán –cuya plaza principal se aprecia en esta imagen– son algunas de las más bellas del mundo maya, sepultadas en la selva a lo largo del Usumacinta en los límites entre México y Guatemala.*

La estela, que actualmente se encuentra en la plaza de la ciudad, representa en uno de sus lados a Escudo Jaguar (izquierda) y Pájaro Jaguar (derecha) el 26 de junio de 741 d.C. mientras realizan un rito conocido como Flapstaff, ligado al solsticio de verano como el que hace el padre en el Templo 41. En el otro lado de la estela, bajo las imágenes de sus padres Escudo Jaguar y Estrella de la Tarde, aparece Pájaro Jaguar ante quien se someten tres prisioneros, probablemente destinados a ser sacrificados en ocasión de su inminente coronación.
Durante los años cercanos a su ascenso al poder –y como parte de un extenso programa arquitectónico con el que buscaba legitimarse– Pájaro Jaguar hizo edificar los templos 10, 12, 13, 20, 21 y 22, todos decorados con bajorrelieves con escenas de captura de prisioneros, autosacrificios efectuados por la pareja real en ocasión del nacimiento del heredero y otros rituales. El intento de Pájaro Jaguar de emular las obras del padre es evidente en el Templo 21, construido junto al célebre Templo 23.
Los arquitrabes del nuevo templo están decorados con bajorrelieves que repiten los temas de los del más antiguo: el Arquitrabe 17 representa al rey sentado ante una de sus esposas que practica un autosacrificio; el 15 muestra a la esposa durante la visión extática y el 16 repite el tema guerrero mostrando a Pájaro Jaguar junto a Chac Cib Tok, uno de los prisioneros sacrificados durante su subida al trono. En el interior del templo fue hallada además una estela que representa a la señora Estrella de la Tarde perforándose la lengua.
Una segunda etapa de la estrategia política de Pájaro Jaguar es testimoniada por una serie de construcciones (templos 33, 1, 42, 54 y 55), cuyos bajorrelieves parecen indicar la intención de legitimar al heredero y ganar el apoyo de las demás familias nobles de la ciudad.
El Templo 33, que domina en la plaza, es el más famoso. La escalinata está decorada con bajorrelieves que representan escenas de juego de pelota en las que se ve a Pájaro Jaguar, su padre y su nieto jugando con pelotas que contienen los cuerpos de prisioneros de guerra. Los arquitrabes del templo ilustran la ceremonia de la coronación del rey, uno de sus aniversarios y un ritual de fin de cicl celebrados respectivamente en compañí de la mujer Gran Cráneo, el hijo Chel T y, hecho inusual, de un noble llamado A Mac Kin Mo' Ahau. Las representacione de las distintas mujeres y de algunos de sus parientes parecen ser piedra de toqu en el nuevo programa propagandístico del soberano.

◄ *En la galería de acceso de un edificio de Yaxchilán se puede ver el uso de la falsa bóveda y la presencia de una loza cubriendo una pared interna.*

▲ *Edifico en la plaza de Yaxchilán. Pueden apreciarse las principales características arquitectónicas de las estructuras tipo "palacio" de la ciudad: horizontalidad, altos tendidos de los techos y "pináculos" que de alguna manera recuerdan a los de Palenque.*

En los arquitrabes de los templos 1 y 42 aparecen al menos otras tres mujeres del rey (una de ellas es una princesa de la ciudad de Motul de San José) y diversos nobles menores. Entre éstos, el más importante es Kan Toc que acompaña al soberano en la célebre escena del Arquitrabe 8 del Templo 42, donde los dos aparecen representados capturando prisioneros. El hijo Chel Te aparece varias veces en los arquitrabes de los templos 55 y 54 en compañía de la madre y del tío materno, resulta evidente que el jefe del linaje de la mujer es uno de los no-

Cabeza mutilada de una escultura, dentro del Templo 33 de Yaxchilán. Es un retrato de Pájaro Jaguar, con un tocado conformado por una mascarón fantástico al centro, rodeado por un gran haz de plumas de quetzal.

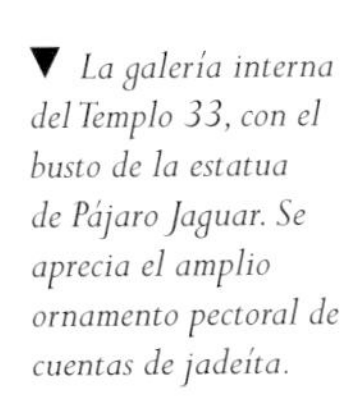

▼ *La galería interna del Templo 33, con el busto de la estatua de Pájaro Jaguar. Se aprecia el amplio ornamento pectoral de cuentas de jadeíta.*

bles más influyentes de la ciudad. La búsqueda de alianzas emprendida por Pájaro Jaguar no se limitó a las estirpes nobles de la ciudad, los diversos monumentos de asentamientos vecinos atestiguan las actividades diplomáticas del soberano, retratado mientras lleva a cabo un rito de desangramiento junto con el *cahal* (gobernador) de La Pasadita y mientras asiste a la coronación de un soberano de la ciudad de Piedras Negras. La innovadora estrategia político-propagandística de Pájaro Jaguar al parecer no surtió los efectos buscados, por lo menos no a largo plazo: el reino de Yaxchilán perdió rápidamente prestigio durante el gobierno de su hijo Chel Te-Escudo Jaguar III, hasta desaparecer en pocos años. El último monumento fechado de la ciudad es del 808 d.C.

El Templo 33 fue erigido durante el reinado de Pájaro Jaguar. Los tres arquitrabes representan respectivamente la ascensión al trono, una ceremonia conducida por el rey acompañado por su hijo Chel Te y un ritual calendárico en el que el soberano aparece junto a un gobernador local. Un escalón frente al templo está esculpido con las imágenes del rey, de su padre y de su abuelo jugando a la pelota. Ante el templo se yergue una estalactita grabada.

BONAMPAK

LA HISTORIA

Bonampak (Chiapas) fue un centro menor ubicado a una treintena de kilómetros de Yaxchilán, pero en la actualidad es tan famoso por las espléndidas pinturas murales que decoran el interior de uno de sus edificios. Durante el Clásico Antiguo Bonampak mantuvo estrechas relaciones con Yaxchilán, de las que hay testimonio en los monumentos de la poderosa ciudad vecina. Esas relaciones continuaron hasta el Clásico Tardío, cuando Bonampak llegó a su apogeo bajo el reino de Chan Muan II (Cielo Arpía II), que llegó al trono en el 776 d.C. Este soberano fue quien decidió que se pintaran los célebres murales del Edificio J, inaugurado entre el 790 y el 792 d.C.

▲ *Detalle de las pinturas originales del Templo I de Bonampak, con figuras de músicos de fiesta. El vivo color azul del fondo es uno de los elementos típicos de la producción pictórica mural maya.*

▶ *La plaza central de Bonampak con la Estela 4 en el primer plano y, al fondo, la escalinata de acceso a la Acrópolis donde surge el Edificio 1 o Templo de los Frescos, mandado edificar por el soberano Chan Muan II.*

Página 111 arriba Como se observa en este dibujo toda la superficie de las paredes y de las bóvedas de las tres salas del Templo de los Frescos, revestidas con una gruesa capa de estuco, están cubiertas con pinturas realizadas con notable desenvoltura y gran equilibrio en la composición. Desafortunadamente, los frescos originales están en la actualidad bastante dañados.

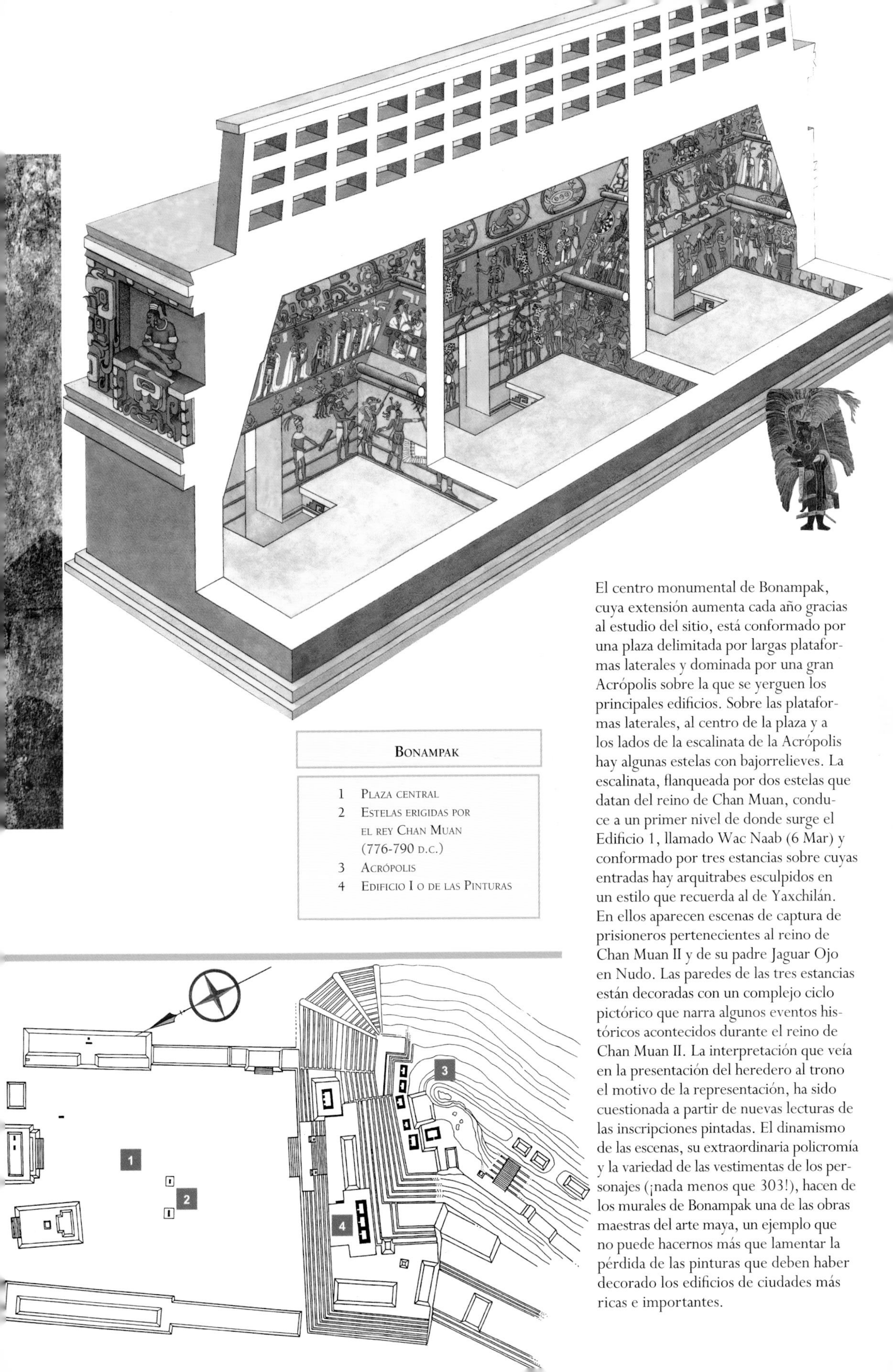

El centro monumental de Bonampak, cuya extensión aumenta cada año gracias al estudio del sitio, está conformado por una plaza delimitada por largas plataformas laterales y dominada por una gran Acrópolis sobre la que se yerguen los principales edificios. Sobre las plataformas laterales, al centro de la plaza y a los lados de la escalinata de la Acrópolis hay algunas estelas con bajorrelieves. La escalinata, flanqueada por dos estelas que datan del reino de Chan Muan, conduce a un primer nivel de donde surge el Edificio 1, llamado Wac Naab (6 Mar) y conformado por tres estancias sobre cuyas entradas hay arquitrabes esculpidos en un estilo que recuerda al de Yaxchilán. En ellos aparecen escenas de captura de prisioneros pertenecientes al reino de Chan Muan II y de su padre Jaguar Ojo en Nudo. Las paredes de las tres estancias están decoradas con un complejo ciclo pictórico que narra algunos eventos históricos acontecidos durante el reino de Chan Muan II. La interpretación que veía en la presentación del heredero al trono el motivo de la representación, ha sido cuestionada a partir de nuevas lecturas de las inscripciones pintadas. El dinamismo de las escenas, su extraordinaria policromía y la variedad de las vestimentas de los personajes (¡nada menos que 303!), hacen de los murales de Bonampak una de las obras maestras del arte maya, un ejemplo que no puede hacernos más que lamentar la pérdida de las pinturas que deben haber decorado los edificios de ciudades más ricas e importantes.

Las pinturas de la Sala 1 están organizadas en registros horizontales sobre diversas paredes. La parte más alta representa una escena de pago del tributo por parte de un grupo de nobles ataviados con largas capas blancas, representados en lo que parece un auténtico esquema jerárquico en cuya cumbre se encuentra el soberano en el trono, acompañado por algunos miembros de la familia real, entre los que se encuentra un niño pequeño. A los pies del trono se observan sacos que contienen el tributo, uno de los cuales se caracteriza por una breve inscripción que explica su contenido: "5 x 8000 granos de cacao". En la pared septentrional se observa en cambio la preparación de tres jóvenes nobles con grandes vestimentas de plumas, las mismas que los tres individuos llevan en la parte baja de la pared meridional. En ella interpretan una "danza del quetzal" acompañados por un grupo de músicos que tocan largas trompetas, sonajeros, caparazones de tortuga y un tambor de madera mientras acompañan la danza de tres nobles individuos con sombreros de plumas.

La Sala 2 es quizá la más célebre del edificio. Las paredes este, sur y oeste están completamente ocupadas por una enorme escena de batalla en la que se enfrentan guerreros ataviados con vestiduras de extraordinaria variedad.

El soberano Chan Muan II aparece representado mientras sujeta la cabellera de un prisionero y detrás de él se ve a otro noble guerrero, seguramente un señor de Lacanjá aliado de Chan Muan II.

Sobre la pared norte ha sido representado un momento posterior al conflicto: la corte de Bonampak aparece reunida en torno al soberano y a la derecha del grupo puede verse a la madre y a la mujer Conejo Verde, princesa de Yaxchilán. Sobre la escalinata yacen prisioneros de guerra; a muchos de ellos les fueron extraídas las uñas por lo que sus dedos aparecen sangrando, y se ve una cabeza decapitada que quedó sobre un escalón. Para algunos comentadores, la del personaje que yace a los pies del rey es una de las obras maestras de la pintura mural maya. En la parte superior de las paredes se ven algunas imágenes de prisioneros y otras representaciones simbólicas relacionadas con astros como las Pléyades y Orión, probablemente una referencia al contexto astral de la batalla.

◀ *Reproducción de las pinturas de la Sala I, en el Museo Nacional de Antropología de la Ciudad de México: detalle de la procesión de músicos desfilando bajo la escena cortesana, del registro superior.*

▼ *Reproducción de las pinturas de la Sala I, en el Museo Nacional de Antropología de la Ciudad de México: detalle de la procesión de músicos en el que se ve que utilizan grandes sonajas.*

En la sala 3, desgraciadamente la más deteriorada, se ha representado la auténtica celebración de la victoria militar: los mismos tres nobles intérpretes de la Sala 1 danzan ataviados con vestimentas con grandes "alas" laterales, mientras sobre una escalinata se lleva a cabo un sacrificio humano.

Al mismo tiempo, al lado de una serie de nobles desfilando, algunas mujeres de la familia real aparecen sentadas en el trono y se perforan la lengua para derramar su propio sangre sacrificial.

▲ *Reproducción de las pinturas de la Sala 2, en el Museo Nacional de Antropología de la Ciudad de México: detalle de la escena de batalla donde se ven los exuberantes tocados de los guerreros.*

Reproducción de las pinturas de la Sala 2 en el Museo Nacional de Antropología de la Ciudad de México: detalle de la escena de batalla. Los combates entre las distintas ciudades mayas estaban cargados de simbolismo y su inicio era determinado a partir de eventos astronómicos.

Tikal

Este dibujo reproduce el aspecto que se supone tenía el centro de Tikal durante su máximo esplendor, alrededor del 750 d.C.

En esta bella panorámica de Tikal las cúspides de las pirámides más altas se elevan sobre la espesa selva tropical del Petén.

La historia

Tikal (Guatemala), cuyo nombre antiguo fue probablemente Mutul (Cola de Caballo) fue el más poderoso de los centros mayas del periodo Clásico, y en diversos momentos de su historia jugó el papel de capital de alianzas o confederaciones de diversas ciudades-Estado.
Fundada durante el Preclásico Tardío, al principio tal vez subordinada a la gran ciudad preclásica de El Mirador, Tikal se convirtió rápidamente en sede de una rica élite cuyas tumbas han sido encontradas en los estratos más profundos de la Acrópolis Norte.
A finales del Preclásico, la decadencia de El Mirador dejó lugar al crecimiento y expansión de otros centros, entre los que Tikal inmediatamente obtuvo un papel de primer plano. Durante el siglo III vivió Yax Moch Xoc, fundador de una nueva y longeva dinastía real, y en el 292 d.C. un soberano del lugar fue retratado en la Estela 29 (la primera estela maya de las tierras bajas que empleó el llamado Cálculo Largo), convencionalmente referida por los especialistas como "umbral" del periodo Clásico. Durante el reino de Gran Garra de Jaguar, noveno sucesor de Yax Moch Xoc, que subió al trono en la segunda mitad del siglo IV, Tikal inició su política expansionista con un ataque a la vecina Uaxactún, conquistada en el 378 d.C. por el líder Rana Humeante, tal vez hermano del soberano de Tikal, e inmediatamente nombrado rey de la ciudad sometida. El hecho de que las guerras de conquista hayan sido hasta entonces ajenas al mundo maya, además de una serie de indicios arqueológicos y epigráficos, ha hecho suponer a algunos especialistas que la guerra entre Tikal y Uaxactún fue efectuada siguiendo el modelo teotihuacano, probablemente como un primer ejemplo de "Guerra Estelar" o "Guerra de Tláloc-Venus".
Es verdad que la influencia teotihuacana en Tikal fue muy fuerte durante el reinado de Nariz Rizo (379-411 d.C.) y de su hijo Cielo Tempestuoso (411-457 d.C.) uno de los soberanos más célebres de la ciudad; bajo su gobierno Tikal se convirtió en una de las principales potencias de las Tierras Bajas, sosteniendo relaciones diplomáticas con Yaxchilán y tal vez con las lejanas Copán y Quiriguá. Al parecer, para soberanos como Cielo Tempestuoso ligar su poder a una suerte de "patronato teotihuacano" constituyó un especial elemento de prestigio, siguiendo un modelo

que recuerda al de la Tollán Postclásica. La continua expansión de Tikal provocó confrontaciones con las otras potencias emergentes, especialmente con Calakmul (Campeche), una enorme ciudad del norte del Petén, antiguamente conocida como Kan (Serpiente), en la que últimamente los arqueólogos están revelando vestigios extraordinarios. La rivalidad entre los dos centros hegemónicos y las ciudades a ellos aliadas –que desembocó en conflictos militares en los que convulsionó a Calakmul, Naranjo y Tikal– al parecer terminó con la victoria de Cara-

col sobre Tikal. Las consecuencias de la derrota, en el 562 d.C., fueron desastrosas: después del último monumento fechado antes de la guerra (557 d.C., en el que aparece un soberano llamado Doble Pájaro) hubo un "silencio" arquitectónico absoluto en la ciudad durante casi ciento treinta años, un hiato que constituye el umbral convencional entre Clásico Antiguo y Clásico Tardío. Una vez superada la larga crisis, el "renacimiento" de Tikal coincidió con el reino de Ah Cacaw, el más grande soberano de su historia, que llegó al trono en el 682 d.C. Luego de renovar el centro monumental, para reflejar un programa de propaganda que presentaba al soberano como un nuevo Cielo Tempestuoso, Ah Cacaw restableció el prestigio "internacional" de Tikal: en el 695 d.C. –durante el aniversario de una guerra conducida 260 años antes por el propio Cielo Tempestuoso– atacó Calakmul y capturó al soberano, Garras de Jaguar.
El rey prisionero y otros nobles de la ciudad fueron expuestos públicamente en Tikal antes de ser sacrificados, cuarenta días más tarde. Después de 45 años de reinado Ah Cacaw murió en el 723 d.C. y dejó el trono al hijo Yax Kin (Sol Verde), que continuó la gloriosa tradición política del padre manteniendo Tikal en la cúspide de la jerarquía maya. Sus sucesores en cambio, no fueron tan afortunados y poco sabemos de sus reinados hasta el 889 d.C., cuando fue erigido el último monumento de la ciudad: la crisis del periodo Clásico había alcanzado también el corazón del mundo maya.

Máscara funeraria en jadeíta, conchas y obsidiana, que representa el rostro de un rey muerto, coronado con un tocado en forma de pájaro. Las orejas de jaguar que están sobre las humanas aluden a la relación del soberano con el inframundo.

▼ *El Templo 1 de Tikal fue destinado a la sepultura de Ah Cacaw, el soberano más importante del Clásico Tardío de la ciudad. La característica de esta pirámide del inframundo de nueve niveles es su estilo arquitectónico vertical inaugurado durante el reino del monarca.*

▶ *El Templo 2, que domina la plaza central de la ciudad, fue construido durante la primera parte del reino de Ah Cacaw, pero con el estilo arquitectónico típico del Clásico Antiguo. Las estelas y altares del primer plano se yerguen ante la Acrópolis Norte.*

El sitio

La plaza central de Tikal, con sus esbeltas pirámides que emergen de la selva, es quizá el lugar más famoso del mundo maya. Cerrada por sus lados cortos por los templos 1 y 2, la plaza es flanqueada por dos grandes complejos monumentales, la Acrópolis Central y la Acrópolis Norte, que representa gran parte de la historia de la ciudad. La primera fue residencia de los soberanos, y la segunda su sepultura, además de verdadero escenario de su propaganda política e ideológica.
Gran parte de lo que vemos en la actualidad en la plaza pertenece al reinado de Ah Cacaw. La primer gran obra que el soberano comenzó después de su ascensión al trono fue el Templo II, la gran pirámide de tres niveles sobre el lado occidental de la plaza; con una altura de 38 metros y caracterizada por su estilo arquitectónico del Clásico Antiguo, poco elevada y con esquinas encajadas. El arquitrabe de madera de la entrada representaba a una mujer, quizá la esposa del soberano, mientras ante la escalinata fue colocada una gran estela y un altar sin decorados. Sin embargo, el lugar donde se manifiesta con mayor claridad el sentido de la actividad arquitectónica de Ah Cacaw es la Acrópolis Norte, destinada a la sepultura de los soberanos locales hasta el Preclásico, periodo al que pertenecen también los mascarones en estuco visibles sobre las fachadas de algunos edificios.
Las estelas alineadas frente a la Acrópolis fueron realizadas en diversas épocas, pero colocadas en su actual posición durante el periodo Postclásico.
Al interior de este edificio fueron halladas decenas de estructuras más antiguas que contienen sepulturas, como la de Gran Garra de Jaguar y la de Nariz Rizo. El edificio que se observa en el extremo oriente contenía la tumba de Cielo Tempestuoso, y sabemos que cientos de años más tarde Ah Cacaw construyó encima una gran pirámide (hoy completamente desmontada por las excavaciones); en esa ocasión la Estela 31, que representa a Cielo Tempestuoso flanqueado por dos personajes vestidos a la usanza teotihuacana, también fue trasladada del frente del templo al interior para ser sepultada bajo el nuevo edificio, erigido en conmemoración de la muerte del antiguo rey. Esa construcción, que ya no existe, era similar al Templo 1 e inauguró la tradición arquitectónica "vertical" que caracteriza a Tikal, y desde su realización se dejó de sepultar a los soberanos en la Acrópolis Norte.

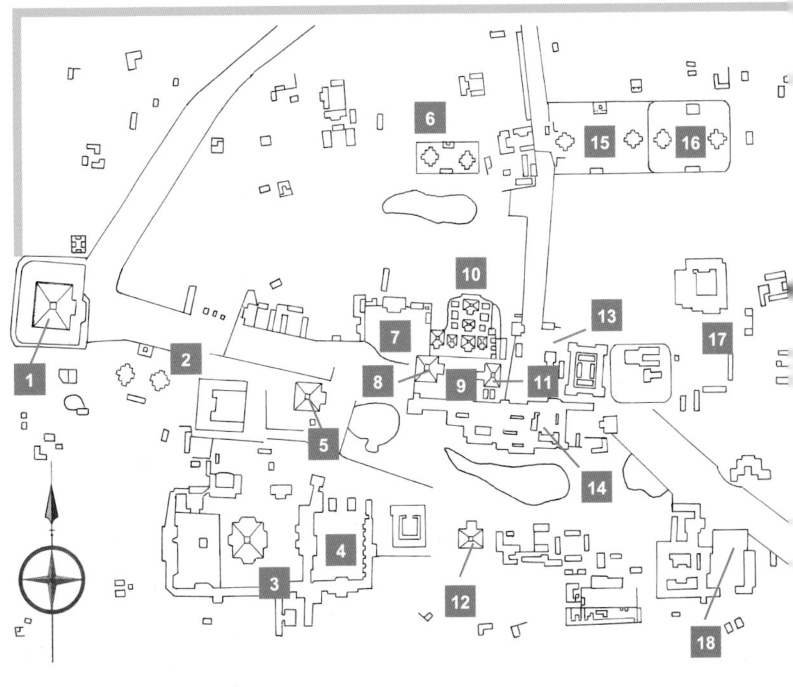

Izquierda Vaso cilíndrico policromado del periodo Clásico Tardío, hallado en la tumba del rey Hasaw Ka'an K'awil (Gobernante A). El soberano, retratado en el trono mientras un personaje arrodillado lo homenajea, era un escriba-pintor.

TIKAL

1	Templo IV	10	Acrópolis Norte
2	Complejo N	11	Templo 1
3	Acrópolis Sur	12	Templo 5
4	Plaza de los Siete Templos	13	Plaza Este T
5	Templo 3	14	Acrópolis Central
6	Complejo O	15	Complejo R
7	Plaza Oeste	16	Complejo Q
8	Templo 2	17	Grupo F
9	Gran plaza	18	Grupo G

◀ *Los pináculos de los templos 1 y 2 aparecen en esta vista frente al pináculo del Templo 4. Originalmente decorados con bajorrelieves policromados; en el del Templo 1 estaba la imagen de Ah Cacaw sentado en el trono.*

◀ *Vaso policromado con cubierta perteneciente al Clásico Antiguo, hallado en una tumba de la nobleza de Tikal. La imagen principal figura a una deidad con atributos asociados con los del dios de la lluvia del centro de México, aunque en un contexto estilístico puramente maya.*

Resulta evidente que el sentido de la obra de Ah Cacaw era conmemorar a un antiguo soberano heroico y una época de esplendor mediante el "sello" monumental de la Acrópolis y el nacimiento de un nuevo estilo, símbolo de una nueva "edad de oro" que habría hecho resurgir Tikal de su época más oscura.

El momento culminante del programa arquitectónico de Ah Cacaw fue, por supuesto, la construcción de un nuevo y majestuoso edificio funerario para el soberano, el Templo 1. El nuevo estilo arquitectónico fue aplicado a una gran "pirámide del inframundo" de nueve niveles, coronada con una alta cresta originalmente pintada en rojo, blanco, verde y azul que muestra al soberano en el trono. El arquitrabe de madera representa a Ah Cacaw sentado bajo una gran serpiente protectora, mientras otro arquitrabe del interior del templo lo muestra dominado por un enorme jaguar.

En la base de la pirámide fue hallada la tumba de Ah Cacaw, que hoy puede observarse en el museo del sitio: al interior de una cripta el cuerpo del soberano estaba cubierto por 180 granos de jade que formaban brazaletes, rodilleras, orejeras, diademas, un espléndido vaso-retrato y sobre todo, un collar compuesto de cuentas de grandes dimensiones, que en total pesa siete kilos, de piedras verdes preciosas. El difunto yacía en una suerte de mesa de piedra sobre un tapete cuyas borlas estaban hechas con cuentas de jade y adornos de concha. A su alrededor había grandes platos policromados y varios huesos grabados, uno de ellos, con la figura del soberano que viaja en canoa hacia el mundo de los muertos.

Vista del Templo 2 desde la Acrópolis Norte. Algunos especialistas suponen que bajo la estructura que hoy vemos puede encontrarse la tumba de la mujer del rey Ah Cacaw, representada en uno de los arquitrabes del templo.

Inmediatamente hacia el sur del Templo 1 se halla un pequeño campo de juego, mientras todo el lado sur de la plaza es ocupado por la Acrópolis central, un conjunto de edificios residenciales donde vivieron durante siglos los soberanos de la ciudad, representados en decoraciones como la que muestra a Ah Cacaw junto al soberano de Calakmul que había capturado.

La Acrópolis Central está también frente a la llamada "Plaza Este", a espaldas del Templo 1, donde una estructura cuadrangular podría ser lo que queda del mercado local, cerca del cual se localiza el mayor campo de juego de la ciudad. De la Plaza Este sale la Calzada Méndez, que conduce al Grupo G y al Templo de las Inscripciones. El primero es un gran complejo habitacional de élite con paredes pintadas, mientras el segundo es una pirámide coronada por una alta cresta con una inscripción que la data del 766 d.C.

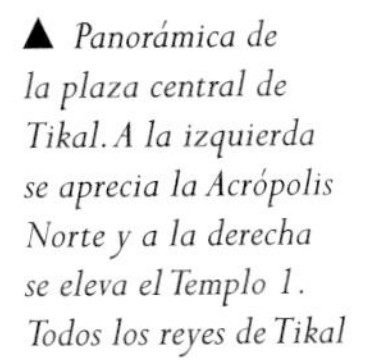

▲ *Panorámica de la plaza central de Tikal. A la izquierda se aprecia la Acrópolis Norte y a la derecha se eleva el Templo 1. Todos los reyes de Tikal fueron sepultados en esta Acrópolis, una tradición que cambió cuando Ah Cacaw se hizo enterrar en una sala bajo el Templo 1.*

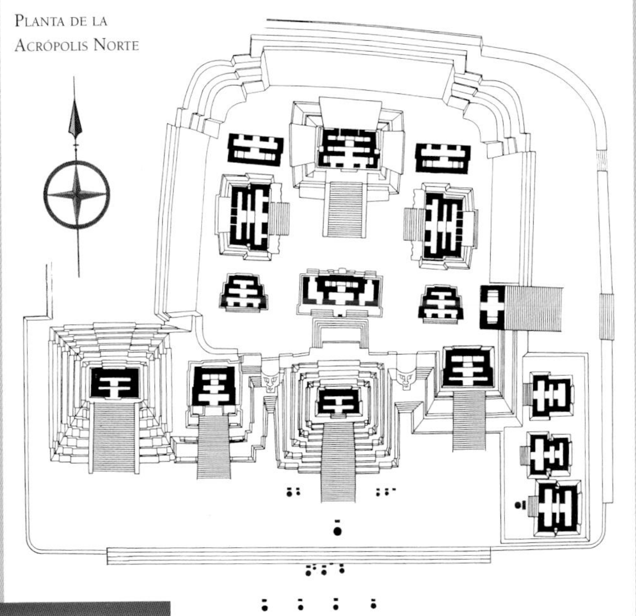

◄ *El Templo 1 se aprecia desde la cúspide de la Acrópolis Central; al fondo a la izquierda, se ven las estructuras de la Acrópolis Norte.*

Superior derecha Vista de la plaza y del Templo 1 desde la Acrópolis Norte. Al fondo se observa la Acrópolis Central, en algún momento lujosa residencia de las familias reinantes de Tikal.

De regreso a la Plaza Este, a espaldas de la Acrópolis Central se ve la gran mole del Templo 5, la segunda pirámide en altura de la ciudad, construida alrededor del 700 d.C. quizá como edificio funerario de un soberano desconocido. Más hacia el oeste, además de la Acrópolis Sur y de la Plaza de los Siete Templos (con un triple campo de juego) se encuentra el Mundo Perdido, un complejo perteneciente en gran parte al Clásico Antiguo, dominado por la mole central de una imponente pirámide de la época preclásica. Las excavaciones en el Mundo Perdido han permitido conocer las fases más antiguas de la historia de la ciudad y valorar la importancia que la influencia teotihuacana tuvo durante el Clásico Antiguo.

Al norte de este complejo se encuentra el Templo 3, la pirámide funeraria más tardía en el sitio, construida alrededor del 810 d.C. probablemente en honor del rey Chitam. En su interior hay un arquitrabe de madera con la espléndida imagen de un personaje obeso vestido con una piel de jaguar, flanqueado por dos sirvientes que sostienen "insignias" de piedra conocidas actualmente como "excéntricas".

Continuando por atrás del Templo 3 a lo largo de la Calzada Tozzer se atraviesa un gran complejo arquitectónico, conocido como Palacio de los Murciélagos, hasta llegar a un grupo de pirámides gemelas. Se trata de un conjunto de edificios erigidos para celebrar la conclusión de un ciclo calendárico de veinte años. Aunque los complejos de pirámides gemelas existen en otras zonas mayas desde el Clásico Antiguo, éste es el primero que se erigió en Tikal. Pertenece al 711 d.C., es decir al reino de Ah Cacaw: de hecho, el soberano aparece retratado en la Estela 16 con un gran adorno de plumas, mientras en el Altar 5 anexo, se ve a dos personajes al parecer realizando un ritual funerario cerca de una pila de huesos humanos.

Continuando hacia el Oeste sobresale a la vista la mole del Templo 4, la pirámide más alta de la ciudad, construida durante el reino de Yax Kin, hijo de Ah Cacaw. Los extraordinarios arquitrabes

◀ *Una de las pirámides que se yerguen en el complejo del Mundo Perdido. Muchos hallazgos en este sector urbano pertenecen al Preclásico y al Clásico Antiguo.*

de madera del templo, cuyos originales se encuentran en Basilea, representan, en un caso, a Yax Kin con un enorme tocado de serpientes del que destaca una gran serpiente emplumada bicéfala, y en el otro, Yax Kin sentado ante una gigantesca divinidad solar. Desde la cúspide de este edificio se puede admirar la más bella panorámica de la ciudad. De acuerdo con algunos especialistas, bajo el Templo 4 o el Templo 6 podría hallarse la tumba de Yax Kin, pero una rica sepultura descubierta en un pequeño edificio de la plaza central presenta muchas características que sugieren que podría tratarse del soberano, sobre todo porque de muchas maneras parece emular a la tumba de Ah Cacaw. La calzada Maudslay, que sale del norte del Templo 4, conduce a un gran edificio palaciego conocido como Grupo H y hacia otros dos complejos de pirámides gemelas, erigidas durante el reino de Chitam (768-810 d.C., aproximadamente), último gobernante conocido, que probablemente buscó de esta manera emular la memoria del gran Ah Cacaw. Alrededor de los edificios que hemos descrito se extiende el resto de la ciudad antigua, expandida en 16 kilómetros cuadrados. Para tener idea de lo que falta por descubrir en Tikal baste pensar que se calcula que bajo las estructuras que actualmente podemos ver yacen al menos 10,000 más antiguas.

▼ *La pirámide principal del llamado Mundo Perdido se ve aquí desde la cúspide del Templo 4. Esta estructura denominada "5C-54" es del Preclásico; al lado de sus cuatro escalinatas se observan los típicos mascarones de la época.*

◀ *Vista de una de las pirámides gemelas que conforman el Complejo Q. En la plaza central del grupo monumental se yerguen diversas estelas con sus altares. El complejo fue erigido para celebrar la conclusión de un ciclo calendárico de veinte años en el año 771 d.C., correspondiente a la fecha 9.17.0.0.0. del Cálculo Largo. Esta costumbre había sido iniciada sesenta años antes por el rey Ah Cacaw.*

▼ *Esta estructura con un alto pináculo aún bien conservado, se yergue entre el Mundo Perdido y la Plaza de los Siete Templos.*

▲ *Una pirámide del Mundo Perdido; al fondo sobresale el Templo 4, la pirámide más alta de Tikal que se eleva sobre la vegetación.*

Página 120 Algunas de las estructuras de la Acrópolis Central. En este complejo se han identificado las residencias de diversos soberanos locales y obras de arte que conmemoraban empresas bélicas.

UAXACTÚN

LA HISTORIA

La pequeña Uaxactún (antigua Sian Kan, "Nacida en el Cielo"), a casi 40 kilómetros al Norte de Tikal, fue uno de los centros principales de las Tierras Bajas durante el Preclásico y su vida política fue próspera e independiente hasta que Rana Humeante, dirigente de Tikal, conquistó la ciudad en el 378 d.C. y se convirtió en su nuevo soberano.
Al menos durante algunos años después, la Uaxactún sometida mantuvo sin embargo un papel de prestigio, al grado que en la Estela 5 de la ciudad se dice que Nariz Rizo, que llegó al trono de Tikal en el 379 d.C., "mostró el cetro en la tierra de Rana Humeante", fórmula que parece invertir el orden jerárquico entre los dos sitios. Algunos especialistas plantean que Rana Humeante pudo haber sido tío de Nariz Rizo, y que su poder se había incrementado por el parentesco que tenía con el rey de Tikal y el prestigio ganado en la reciente batalla. Sin embargo, muy pronto, durante el reino de Nariz Rizo y sobre todo en el de su sucesor, Cielo Tempestuoso, Tikal volvió a tener un papel preeminente y desde entonces Uaxactún se convirtió en un simple centro satélite de la gran vecina.
La ocupación de Uaxactún parece haber terminado en la primera parte del periodo Postclásico, cuando la ciudad fue abandonada.

La Estela 5 representa al jefe Rana Humeante, quien conquistó la ciudad el 16 de enero del 378 d.C. al mando de las fuerzas de Tikal. Aparece de perfil con una porra de navajas de obsidiana en una mano y un lanzador de flechas en la otra. Sobre su tocado hay un quetzal de cola larga. Ésta es la más antigua representación que se conozca de un traje de guerra empleado en las llamadas "Guerras Estelares".

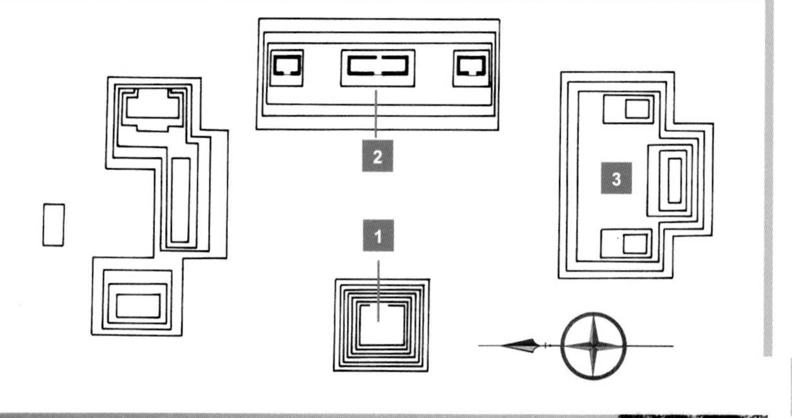

PLANTA DEL COMPLEJO E DE UAXACTÚN

1 PIRÁMIDE E-7-SUB
2 COMPLEJO ESTE
3 GRUPO A

La Estructura E-10 del Grupo E, aunque menos imponente, tiene muchas similitudes con los edificios de Tikal, ciudad a la que Yaxchilán estuvo largo tiempo sometida.

EL SITIO

Los monumentos principales del antiguo centro urbano están organizados en diversos grupos arquitectónicos –templos y residencias–. Las excavaciones realizadas en los complejos A, B y E –descubiertos entre 1926 y 1937– son uno de los momentos clave de la arqueología mesoamericana, ya que permitieron conocer algunos de los edificios más antiguos que conocemos del mundo maya. Incluso el nombre de Uaxactún (Ocho Piedra) le fue asignado a partir del hallazgo de una serie de seis monumentos muy antiguos, pertenecientes a un periodo que va del 328 al 416 d.C., fechas que según el calendario maya caen en el octavo *baktun*.
Uno de los primeros grupos excavados fue el Complejo E, formado por una pirámide principal, orientada hacia el Este, frente a la que se yergue una plataforma con tres edificios menores,

◀ *Esta bella imagen muestra al Palacio 5 del Grupo A. Los diversos edificios que conforman el conjunto monumental pertenecen al Clásico Tardío, época en la que Uaxactún era ya satélite de su poderosa vecina Tikal.*

Superior El Palacio 5 del grupo A fue probablemente sede de la élite local que gobernó durante el periodo Clásico.

Inferior Vista de la Estructura 16 del Grupo A. Como puede verse el edificio fue restaurado sólo parcialmente.

▲ *La célebre Estructura E-8-sub del Grupo E es un monumento del periodo Preclásico. El edificio, decorado con diversos mascarones de deidades, fue descubierto después de la remoción total de una estructura más reciente.*

En el interior de esta estructura de Uaxactún se aprecia el uso de la falsa bóveda y de vigas de madera. Las paredes conservan su revestimiento de yeso.

colocados de tal manera que, vistos desde la pirámide, constituyen puntos de observación del alba durante los solsticios y los equinoccios. Frente a estas construcciones se elevan algunas de las antiguas estelas que mencionamos anteriormente. La pirámide central, muy deteriorada, fue completamente desmontada para dejar ver la Estructura E-7-sub un monumento preclásico decorado con 16 mascarones en estuco, cuatro en cada lado, que representan a Venus como Estrella de la Mañana, Venus como Estrella de la Tarde, el Sol naciente y el Sol decayendo. Esta iconografía es característica de muchos edificios preclásicos, como los hallados en Cerros (Belice) y en el Mundo Perdido de Tikal.

Los grupos A y B son complejos residenciales pertenecientes al Clásico Antiguo, que incluyen también estructuras rituales. En el Grupo B fue hallada una espléndida pintura mural, hoy desaparecida, que representaba lo que parecía escenas cortesanas. En años recientes, un nuevo proyecto de investigación se ha concentrado en las excavaciones del Complejo H donde, bajo algunas construcciones del Clásico Antiguo fue descubierto un importante conjunto del Preclásico Tardío. Una de las estructuras, la H-sub-3, está decorada con mascarones en estuco que representan la Montaña Sagrada (wits) y que indicaban la función simbólica del edificio. La Estructura H-sub-10 vecina tiene, en cambio, mascarones ahau (señor) y motivos de esteras (pop, uno de los principales símbolos de poder maya) que se alternan alrededor de reyes enmarcados por volutas.

En la arquitectura más antigua de Uaxactún es posible leer la formación de la ideología política del mundo maya, donde lo sagrado del poder estaba ligado a la identificación del soberano con Venus y el Sol, astros que –como los gemelos del Popol Vuh– descendieron a combatir a las fuerzas del inframundo, en el corazón de la Montaña Sagrada, para después resurgir en el cielo que corona el mundo de los vivos.

Calakmul

La historia

Aunque se descubrieron en el 1931, hace sólo pocos años que las ruinas de la ciudad maya de Calakmul, que se levantan en la homónima Reserva de la Biosfera, en el estado mexicano de Campeche, se han identificado con la misteriosa capital de Kaan ("Serpiente"). Se trata del reino que, según las inscripciones mayas, compitió por importancia con el de Tikal durante los siglos VI y VII, disputándose el papel de ciudad más importante del mundo maya. Los orígenes de Calakmul no están claros, probablemente porque diversas ciudades mayas del norte de Petén, como El Mirador y Nakbé, se transmitieron el papel de capital del reino de Kaan. Lo único cierto es que la ciudad fue ocupada desde el Preclásico Medio, cuando se levantaron en ella imponentes monumentos públicos. A pesar de todo, los primeros datos históricos relativos a los reyes de la ciudad se remontan sólo al siglo VI d.C., cuando la ciudad empezó a imponerse como una de las grandes potencias del mundo maya y como principal artífice de una alianza político-militar que llevó a la derrota de Tikal en el 562 d.C. La cumbre del prestigio político-militar de Calakmul se alcanzó bajo el reino de Yuknoom Ch'een II, que duró nada menos que medio siglo, entre el 636 y el 686 d.C. Durante este periodo el soberano amplió su influencia hasta ciudades como Naranjo, Cancuén y Caracol, hasta patrocinar la fundación del reino de Dos Pilas por obra de una rama de la dinastía que reinaba en Tikal. El gran rey fue sucedido por su hijo Yuknoom Yich'aak K'ak' ("Pata de Jaguar Ardiente") que, a los pocos años de reinado, en el 695 d.C., sufrió la humillación de la derrota militar por parte de una renacida Tikal. Incluso después de la derrota Calakmul siguió prosperando durante algunos decenios hasta que, como muchas otras ciudades mayas, fue abandonada a principios del siglo IX d.C.

◀▲ Las pinturas del Clásico Antiguo se han descubierto recientemente en la Estructura 1 de la Acrópolis Norte y representan escenas de preparación y consumo de bebidas a base de maíz, probablemente durante ceremonias de carácter religioso.

▼ La fachada exterior de la estructura 2 de Calakmul es del periodo Clásico.

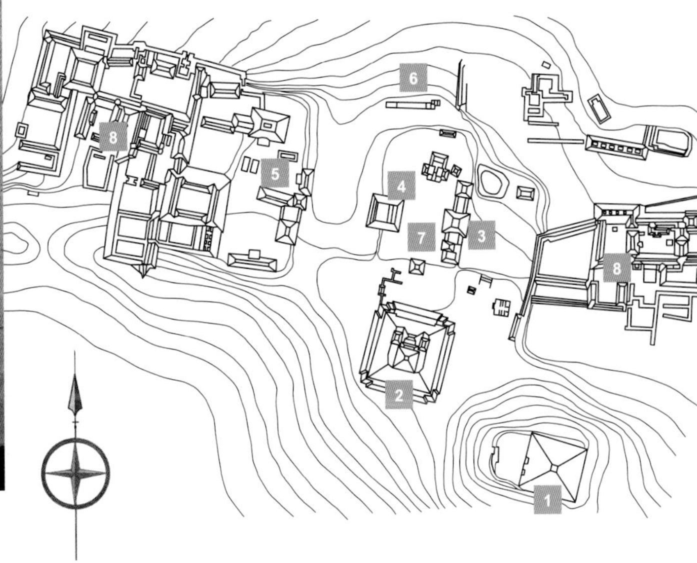

EL SITIO

El edificio principal de Calakmul es la Estructura 2, una enorme pirámide escalonada, de más de 45 metros de altura y reconstruida varias veces durante la historia de la localidad. Las excavaciones en el interior del edificio han revelado extraordinarias obras de arte preclásicas, como un largo friso en estuco y grandes máscaras de deidades, también en estuco policromado. En el suelo de una estructura interna de la pirámide, se ha excavado una tumba excepcional, identificada por algunos como la de Yuknoom Yich'aak K'ak': su cuerpo se encontraba envuelto en una estera y acompañado con una rica colección de cerámicas, jades y otros objetos preciosos. Al norte de la Estructura 2 se extiende la Plaza Central del sitio, mientras al este y al oeste surgen grandes complejos arquitectónicos de carácter cívico-residencial. Excavaciones recientes en la Acrópolis septentrional han revelado extraordinarias pinturas murales del Clásico Antiguo, de colores llamativos y brillantes, con escenas de preparación y consumo ritual de alimentos; un largo banco pintado con imágenes de plantas y animales acuáticos indica que esta parte de la ciudad estaba considerada como el Chiik Naab', mítico lugar acuático primordial copiado en las arquitecturas de la ciudad.

▲ *La gran Estructura 2 de Calakmul, que se eleva en la selva de Petén, es el resultado de una larga serie de remodelaciones que atestiguan la milenaria historia de la capital del reino de Kaan, cuyo amplio centro monumental fue sede de una de las dinastías reales más poderosas del periodo Clásico.*

CALAKMUL	
1	Estructura 1
2	Estructura 2
3	Estructura 4
4	Estructura 6
5	Juego de pelota
6	Acrópolis norte
7	Gran plaza
8	Áreas cívico-residenciales

Copán

▼ *El Altar G1, erigido por Yax Pac en el 800 d.C. en la plaza central de Copán representa al dragón bicéfalo celeste con las fauces abiertas, forma animal de la suprema deidad Itzamná. La cabeza de la izquierda aparece en forma esquelética, como símbolo de dualidad. La esfera colocada en medio de la inscripción es quizá una imagen del Sol.*

▶ *Detalle de la Estela A, que data del 731 d.C., representa al soberano 18 Conejo. Esta estela es célebre porque su inscripción menciona a Copán, Tikal, Calakmul y Palenque asociadas a los cuatro puntos cardinales, y por lo tanto, como las cuatro capitales del mundo maya.*

La historia

Los vestigios arqueológicos y los monumentos de Copán (Honduras) constituyen el testimonio de más de dos mil años de ocupación ininterrumpida y de un extraordinario apogeo arquitectónico y escultórico durante el periodo Clásico, cuando la ciudad, ubicada al extremo suroriental del mundo maya (a esto tal vez se refería el nombre original Xuk, ángulo) se convirtió en capital de una vasta entidad política que extendió su influencia a muchos centros mayas y a otros grupos étnicos del sur.

Las primeras huellas de ocupación del valle de Copán pertenecen al 1000 a.C., pero el verdadero apogeo comenzó con la fundación –por obra de Yax Kuk Mo' (Verde Quetzal Papagayo), en los años veinte del siglo IV d.C. –de la línea dinástica que habría gobernado la ciudad hasta su abandono.

La política expansionista del Estado de Copán al parecer inició durante el reino de Butz' Chan (Humo Serpiente o Humo Cielo, 578-628 d.C.) y continuó durante el de Humo Imix Dios K (628-695 d.C.), que extendió su dominio hasta someter a su vecina Quiriguá.

El rey 18 Conejo (cuyo verdadero nombre era Waxaklahun-Ubah-K'awil, 18 Imágenes de K'awil), decimotercer sucesor de Yax Kuk Mo', que subió al trono en el 695 d.C., hizo de Copán una de las ciudades más poderosas de todo el mundo maya.

En el 738 d.C., después de 43 años de reinado, 18 Conejo fue capturado por Cielo Cauac –rey de Quiriguá que él mismo había colocado en el trono de la ciudad vasalla– y sacrificado el 3 de mayo del mismo año. Treinta y nueve años después, el día de la trayectoria más larga de Venus como Estrella de la Mañana, un nuevo soberano, Humo Mono, lo sucedió y dio inicio a un reino de diez años (738-749 d.C.).

El sucesor Humo Caracol (749-763 d.C.), casado con una princesa de Palenque, colocó a Copán en la cúspide de la jerarquía política maya y, finalmente, su hijo Yax Pac (o Yax Pasah, Nueva Alba) heredó un Estado todavía poderoso.

Yax Pac reinó durante 57 años (763-820 d.C.) y en su reino fueron erigidos muchos de los edificios que hoy pueden verse. Sin embargo, su muerte parece haber marcado el colapso de la entidad política copaneca: el monumento que celebraba la ascensión al trono de su sucesor U-Cit-Tok, envestido el 10 de febrero del 822 d.C., quedó inconcluso. A pesar de que el nuevo rey había hecho coincidir su ceremonia de ascensión con el día en que la Estrella de la Mañana iniciaba su viaje al mundo de los muertos y que Marte y Júpiter entraban en conjunción, los astros no lo ayudaron y la historia de Copán cayó en el olvido.

◄ *La Plaza A del complejo conocido como "Las Sepulturas", importante área residencial de la élite en la periferia del centro monumental de Copán.*

▼ *Detalle del Altar Q, probablemente un trono, mandado esculpir por Yax Pac para consignar su pertenencia a la línea dinástica de la ciudad. A los lados aparecen los 16 soberanos de la dinastía copaneca fundada por Yax Kuk Mo'. Se ven, de derecha a izquierda, los retratos del tercero, cuarto y quinto soberanos de Copán.*

▼ *La Estela P, en la que se ve el gobernante Butz' Chan y que data de finales del siglo VI d.C. En una época posterior fue trasladada frente a la Estructura 16, en la Acrópolis de la ciudad.*

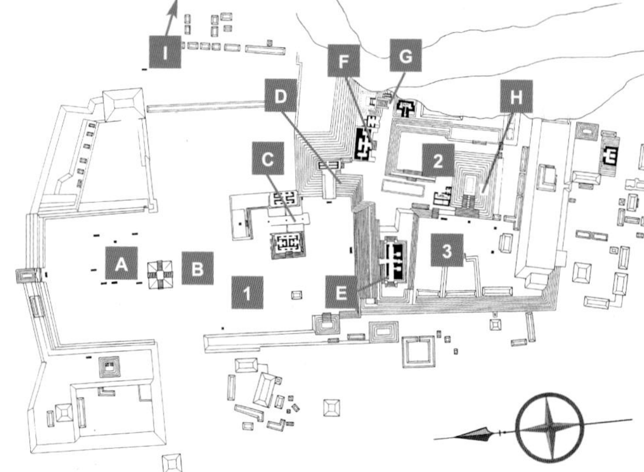

COPÁN

1	GRAN PLAZA	D	ESCALINATA DE LAS INSCRIPCIONES Y TEMPLO 26
2	PATIO ESTE DE LA ACRÓPOLIS	E	ESTRUCTURA 11
3	PATIO OESTE DE LA ACRÓPOLIS	F	ESTRUCTURA 22
A	ESTELAS ERIGIDAS POR EL REY 18 CONEJO	G	TEMPLO 21
B	ESTRUCTURA 4	H	TEMPLO 16
C	JUEGO DE PELOTA	I	LAS SEPULTURAS

▲ *Esta tumba se halla en la Plaza A del complejo Las Sepulturas. A la izquierda se ven las lozas que cerraban el acceso.*

▼ *Vista de la Plaza C del complejo de Las Sepulturas. A la izquierda destaca la Estructura 9 N-82, residencia de una importante estirpe de escribas. La espléndida fachada del edificio está decorada con esculturas dedicadas a las deidades protectoras del oficio; en su interior se encuentra una banca de piedra finamente esculpida.*

El sitio

El centro monumental de Copán está conformado por una Acrópolis ante la cual se extiende una amplia plaza.
La Acrópolis es dominada por los templos 11 y 16 y está organizada alrededor de dos grandes patios, el Patio Oeste y el Patio Este. En la época moderna, toda su parte oriental fue deslavada por el río Copán, lo cual permitió a los arqueólogos penetrar en sus distintas estructuras sobrepuestas mediante varios kilómetros de túneles.
A partir de estas investigaciones sabemos que la construcción de la Acrópolis inició alrededor del 400 d.C., y que un notable incremento de la actividad constructora tuvo lugar en el reino del fundador dinástico Yax Kuk Mo'.
Bajo la Acrópolis han sido encontradas la residencia (decorada con talud y tablero de tipo teotihuacano) y la tumba, construida al interior de la morada, donde el soberano yacía acompañado de jade, espinas de mantarraya, colmillos de jaguar, caracoles y lujosos vasos, muchos de éstos en estilo teotihuacano.
Sobre la sepultura, su hijo y sucesor K'inich Ah Pop (Ojo Solar-Señor de la Estera) construyó un magnífico centro funerario (Estructura Yehnal) cuyas paredes están adornadas con bajorrelieves en estuco que representan al dios Sol, y en el que no se percibe influencia teotihuacana. Arriba de este edificio fue erigida la espléndida Estructura Margarita, cuya escalinata estaba flanqueada por grandes bajorrelieves en los que aparece el nombre del fundador de la dinastía copaneca, y que pronto fueron cubiertos por otras plataformas. Todas estas modificaciones fueron efectuadas dejando libre el acceso a una sala funeraria cercana a la de Yax Kuk Mo', donde varios años después fue sepultada su mujer, no lejos de un guerrero armado.
Las continuas reconstrucciones de los edificios y sepulturas reales continuaron durante siglos dando vida al complejo arquitectónico que hoy conocemos como Acrópolis.

▲ *Panorámica de la Gran Plaza con el Campo de Juego en primer plano y, en segundo plano a la derecha, la Estructura 4. Se aprecian claramente las numerosas estelas que se yerguen en la amplia explanada.*

La parte más impresionante es sin duda la llamada Estructura Rosalila, con extraordinarias fachadas modeladas y policromas, construida en el 571 d.C. durante el reinado de Luna Jaguar. El aspecto actual de la Acrópolis se debe en gran medida a la actividad arquitectónica de Yax Pac, a quien se debe la construcción de las versiones actuales de los templos 11 y 16. Frente al Templo 16, Yax Pac hizo colocar el célebre Altar Q, en cuyos lados aparece esculpida toda la historia dinástica de la ciudad. A la izquierda puede verse la Estela P, que representa al soberano Butz' Chan.

Escultura de la fachada de la Estructura 11, conocida como "Templo de las Inscripciones", uno de los principales edificios de la Acrópolis. El conjunto escultórico de esta fachada la convierte en una suerte de campo de juego simbólico que desemboca en las aguas del inframundo.

Una serie de importantes edificios dan al Patio Este de la Acrópolis. La Estructura 22 fue erigida por encargo de 18 Conejo, quizá para usarla como residencia personal: en las cuatro esquinas se ven monstruos wits (monstruos de la Montaña Sagrada), en tanto en el portal interior dos figuras llamadas Pahuatún (parecidas a atlantes) sostienen un friso en el que aparece representado el Monstruo Celeste rodeado de chorros de sangre sacrificial. El palacio evidentemente era una especie de cosmograma y su portal representaba las fauces de la Montaña Sagrada, a la que sólo el soberano podía acceder. Cerca de ahí, Yax Pac construyó la Estructura 18, inaugurada el 12 de agosto de 801 d.C.: la turbulencia de los últimos años de su reinado es evidente en la iconografía de las pilastras donde el rey y su hermano aparecen retratados como guerreros. Al interior hay grandes frisos con forma de plumas y una banca decorada con máscaras de divinidades. Bajo el edificio se encuentra una sala funeraria, hace mucho tiempo saqueada, donde quizá fue sepultado Yax Pac. La Estructura 11 (o Templo 11), que tal vez sirvió como residencia a Yax Pac, es un intento de emular la Estructura 22 de 18 Conejo: el nivel más bajo simbolizaba las aguas del inframundo, el portal representa las fauces de la Montaña Sagrada y en las esquinas del edificio se encuentran los dos grandes Pahuatún (caídos) que sostenían al Monstruo Cósmico, símbolo de los cielos. El lado posterior del basamento del edificio, es decir el que da al Patio Oeste, está construido como falso campo de juego, con sus marcadores de piedra. Las inscripciones sobre la escalinata y las decoraciones en forma de caracol lo caracterizan como un campo que se abre a las aguas del inframundo, y es posible que desde la escalinata de la Estructura 11 hayan sido aventados los prisioneros, simbólicamente asociados con las pelotas de juego y destinados a acabar, tanto metafórica como literalmente, en el mundo de los dioses de la muerte.

▲ *Fachada de la sala interna del Templo 22, mandado erigir por 18 Conejo. La compleja decoración escultórica constituye una suerte de cosmograma. En primer plano se aprecia un* bacab *(deidad que sostenía la bóveda celeste) de espaldas y acurrucado sobre un cráneo que representa al inframundo. Los dos* bacab *sostienen un monstruo celeste en forma de serpiente que pasa sobre la entrada.*

▲ *Escultura ubicada sobre la llamada "Escalinata de los Jaguares", en el Patio Este de la Acrópolis. Las pupilas con un "gancho" en el centro y la decoración en la frente de la deidad indican que se trata del dios Kin, Sol.*

▼ *Vista del edificio conocido como Estructura 11, del Patio Oeste de la Acópolis.*

En las pilastras del Templo 18, que da al Patio Este de la Acrópolis, se aprecian bajorrelieves con la imagen de Yax Pac y de su hermano vestidos de guerreros. Una sala funeraria bajo el templo, desafortunadamente saqueada en la antigüedad, contenía tal vez los restos del soberano.

Bajando la escalinata de la Estructura 11 hacia la plaza se encuentra el Templo 26, erigido en el 756 d.C. por Humo Caracol sobre un edificio que había mandado construir 18 Conejo. Humo Caracol aparece representado en las Estelas M y N cercanas al templo. Sobre la gran Escalinata Jeroglífica fue esculpido el texto más largo de la América precolombina, en el que se narra toda la historia dinástica de la ciudad. Algunos retratos de soberanos se yerguen sobre la escalinata cada 12 escalones.
Al norte del Patio de la Escalinata Jeroglífica se encuentra el Campo de Juego, cuya estructura actual fue edificada durante el reinado de 18 Conejo. En las paredes laterales se puede ver esculturas de cabezas de papagayo, una de las más conocidas manifestaciones animales del dios solar que alude evidentemente al simbolismo astral del juego, mientras sobre el terreno fueron dispuestos tres marcadores de piedra rectangulares. Sobre dos templos laterales del campo grandes figuras en mosaico representan papagayos con el pico abierto, alas extendidas y garras salientes. Sobre la estructura que está al norte del Campo de Juego se encuentran la Estela 2 –con la figura de Humo Imix Dios K– y el Altar L, último e inconcluso monumento de Copán, con el retrato del soberano U-Cit-Tok en compañía de su predecesor.

◀ *En primer plano se ve el altar de la Estela M, que representa al monstruo terrestre Cauac. Al centro de la imagen destaca la Estela M donde aparece el soberano Humo Caracol. Atrás de las estelas se yergue el Templo de las Inscripciones, con el más largo texto maya sobre piedra que se conozca, en el que se narra la historia dinástica de la ciudad.*

◀ *Este espléndido mosaico escultórico que representa a un papagayo escarlata, decora uno de los edificios laterales del Campo de Juego de la Gran Plaza. La escultura fue reconstituida con pedazos provenientes de las obras análogas que están a ambos lados del campo. Se aprecian las alas abiertas y, en primer plano, las garras.*

▲ *Detalle de la inscripción lateral de la Estela 2, que representa al soberano Humo Imix Dios K el día de su ascensión al trono (652 d.C.). Como puede verse el estilo de la inscripción es particularmente complejo y rebuscado, apropiado para un monumento conmemorativo tan importante como el del retrato de un soberano.*

◀ *Marcador central encontrado en uno de los campos de juego de Copán. El relieve muestra a la izquierda al soberano 18 Conejo con ropa para jugar, ante el dios del número 0, deidad del inframundo caracterizada por tener una mano como mandíbula. Entre ambos hay una pelota con una inscripción en el centro.*

▶ *La imagen muestra el principal campo de juego de Copán, situado en la Gran Plaza: a lo largo de las paredes laterales fueron colocadas esculturas con forma de cabeza de papagayo, cuyo significado se desconoce.*

Por el Campo de Juego se accede a la plaza monumental donde, después de la Estructura 4, se encuentra lo que –según algunos especialistas– los mayas percibían como una "selva de rey: una plaza llena de esculturas de soberanos con forma de "árboles cósmicos". La Estela E, en el lado oeste, pertenece a los primeros años del siglo VI y representa al soberano Nenúfar Jaguar, mientras la Estela I, en la esquina suroriental, es un retrato de Humo Imix Dios K. Todas las demás (A, B, C, D, F, H y 4) colocadas entre el 711 y 736 d.C., representan a 18 Conejo bajo la forma de todas las divinidades que encarnó en los rituales extáticos. A este soberano se debe también la espléndida Estela J, ubicada en el extremo de la Plaza Este, decorada con una inscripción esculpida en forma de estera, símbolo del poder real. Frente a la estela varios altares muestran al Cocodrilo Terrestre, conocido también como Monstruo Cauac.

Los retratos de 18 Conejo son realmente algunas de las obras maestras de la escultura copaneca, ejemplos típicos del "barroco" estilo de esta ciudad. Los altares zoomorfos en los que aparecen serpientes celestes (G1, G2, G3) fueron colocados en la Plaza Monumental por Yax Pac, con la evidente intención de que se asociara su reino con el de su ilustre predecesor. Entre los diversos edificios que se distribuyen alrededor del centro monumental, destaca la Estructura 9 N-82, decorada con esculturas e inscripciones que nos informan que se trata de la residencia de una importante familia de escribas de la ciudad.

▼ *La Estela H destaca en primer plano en esta panorámica de la Gran Plaza. De acuerdo con algunos autores la forma de la estela proviene de los "árboles de piedra", es decir, las representaciones del árbol cósmico. Según la misma interpretación la plaza es descrita como "selva del rey".*

▲ *También la Estela D, colocada en la Gran Plaza, tiene un retrato de 18 Conejo. Como indica la deidad que baila sobre la cabeza del rey, 18 Conejo fue retratado durante un ritual extático de autosacrificio.*

◀ *En la estela A el rey 18 Conejo aparece retratado sosteniendo una barra ceremonial con doble cabeza de serpiente, símbolo de la autoridad y capacidad del soberano para comunicarse con seres de otras regiones cósmicas.*

▲ *El impresionante altar de la Estela D muestra a un jaguar esquelético del inframundo, probablemente ligado al viaje del soberano a ese lugar en una experiencia extática, representado en la estela correspondiente.*

Página 134 Detalle de la Estela H, uno de los más famosos retratos del soberano 18 Conejo, claro ejemplo del estilo "barroco" del arte de Copán. El soberano es representado bajo la forma del dios del maíz, bailando en el momento de la Creación.

Quiriguá

La historia

Quiriguá (Guatemala) fue fundada en el valle bajo de Motagua a principios del Clásico Antiguo, tal vez por colonos provenientes de las Tierras Bajas centrales, en un punto estratégico para el abastecimiento de la obsidiana y la jadeita. A partir del estudio de algunos monumentos, se ha interpretado que a finales del siglo V existía ya una línea dinástica en la ciudad, aunque también parece que desde esa época Quiriguá (antiguamente llamada Zuk, División) estaba subordinada a la cercana Copán. En el 725 d.C., durante el reino del poderoso 18 Conejo de Copán, subió al trono Cielo Cauac, que inmediatamente mostró su intención de liberarse del yugo copaneco adoptando el título de *k'ul ahaw,* "señor divino", apelativo reservado sólo a los soberanos supremos. La política de Cielo Cauac culminó en la célebre guerra del 738 d.C., en la que el soberano logró capturar y sacrificar al mismo 18 Conejo. En los siguientes 60 años de reinado Cielo Cauac promovió un programa arquitectónico que transformó Quiriguá en una suerte de copia en pequeño de Copán. Adoptó la política propagandística instaurada por el soberano derrotado, erigiendo imponentes estelas-retrato en un contexto urbano organizado siguiendo el binomio Acrópolis-plaza análogo al copaneco. En algunas inscripciones Cielo Cauac se definió como "décimo cuarto gobernante" y es posible que con ello no aludiese a la dinastía local, sino a que era sucesor de 18 Conejo, décimo tercer rey de Copán. No es casualidad que entre los distintos títulos reales que ostentaba aparezca la cabeza de murciélago (zotz), símbolo de Copán.

A Cielo Cauac lo sucedieron Xul Cielo (784-800 d.C. aproximadamente) y Cielo de Jade (800-?) en cuyo gobierno Quiriguá vivió quizá su periodo más próspero, del que la intensa actividad constructiva sobre la Acrópolis es testimonio. Desconocemos lo que sucedió al final de su reinado, pero después de un breve lapso de tiempo en el que parece haber sido controlada por grupos provenientes de la costa del Caribe, la ciudad fue abandonada entre el 900 y el 1000 d.C.

▶ Una de las numerosas estelas que se yerguen en la Plaza Monumental; este es uno de los elementos que hacen de Quiriguá una "copia" en pequeño de Copán.

Con sus 10.66 metros de altura, la formidable Estela E, que data del 771 d.C., es el más alto monumento maya de este género. El rey Cielo Cauac aparece retratado de frente, parado sobre un mascarón del Cocodrilo Terrestre o, según otras interpretaciones, un jaguar.

Quiriguá

1 Plaza principal
2 Juego de pelota
3 Plaza de los Templos
4 Grupo Este

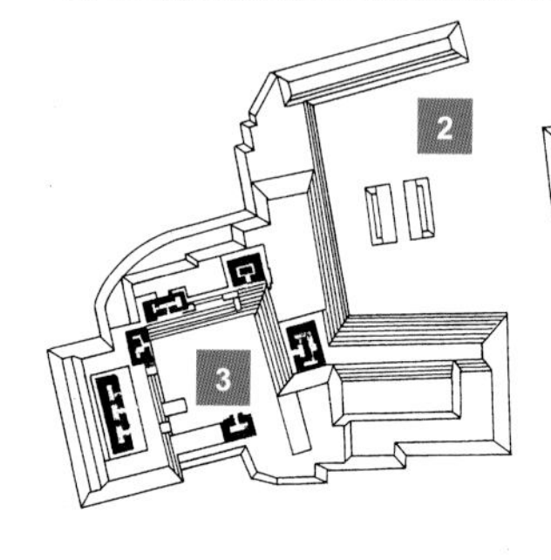

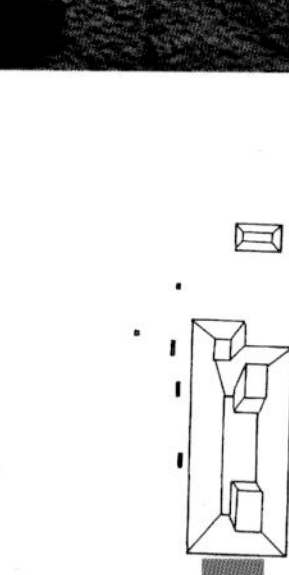

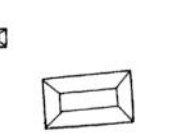

El sitio

Como dijimos anteriormente, el centro monumental de Quiriguá es análogo formalmente al de Copán. La gran Acrópolis rodea a una plaza intermedia que alberga el campo de juego de pelota y que desemboca en una plaza monumental en la que fueron colocados estelas y altares. Al sur y al este de la Acrópolis se observan dos complejos residenciales, similares a los que en algún momento rodearon a la ciudad. El costado oriental de la Acrópolis estaba probablemente destinado al culto del linaje local y bajo estas estructuras fue hallada la tumba de quien tal vez fue su fundador. En los lados norte y sur del patio del cuerpo central hay dos grandes estructuras construidas por Cielo de Jade (1B-1 y 1B-5); en el lado oriental del patio, frente a la estructura 1B-6, fueron colocados los altares Q y R, y en el lado occidental se encuentran dos estructuras bajo las que fue hallado un campo de juego enterrado. En la esquina suroeste del patio está ubicada la pequeña estructura 1B-2, que probablemente corresponde a la residencia de Cielo Cauac, preservada por sus sucesores con fines culturales.

En el lado externo occidental de la Acrópolis hay algunos bajorrelieves con la figura del dios Sol.

En la pequeña plaza que se abre junto al Campo de Juego se encuentran dos copias de monumentos (O y P) que pueden considerarse las obras maestras de la escultura de Quiriguá. Se trata de dos grandes esculturas con la forma del Monstruo Cauac, el Cocodrilo Terrestre de cuyas fauces abiertas surge la figura de un soberano; ante cada una de ellas se halla un espléndido altar decorado con la imagen de una divinidad junto a una inscripción escalonada.

Igualmente célebres son la esculturas de la Plaza Monumental, en la que se yerguen como "árboles de piedra" las estelas más altas del mundo maya, siete de las cuales (A, C, D, E, F, H, J) representan a Cielo Cauac. Atrás de éstas hay altares zoomorfos y a los lados de las estelas D y E se pueden ver las más bellas inscripciones jeroglíficas mayas.

Las esculturas de la plaza demuestran que los artistas de Quiriguá, aunque refiriéndose a los modelos escultóricos de Copán, supieron desarrollar un vigoroso estilo local, no menos refinado que el copaneco.

◄ *El Monumento P, obra maestra del arte local, es una pieza desconcertante completamente esculpida con bajorrelieves. En la fachada que aquí reproducimos el soberano aparece retratado saliendo de las fauces del Cocodrilo Terrestre.*

▲ *También en el Monumento B la figura del soberano es mostrada emergiendo de las fauces del Cocodrilo Terrestre. Este tipo de monumentos "zoomorfos" son típicos de Quiriguá, se desconoce su función específica.*

▲ *La célebre "tortuga" de Quiriguá es quizá la figuración más fascinante y misteriosa de la escultura maya. El caparazón monolítico está apoyado sobre cinco bloques con forma de patas y cabeza.*

Itinerario 5

Los mayas de Yucatán

La amplia zona calcárea de la península de Yucatán ha sido habitada por los mayas desde las más antiguas épocas de su historia. En su vasto territorio, hoy dividido en los estados mexicanos de Campeche, Yucatán y Quintana Roo, más la República de Belice, los Mayas yucatecos dieron vida a diversas tradiciones culturales que, aunque unidas por fuertes lazos no sólo lingüísticos, se distinguen claramente por su producción artística.

La larga trayectoria prehispánica de Yucatán está plasmada en los sitios de Edzná, Acanceh, Dzibichaltún, Ek Balam, Cobá, Kohunlich y Dzibanché, cuyos notables edificios son testimonio no sólo de que fueron ocupados de manera prolongada y sucesiva durante gran parte de la época prehispánica, sino de que cada subregión desarrolló características estilísticas particulares.

Desde el Preclásico, muchos sitios yucatecos se distinguieron por su notable desarrollo cultural y, durante el Clásico Antiguo, gran parte de la península parece haber mantenido estrechas relaciones con las Tierras Bajas centrales, cuyo límite hacia el norte era la zona de influencia de la enorme metrópoli de Calakmul, al sur del estado de Campeche. Los nexos con el área de Petén son evidentes sobre todo en centros surorientales como Kohunlich y en los espléndidos monumentos de Cobá, bello sitio todavía en gran parte cubierto por la vegetación en la región noroccidental de la península. El periodo de apogeo cultural de Yucatán coincidió con el Clásico Tardío y Terminal, cuando diversas tradiciones culturales dieron vida a algunas de las más bellas manifestaciones arquitectónicas del mundo maya. Los mejores ejemplos de estas formas de expresión del Clásico Tardío son sin duda los estilos Río Bec y Chenes, localizados en las regiones del mismo nombre del sur y noroeste de la península. Parcialmente contemporánea, aunque más longeva, la gran tradición Puuc, que se desarrolló en centros como Uxmal, Kabah, Sayil y Labná, dominó el norte de la península durante el Clásico Terminal y fue esla-

◀ *Detalle de la base de las columnas con forma de serpientes emplumadas que flanquean el acceso al Templo de los Guerreros de Chichen Itzá. Durante el periodo Postclásico el culto a la Serpiente Emplumada, ligado a nuevas formas de poder político, fue ampliamente difundido en Yucatán, así como en la mayor parte de Mesoamérica.*

▼ *Detalle de un friso del templo de los Guerreros de Chichen Itzá. Las figuras de águilas y jaguares rampantes de tipo tolteca son muestra de la influencia que las ideologías políticas del centro de México tuvieron en el Yucatán del Postclásico.*

bón con los estilos preclásicos posteriores. La ininterrumpida sucesión de las tradiciones yucatecas hasta el final del Postclásico es quizá el mejor ejemplo de que la crisis del Clásico no afectó de manera homogénea a todo el mundo maya, y en sus trayectorias artísticas es posible identificar las repercusiones de las grandes transformaciones étnico-políticas que caracterizaron la transición hacia el Postclásico en toda Mesoamérica.

Entre el Clásico Terminal y el Postclásico, Yucatán fue escenario de migraciones de nuevos grupos mayas portadores de la cultura fuertemente "mexicanizada" que marcaría el desarrollo yucateco posterior. Entre ellos, los más conocidos son los Itzá y los Xiú, y han sido comúnmente identificados con maya putún o chontales; originarios de la zona limítrofe entre Tabasco y Campeche, fueron los principales artífices de la ola de influencias culturales que unieron al centro de México con el mundo maya a partir de finales del Clásico.

Precisamente, los Itzá fueron quienes lograron el apogeo de Chichen Itzá que, originada como centro Puuc que había compartido con Uxmal la supremacía en la zona, se convirtió en capital de un Estado regional que dominó el panorama político yucateco desde el 900 al 1250 d.C., transformándose en una nueva y espléndida Tollán del sureste, sede del culto a la Serpiente Emplumada.

Los conflictos con la vecina Mayapán, ocupada por el linaje Cocom de los Itzá, condujeron a la caída de Chichen Itzá a finales del Postclásico Antiguo y al nacimiento de un nuevo reino multiétnico encabezado por Mayapán, que había sido construida como una "copia menor" de Chichen Itzá.

Según las fuentes históricas, Mayapán regía una liga de tres ciudades y de una entidad política multiétnica en la que los Cocom convivían con otros grupos como los Xiú, Chel, Tzeh, Canul, Cupul, Luti, Pech y Cochuah.

El conflicto entre los Xiú y los Cocom Itzá concluyó con la destrucción de la ciudad alrededor de 1450 d.C.

Los señores de los diversos linajes emigraron hacia diversas regiones yucatecas fundando pequeñas entidades políticas conocidas como *cuchcabal* o "provincias".

El panorama político yucateco se quedó en este estado de "balcanización" hasta la llegada de los españoles, cuando Yucatán estaba dividido en 18 *cuchcabalob*, cada uno gobernado por un señor llamado Halach Uinic que residía en una pequeña capital. Entre las regiones más prósperas de esta última etapa prehispánica está la zona del Caribe, donde pequeños centros costeros como Tulum controlaban las rutas comerciales marítimas que unían Yucatán con el Golfo y los puertos de Honduras y Nicaragua.

Estos pequeños señoríos fueron las primeras entidades políticas indígenas mesoamericanas que conocieron los españoles, quienes entre 1527 y 1546 emprendieron su difícil conquista.

A un grupo de Itzá, que después de la caída de Chichen Itzá había emigrado a la selva del Petén y se había establecido en Tayasal –al borde del lago Petén Itzá–, le tocó el papel de último baluarte de la independencia indígena. Después de encontrase con Cortés en 1524, resistieron todas sus tentativas de conquista hasta 1697, fecha que marca la completa sumisión de Mesoamérica al poder de la corona española.

Los estilos del Río Bec y Chenes

Durante el Clásico Tardío (600-900 d.C., aproximadamente) dos regiones de Yucatán vieron el apogeo de dos de los más peculiares estilos arquitectónicos mayas: Río Bec y Chenes. En la región Río Bec, ubicada en las cercanías del límite norte entre los estados de Campeche y Quintana Roo, se propagaron construcciones caracterizadas por la presencia de "falsas pirámides" con torre, caracterizadas por una recia verticalidad. Aunque en el frente de estos monumentos haya una escalinata es meramente ornamental, pues el extremadamente pequeño tamaño de sus escalones impide utilizarlos.

▲ *En el jardín del Museo Nacional de Antropología de la Ciudad de México fue totalmente reconstruida la fachada del Templo 2 de Hochob, considerado una obra maestra del estilo Chenes. En el portal aparecen representadas las fauces abiertas del Monstruo Terrestre.*

La misma tipología constructiva se halla en Chicanná, sitio del cual reproducimos la pirámide principal. Gran parte de esta zona arqueológica, así como de su vecina Dzibilnocac, no han sido aún exploradas.

La torre y las parte bajas del edificio están decoradas con mascarones de deidades, y en muchos casos el ornamento de las entradas representa las fauces abiertas del Monstruo de la Tierra. Este último rasgo lo compartió y desarrolló la región de Chenes, en la parte norte del estado de Campeche, donde espléndidos portales zoomorfos introducen a templos y palacios. Desafortunadamente, la carencia de inscripciones en Río Bec y en Chenes limita nuestro conocimiento de la historia de los lugares, resulta claro sin embargo que el apogeo de estos estilos –cuyo remoto origen habría que buscarlo en la arquitectura de Calakmul, al extremo norte del Petén– es muestra del bienestar que gozaba la región yucateca durante el Clásico Tardío. La parcial yuxtaposición temporal de los estilos Río Bec, Chenes y Puuc es además prueba de que la crisis clásica de las otras zonas del mundo maya no sólo no afectó a las regiones yucatecas, sino que tal vez tuvo un efecto positivo en ellas, pues se volvieron el nuevo corazón del mundo maya.

▲ *La impostergable restauración y reconstrucción de Chicanná —realizada con sus propios materiales— volvió nuevamente inteligible la impresionante puerta de acceso de la Estructura 2. Para entrar en el edificio hay que pasar sobre la lengua de la criatura y en medio de sus dientes de piedra.*

▶ *Detalle de uno de los mascarones del dios Chac, fácilmente reconocible por su larga nariz, que decora una esquina del Edificio 21. Este es uno de los motivos ornamentales más recurrentes en la zona yucateca.*

Xpuhil, Becán, Hormiguero, Río Bec y Chicanná son los más conocidos de los 60 sitios de la región conocida como Río Bec. En Xpuhil se yergue el célebre Edificio 1, una estructura de tres accesos y tres torres, dos laterales y una, insólita, central. Cada una de ellas, de más de 25 metros de altura, tiene en la cúspide una suerte de falso templo, es decir un montículo arquitectónico con forma de mascarón fantástico con las fauces abiertas alrededor de un falso acceso; mascarones similares decoran las falsas escalinatas de las torres.
Dentro del terraplén de casi dos kilómetros que circunda el centro monumental de Becán hay varios edificios agrupados en complejos arquitectónicos y dispuestos en torno a dos plazas principales. Aunque el sitio tiene una larga historia –al menos desde el 600 a.C.–, la mayor actividad constructiva se produjo entre los siglos VII y VIII d.C. –época a la que pertenecen por ejemplo, las obras del complejo del extremo suroriental del centro monumental, que se cuentan entre las mejores del estilo Río Bec. La Estructura 1 es una especie de palacio: el nivel inferior se distingue por una larga fila de entradas, cuyas dimensiones disminuyen hacia los lados; sobre la fila de estancias se elevan dos torres laterales típicas del estilo Río Bec. En la zona central del sitio se aprecia la Estructura 9, una pirámide de más de 30 metros. En los sitios del Hormiguero y Chicanná se pueden ver algunas construcciones cuya decoración frontal es completamente parecida a la de los sitios Chenes, ejemplifican la similitud entre ambas zonas.

▲ *Vista de la Plaza Sureste de Becán, una de las mayores ciudades del Río Bec. La estructura circular que se aprecia en el primer plano no es muy común y de interpretación difícil.*

▼ *Otra vista del edificio 1 de Xpuhil, en la que se pueden ver sus enhiestas torres, cuyas escarpadas escalinatas de "acceso" a los falsos templos eran características de sus fachadas.*

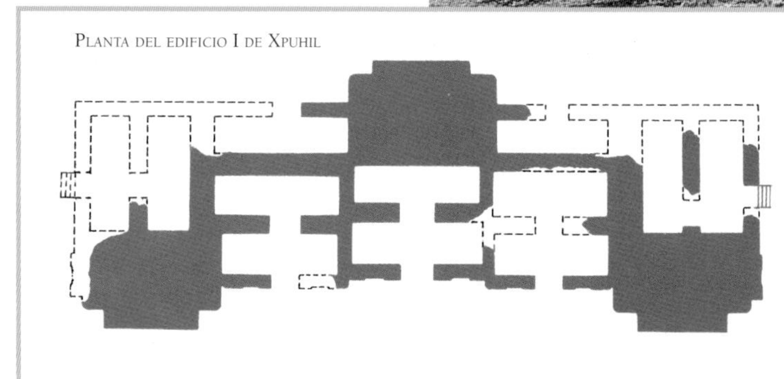

PLANTA DEL EDIFICIO I DE XPUHIL

▶ *Vista de las imponentes ruinas de la Estructura 1 de Becán, caracterizada por sus dos "torres" laterales, típicas del estilo vertical del Río Bec; originalmente, su aspecto era el de torres esbeltas de cuatro pisos.*

◀ *La Estructura II es otro de los edificios que dan a la plaza del Complejo Sureste de Becán. Originalmente debe haber sido un palacio residencial de la élite local.*

▲ *El monumento más célebre y peculiar de Xpuhil es sin duda el Edificio 1, dominado por tres torres coronadas por "falsos templos".*

Dzibichaltún

La historia

Dzibichaltún, uno de los principales sitios de Yucatán, tuvo su momento de mayor esplendor en el Clásico Tardío, pero la zona fue inicialmente ocupada en la época preclásica, cuando el norte de la península vivía un gran desarrollo. Después de una fase de abandono en el Clásico Antiguo, Dzibichaltún llegó a su apogeo alrededor del 800 d.C., periodo al que pertenece la gran mayoría de los edificios que hoy conocemos. A esta época pertenecen también las estelas halladas en el sitio, una de ellas reporta una fecha correspondiente al 849 d.C. Durante el Postclásico Antiguo, Dzibichaltún fue abandonada casi por completo, pero a partir del 1200 d.C. vivió una suerte de "renacimiento", seguido sin embargo de un nuevo abandono antes de la Conquista.

El sitio

Dzibichaltún es un vasto asentamiento compuesto por cerca de 8000 estructuras esparcidas en una área de más de 19 kilómetros cuadrados y su centro monumental está compuesto por un centenar de edificios en piedra organizados alrededor de cuatro plazas principales.
La Plaza Sur y la Plaza Central constituyen el centro del sitio. En la primera se yergue una gran construcción con escalinata central, coronada con dos templos gemelos, mientras al lado de la Plaza Central se encuentra el cenote Xlacah que, además de haber servido como fuente de suministro de agua, era quizá uno de los lugares rituales más importantes de la ciudad. El extremo sur de la Plaza Central está cerrado por un largo edificio llamado "el Palacio" conformado por más de cien piezas; y al centro hay una capilla española construida en 1590.
A los lados este y oeste de la plaza hay dos edificios recientemente excavados, así como el Palacio y la pirámide que cierra la plaza en el noreste, donde fue hallada una ofrenda con 31 objetos de piedra verde.

Una galería en el interior del Palacio. Sobre las pilastras puede verse todavía rastros del yeso pintado de rojo que algún tiempo recubrió todo el edificio.

Sobre este fragmento de la Estela 19 se aprecia el rostro de un gobernante con un gran tocado que sostiene en su mano un cetro esculpido con el Dios K, caracterizado por su gran nariz y una pierna con forma de serpiente. Este cetro era un símbolo tradicional de la realeza en el mundo maya clásico.

La Estructura 44 también es conocida como "el Palacio". Se halla frente a la plaza principal del sitio y era probablemente sede de la élite político-religiosa de Dzibichaltún.

Dzibichaltún

1. Templo de las Siete Muñecas
2. Plataforma de las Siete Muñecas
3. Sacbé
4. Plaza Central
5. Cenote Xlacah
6. Plaza Sur
7. Palacio

Como puede verse en las ruinas de la escalinata de la Estructura 38, este edificio fue remodelado varias veces en el transcurso de la larga historia de la ciudad.

El cenote Xlacah, en la Plaza Central de Dzibichaltún. Estos pozos calcáreos naturales, además de constituir fuentes indispensables de agua, estaba investidos de importantes significados simbólicos, pues se creía que eran acceso al mundo acuático de las deidades del inframundo. Por esta razón en el fondo de los cenotes se han hallado restos de ofrendas rituales.

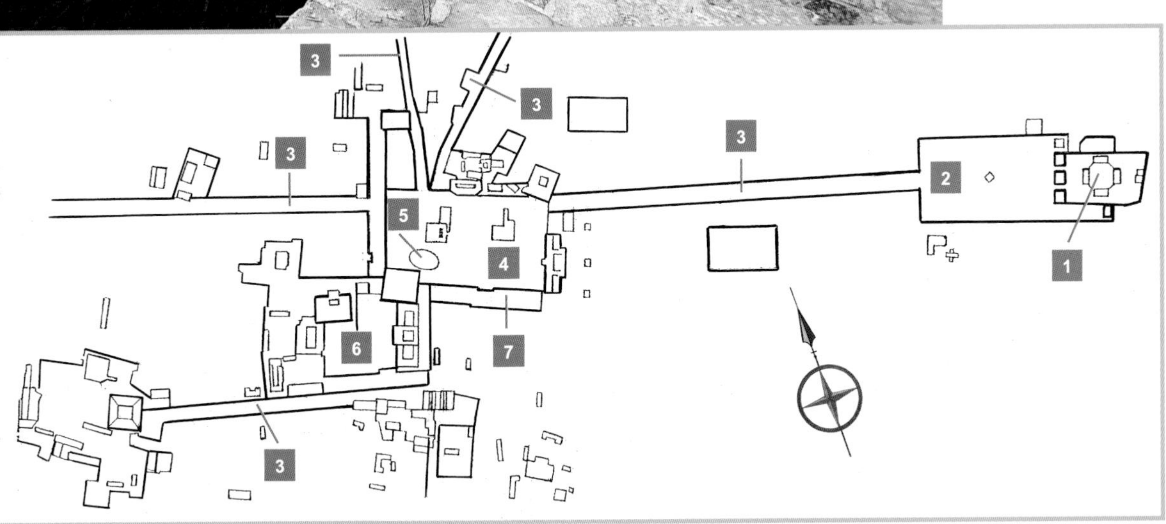

▲ *El corredor del Templo de las Siete Muñecas. En el salón central se encuentra el altar junto al cual fueron halladas las siete figuras de terracota que dieron nombre al edificio.*

▶ *Escultura que representa un soberano que sostiene un "bastón de mando", símbolo de la autoridad real.*

◄ *El sacbé 1 visto desde el Grupo de las Siete Muñecas. Los sacbeob (literalmente "caminos blancos") son una de las características típicas de los sitios yucatecos. Se trata de caminos de terracería que unían varios sectores de un mismo centro o varias ciudades. Es probable que también hayan tenido una función ceremonial o política, como la de sancionar alianzas con otros sitios.*

Varias calles (sacbeob) unen la zona central con el resto del sitio y los otros dos grupos arquitectónicos principales, situados uno al sureste y el otro al este. Este último es conocido como "Grupo de las Siete Muñecas" y está conformado por una plaza rectangular en cuyo centro se encuentra un altar con cuatro escalinatas y una estela central. El lado oriental de la plaza es cerrado por tres estructuras poco elevadas tras las cuales se eleva el Templo de las Siete Muñecas, el edificio más conocido de la ciudad. Se trata de un templo de basamento cuadrangular, con cuatro escalinatas y esquinas encajadas, construido alrededor del 700 d.C. Las fachadas están decoradas por cuatro mascarones y, dentro del templo, después de un corredor perimétrico, se accede al salón central coronado por una suerte de torre. El lugar de culto fue completamente incluido en una estructura mayor a finales del periodo Clásico, pero en el Postclásico Tardío fue nuevamente utilizado: después de excavado se le añadió un altar en el salón central. En una cavidad frente al altar –decorado con pinturas e inscripciones– fueron halladas las siete estatuillas que dieron nombre al templo.

◄ *El Templo de las Siete Muñecas es el más célebre de Dzibichaltún. Erigido alrededor del 700 d.C., el edificio fue cubierto por una construcción tardía y luego nuevamente utilizado en el Postclásico.*

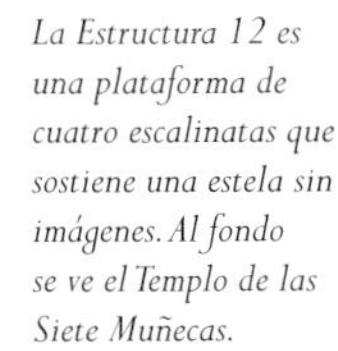

La Estructura 12 es una plataforma de cuatro escalinatas que sostiene una estela sin imágenes. Al fondo se ve el Templo de las Siete Muñecas.

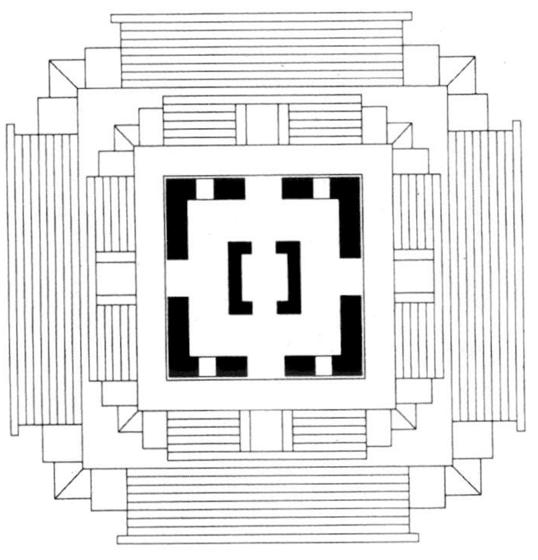

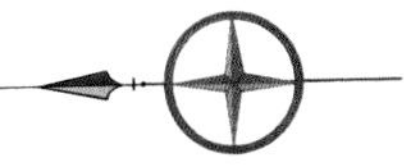

Planta del Templo I conocido como Templo de las Siete Muñecas

EDZNÁ

LA HISTORIA

La ocupación de Edzná abarca del Preclásico Medio (600 a.C.) al Postclásico (1450 d.C.) y durante este largo periodo la ciudad fue una de las más importantes de Yucatán. En el Preclásico Tardío fue construido un complejo sistema hidráulico compuesto por 13 canales principales, 31 secundarios y 84 depósitos de agua. Durante el Clásico Antiguo Edzná mantuvo relaciones comerciales con las Tierras Bajas centrales –hacia las que exportaba sal, algodón y otros productos marinos– de las que es testimonio la gran afinidad estilística, evidente en la producción de estelas con bajorrelieves, por ejemplo. Al final del periodo Clásico Edzná fue influida por las nuevas propuestas culturales provenientes de la zona Puuc, y continuó siendo habitada hasta mediados del siglo XV. En la época postclásica adquirió el actual topónimo, al parecer derivado de Itzná, "La casa de los Itzá".

EL SITIO

El centro monumental de Edzná está formado por una plaza central, delimitada al Norte por la Plataforma de los Cuchillos, al Oeste por un edificio conocido como "Nohoch-N'a", al Sur del Templo Sur y del Campo de Juego, y al Este de la llamada Acrópolis. Este edificio es una plataforma de 165 x 150 metros en cuyo centro se halla un patio rodeado de edificios. En su lado oriental se yergue el famoso Edificio de Cinco Pisos, una especie de pirámide-palacio del Clásico Tardío con una gran escalinata central, forma arquitectónica muy desarrollada en la zona Puuc.

Los cuatro niveles inferiores, parecidos a los peldaños de una pirámide, están en realidad conformados por una serie de piezas; en el piso más alto se yergue en cambio un templo coronado por un montículo. En el complejo, esta estructura –cuya excavación fue completada recientemente– ocupa una área de aproximadamente 60 x 60 metros y tiene una altura de 30 metros.

Bajo el Edificio de los Cinco Pisos se identificó una pirámide perteneciente al Clásico Antiguo con elementos arquitectónicos típicos del Petén, como las esquinas encajadas. Rasgos estilísticos análogos a los del Petén y Cobá son evi-

Páginas 148-149 La pirámide-palacio, actualmente conocida como Edificio de Cinco Pisos, era la sede formal del poder político de este centro yucateco. La estructura muestra características que funden la tradición clásica yucateca con las innovaciones de la arquitectura Puuc.

EDZNÁ

1 GRAN ACRÓPOLIS
2 PEQUEÑA ACRÓPOLIS
3 GRAN PLAZA
4 PLATAFORMA DE LOS CUCHILLOS
5 NOHOCH-NA
6 TEMPLO SUR
7 CAMPO DE JUEGO
8 EDIFICIO DE CINCO PISOS

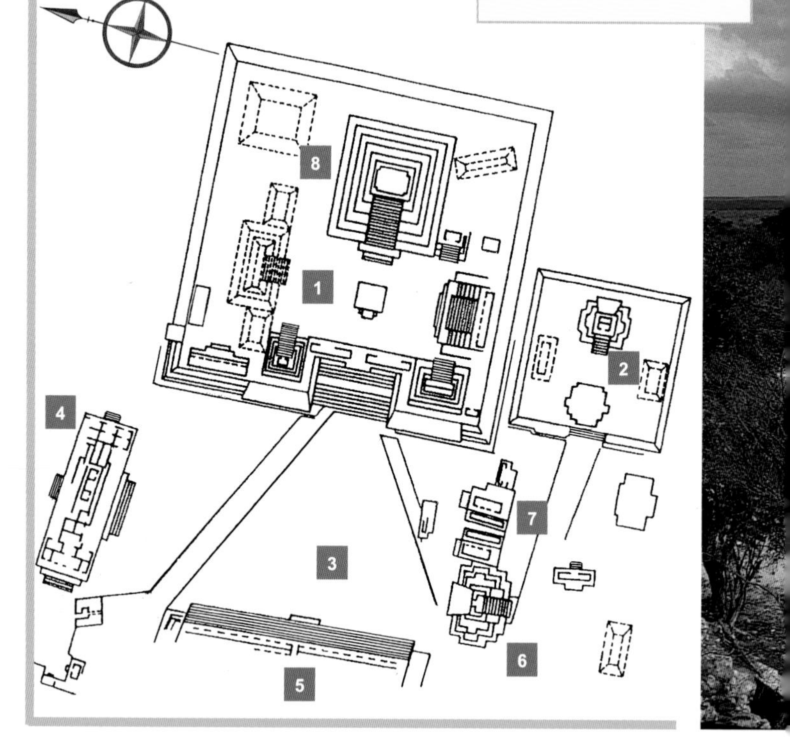

El Templo Norte de la Gran Acrópolis de Edzná, que al parecer data de entre 850-1100 d.C., cuando la ciudad era ocupada por los maya-chontales.

El gran montículo arquitectónico que destaca el templo de la cúspide del Edificio de Cinco Pisos es un elemento tradicional de la arquitectura maya clásica de las Tierras Bajas.

Este glifo está esculpido en la escalinata del Edificio de Cinco Pisos. El símbolo representa al dios Sol como soberano.

Inferior izquierda La Gran Acrópolis vista desde el Nonoch-Ná, el imponente edificio que cierra el lado oeste de la Plaza Principal de Edzná.

Inferior derecha Este mascarón en estuco fue parte de la decoración de la fachada de la Estructura 414, o Templo de los Mascarones. Se trata de una representación de Kin, el dios del Sol, como indican la nariz aguileña y el marcado estrabismo, típicos de esta deidad. Al lado del rostro se observan dos grandes orejeras circulares.

dentes también en las 30 estelas halladas en Edzná, que datan de entre el baktun 8 (41-435 d.C.) y el 810 d.C.

Al sur de la Gran Acrópolis se encuentra la Pequeña Acrópolis, coronada por cuatro edificios, entre ellos el Templo de la Escalinata con Relieves, cuya gradería fue compuesta con fragmentos de estelas y bajorrelieves.

Frente a la Pequeña Acrópolis fueron también encontradas muchas de las estelas de la época clásica, que fueron reubicadas en este lugar durante el Postclásico Antiguo. Al oeste de la Pequeña Acrópolis está el Templo de los Mascarones (Estructura 414), decorado con mascarones en estuco de estilo Petén y que representan Kinich Ahau, deidad del Sol cuyo estrabismo es su rasgo distintivo.

Alrededor de la plaza central de la ciudad se elevan otros complejos arquitectónicos sobre una superficie de 17 kilómetros cuadrados aproximadamente.

Ek Balam

La historia

Ek Balam (Jaguar Negro o Estrella Jaguar) fue un importante centro de la península yucateca, ocupado de manera ininterrumpida desde el Preclásico Tardío hasta la Conquista. Durante el Clásico Antiguo (400-600 d.C.) Ek Balam inició su rápido ascenso que concluyó en un periodo de gran apogeo entre el 700 y el 1000 d.C. La ciudad mantuvo al principio relaciones importantes con Cobá y, a través de ésta, con los sitios mayas del Petén; a finales del Clásico fortaleció en cambio sus intercambios con Chichen Itzá y otros sitios Puuc. Alrededor del 1200 d.C., por razones desconocidas, Ek Balam comenzó una lenta decadencia, aunque siguió siendo uno de los principales centros de Yucatán hasta el siglo XVI.

Vistas de la Plaza Norte, donde se concentraban los edificios de mayores dimensiones. Las recientes intervenciones de recuperación y restauración del sitio de Ek Balam han develado una ciudad de gran importancia para el conocimiento de la civilización maya y por la calidad artística de su arquitectura.

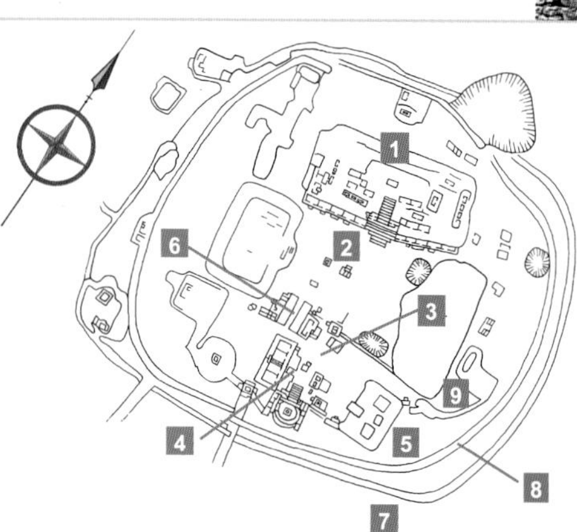

Ek Balam

1 Acrópolis
2 Plaza Norte
3 Plaza Sur
4 Pirámides Gemelas
5 Palacio Oval
6 Juego de pelota
7 Primera muralla
8 Segunda muralla
9 Tercera muralla

El sitio

Los impresionantes monumentos de Ek Balam muestran una notable fusión de estilos con rasgos arquitectónicos típicos de Petén, el Puuc, la costa oriental de Yucatán y Río Bec. La parte central del sitio se organiza en torno a dos plazas. La principal (Plaza Norte) está dominada por tres grandes construcciones; la única hasta ahora excavada es la majestuosa Acrópolis que con sus 165 x 65 metros de extensión y sus 35 metros de altura es la segunda en importancia de Yucatán. Sobre ella se aprecia un gran friso de estuco, uno de los más bellos del mundo maya: representa a un gobernante, probablemente Ukit Kan Lek (Ukit IV), que surge de las fauces de un ser monstruoso. A los lados del soberano se ven dos imágenes de bacab, deidades que sostenían la bóveda celeste.

▼ *Las características estructurales del Palacio Oval de Ek Balam presentan notables similitudes con la Pirámide del Adivino de Uxmal, que mucho tiempo se pensó era única en su estilo.*

Página 150 abajo Estos espectaculares arcos de Ek Balam, existentes también en sitios similares, son una expresión particular de la creatividad maya yucateca.

En la Plaza Sur se confrontan dos pirámides gemelas y el llamado "Palacio Oval", que probablemente era la residencia de la élite. En la pequeña Plataforma de las Estelas se erigen las dos únicas estelas halladas en el centro de la ciudad: en la Estela 1 aparecen dos personajes, uno de ellos (el superior, que aparece como antepasado del personaje principal) es el soberano Ukit Kan Lek; en la misma estela se aprecia el glifo emblema de la ciudad.

Entre las dos plazas se encuentra el campo para el juego de pelota donde fueron descubiertas importantes ofrendas y un friso (hoy cubierto), que representa a un gobernante en el trono con el rostro cubierto por una máscara del dios Chac y con un pájaro en la mano. La parte central del sitio está rodeada por dos de las tres murallas que encierran a todo el asentamiento. De las cinco entradas abiertas en las murallas, salen sacbeob, "calles blancas", que, orientadas de acuerdo con los puntos cardinales (dos del lado sur), unían Ek Balam con otras localidades vecinas.

▲ *Este magnífico friso en estuco da una idea de la riqueza de la decoración de los edificios de la Acrópolis.*

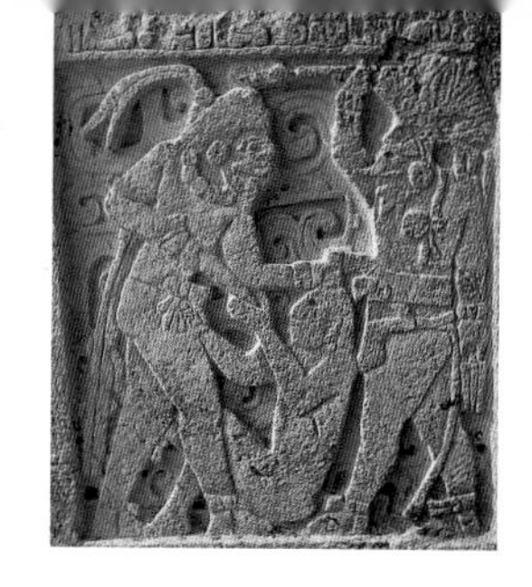

Uxmal y los sitios Puuc

La historia

Los principales sitios Puuc surgieron alrededor del 700 d.C. en la región noroccidental de Yucatán, próximos a las colinas bajas de Ticul. Todavía no es claro si a la fundación y desarrollo de esta ciudad contribuyeron los nuevos grupos étnicos –genéricamente identificados como maya-chontales– que llegaron a la península provenientes de las regiones suroccidentales. De acuerdo con algunas fuentes históricas, los Itzá se habrían asentado en Chichen Itzá alrededor de 672-692 d.C. y los Xiú en Uxmal en el 770 d.C., pero otras fuentes afirman que ambos grupos llegaron en una época más tardía, lo cierto es que ambos comenzaron a desarrollarse después de la era Puuc. Aunque la relación entre datos históricos y arqueológicos resulta muy problemática, durante el siglo VIII empezó el apogeo de sitios como Chichen Itzá, Uxmal, Kabah y Sayil, que quizá fungían como "capitales" de pequeñas entidades políticas.

Entre finales del siglo IX e inicios del X, Uxmal y Chichen Itzá lograron dar vida a dos grandes Estados regionales que compartieron el dominio del norte de la península. En esta etapa, Uxmal fue el principal centro político yucateco y, de acuerdo con algunas fuentes, su preeminencia estaba ligada a una estrecha alianza que tenía con Kabah y Nojpat. A este periodo pertenece el reinado del señor Chaac, el soberano más célebre de Uxmal, a quien se debe la construcción de muchos de los monumentos que conocemos en la actualidad. Durante el siglo X sin embargo, quizá al acabar su reino, Uxmal vivió un periodo de decadencia cuyo contrapunto fue el sorprendente desarrollo de Chichen Itzá, destinada a convertirse en el nuevo centro de poder yucateco en los siglos posteriores.

La arquitectura de los asentamientos Puuc se caracteriza principalmente por sus complejos frisos de mosaicos que decoran las paredes de los edificios. Algunos son geométricos, en forma de grecas o esteras (símbolo del poder), o figurativos, como los célebres mascarones de nariz larga,

▲ *Esta losa calcárea con bajorrelieve está colocada sobre la fachada posterior del Palacio de las Máscaras de Kabah, en ella aparece retratado con un prisionero, en presencia de una deidad.*

▶ *Detalle de una esquina del Edificio Este del Cuadrángulo de las Monjas. El mascarón representa muy probablemente al dios de la lluvia, Chac, con su típico "tronco" en forma de serpiente.*

aunque también presentes en la arquitectura Río Bec y Chenes, son el sello distintivo de la tradición Puuc. A pesar de que han sido identificados con la deidad Chac, es probable que representen además otras deidades, como el Monstruo Wits (Montaña), Itzamná en sus manifestaciones de Monstruo Terrestre y Dragón Celeste o el Dios K. Su larga nariz, frecuentemente confundida con un tronco, representa una extensión del rostro de una serpiente.

En algunos casos las fachadas de los edificios están decoradas con esculturas de bulto redondo, que retratan a los propios soberanos.

Otro elemento típico de los sitios Puuc (aunque también de otros centros yucatecos) es la presencia de sacbeob, (calles blancas), avenidas de terraplen que unían a los diversos sitios, quizá como manifestaciones materiales de las alianzas políticas y lugares de paso de la corte y de las misiones diplomáticas.

▶ *Una de las estatuas halladas sobre la fachada oriental del Codz Pop de Kabah. En ella aparece un soberano de la ciudad ricamente ataviado con un tocado y collar, con un fondo de plumas de quetzal.*

Uxmal

El gran centro monumental de Uxmal está conformado por cuatro complejos arquitectónicos principales. La estructura más imponente es sin duda la Pirámide del Adivino, con sus 40 metros aproximados de altura y caracterizada por sus esquinas redondeadas. Su lado oriental, donde se yergue también un pequeño edificio con un portal decorado con un enorme mascarón, está apoyado en uno de los cuatro palacios que conforman el Cuadrángulo de los Pájaros, un complejo recientemente restaurado que, según algunos especialistas, era residencia del señor Chaac. Al este se encuentra el famoso Cuadrángulo de las Monjas, erigido por el señor Chaac entre el 900 y el 910 d.C. Sus cuatro edificios muestran frisos cuya simbología alude principalmente a los mitos de la creación y a su nexo con la ideología de la realeza. La construcción principal, decorada por una serie de grandes mascarones, se halla sobre el lado norte, mientras al centro del patio se eleva una columna de piedra que simboliza el árbol cósmico. Al sur de este primer grupo arquitectónico, después de un campo de juego decorado con imágenes de la Serpiente Emplumada y de anillos esculpidos, se llega al mayor complejo monumental, cuya plaza oriental es dominada por el Palacio del Gobernador.

Superior En esta panorámica del sector sur de Uxmal se pueden apreciar a la izquierda el Palacio del Gobernador, al centro la Casa de las Tortugas y a la derecha el Campo de Juego. Al fondo vemos la imponente mole de la Gran Pirámide y la Casa de los Pichones.

▲ *La Pirámide del Adivino de Uxmal, vista desde el lado oeste, sobre el Cuadrángulo de los Pájaros. La forma de esta pirámide con esquinas redondeadas es totalmente inusual en el panorama arquitectónico mesoamericano.*

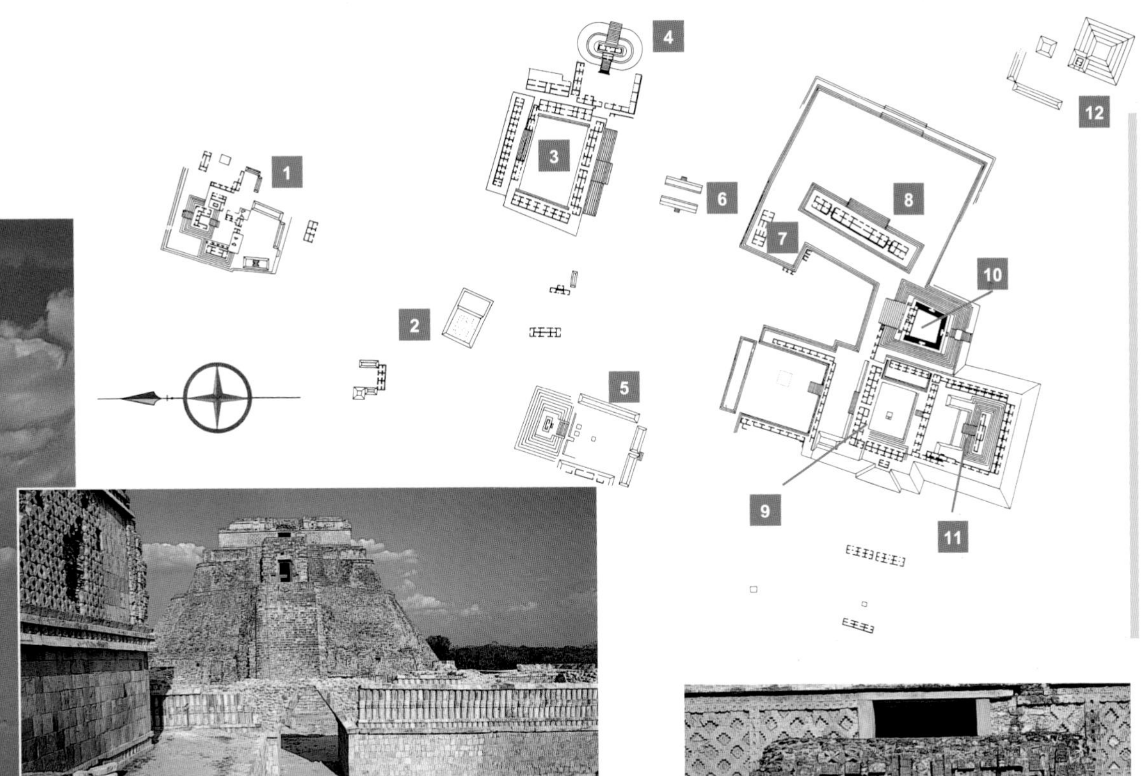

Uxmal

1 Grupo Norte
2 Plataforma de las Estelas
3 Cuadrángulo de las Monjas
4 Pirámide del Adivino
5 Grupo del Cementerio
6 Juego de pelota
7 Casa de las Tortugas
8 Palacio del Gobernador
9 Casa de los Pichones
10 Gran Pirámide
11 Grupo Sur
12 Pirámide de la Vieja

◀ *La escultura arquitectónica conocida como "la Reina de Uxmal" quizá representa a un ser divino, cuya cabeza surge de las fauces abiertas de una serpiente.*

Izquierda superior La Pirámide del Adivino y el Cuadrángulo de las Monjas. La serie de columnas y rejillas visible a la izquierda es típica de la arquitectura Puuc.

▲ *Este elaborado portal se abre sobre el lado occidental de la Pirámide del Adivino. Está decorado con mascarones en mosaico, típicos también del estilo Puuc.*

La fachada tripartita del Palacio, donde se halla una escultura con la figura del señor Chaac, está orientada hacia el punto del horizonte por el cual se ve a Venus surgir desde su extremo sur, para luego pasar exactamente atrás del trono que tiene forma de jaguar bicéfalo. El trono se encuentra frente al Palacio y es muy probable que el señor se sentara en él durante el evento astronómico, subrayando con ello su relación con el planeta. Quizá el Palacio del Gobernador (bajo el cual hay una estructura anterior en estilo Chenes) haya sido el Popol Na (La casa de la estera), es decir el lugar donde se reunía el concejo de gobierno compuesto por el soberano y los jefes de los principales linajes de la ciudad.

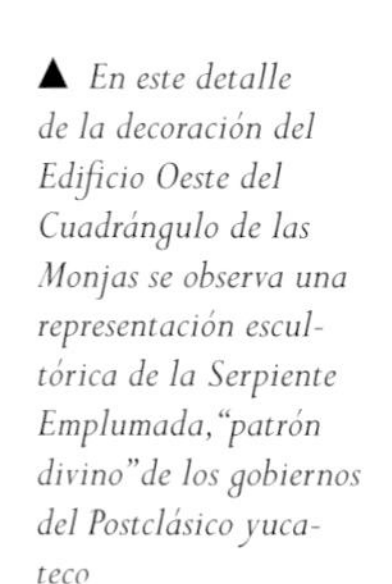

▲ *En este detalle de la decoración del Edificio Oeste del Cuadrángulo de las Monjas se observa una representación escultórica de la Serpiente Emplumada, "patrón divino" de los gobiernos del Postclásico yucateco*

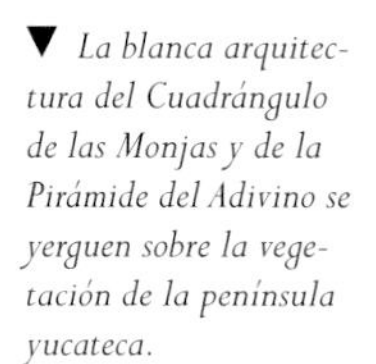

▼ *La blanca arquitectura del Cuadrángulo de las Monjas y de la Pirámide del Adivino se yerguen sobre la vegetación de la península yucateca.*

Al norte del palacio está ubicada la Casa de las Tortugas, un pequeño edificio decorado con esculturas que representan esos animales que eran asociados a los *pahuatún*, dioses que sostenían la bóveda celeste. El cuerpo de la Pirámide Sur conecta el área del palacio con la de la llamada Casa de los Pichones, un vasto complejo de patios y salones cuyos edificios están coronados por las altas crestas que dieron nombre al grupo. Al norte de la Casa de los Pichones se encuentran los demás núcleos arquitectónicos del sitio: el Cementerio y el Grupos Norte.

El Edificio Este del Cuadrángulo de las Monjas. Se observa cómo luces y sombras subrayan la refinada decoración arquitectónica de este edificio de típico estilo Puuc.

Superior izquierda
Detalle de la decoración del Edifico Este del Cuadrángulo de las Monjas. La escultura representa el rostro de una deidad cubierto con una máscara de cuentas de jade y enmarcado por un gran tocado de plumas.

Superior derecha
Detalle de la decoración del Edificio Este del Cuadrángulo de las Monjas. La pequeña figura humana tiene un fondo de símbolos que aluden a la división del universo en cuatro partes.

▲ *El Cuadrángulo de las Monjas, uno de los principales complejos arquitectónicos de la ciudad fue mandado erigir por el señor Chaac entre 900-910 d.C.*

► *El acceso sur al Cuadrángulo de las Monjas. En segundo plano se aprecia la fachada del Edificio Norte, caracterizada por imponentes columnas verticales de mascarones de mosaicos.*

▼ *Uno de los dos aros del Campo de Juego de Uxmal. Estas "canastas" empezaron a aparecer a finales del periodo Clásico. El aro tiene una inscripción glífica.*

Página 159 superior El trono bicéfalo ubicado frente al Palacio del Gobernador en Uxmal.

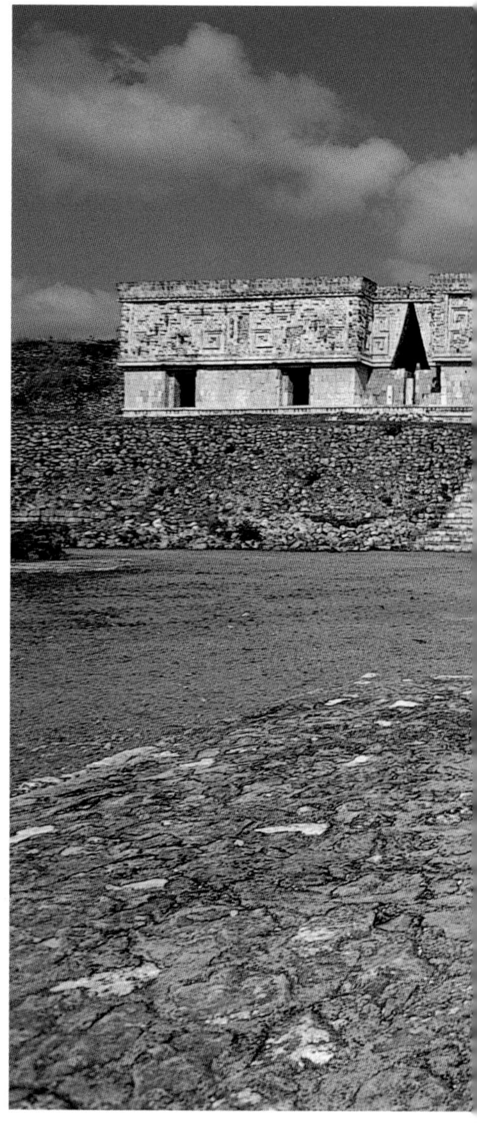

158 inferior Escultura central de la fachada del Palacio del Gobernador en Uxmal. La figura sentada ataviada con un enorme tocado es el señor Chac, el gobernador más importante de Uxmal.

Página 159 inferior Panorámica de Uxmal, con el Palacio del Gobernador en primer plano. Es probable que este edificio haya sido el Popol Na, la "Casa de la Estera", sede del gobierno de la ciudad.

▲ *Otra imagen del trono en forma de jaguar bicéfalo, colocado en una posición que, el día que Venus se hallaba en su extremo sur, el planeta surgía exactamente a espaldas del gobernador. La asociación del jaguar animal con la figura real era parte de una larga tradición maya; es notable la semejanza de este trono y el que sirve a Pacal en la célebre Tablilla Ovalada de Palenque.*

Detalle de una de las tortugas que decoran la casa que lleva ese nombre. En la mitología maya este animal era tradicionalmente asociado a las deidades que sostenían la bóveda celeste.

◀ El nombre moderno de la llamada Casa de los Pichones se debe al singular aspecto de sus montículos arquitectónicos perforados.

Superior La Casa de las Tortugas lleva ese nombre por las esculturas que decoran su cornisa superior. Como los demás edificios de Uxmal, pertenece al Clásico Terminal.

Inferior La Gran Pirámide une el complejo del Palacio del Gobernador con el de la Casa de los Pichones. Como se puede observar, gran parte del edificio sigue aún sin excavar.

Kabah

El centro monumental de Kabah es literalmente atravesado por la carretera federal 261. Desde esa vía, sobre el lado occidental se pueden apreciar estructuras como el imponente montículo piramidal conocido como "Gran Templo", la "Casa de las Brujas", el Cuadrángulo Occidental y un gran arco que señala el punto de llegada del sacbé que unía Kabah con Uxmal, situada a 18 kilómetros de distancia.
Al norte del Cuadrángulo Occidental están el Templo de las Llaves y el Templo de los Arquitrabes, cuyos arquitrabes de madera esculpida fueron desprendidos por John Stephens, para llevárselos a Nueva York donde desaparecieron entre las llamas de un incendio.

◄ *Vista de la galería interior del Codz Pop. Se aprecia como la larga "nariz" del mascarón que está bajo el umbral del vano interior sirve de escalón. De este monumento parte el sacbé de 18 kilómetros que une la ciudad con Uxmal, quizá símbolo tangible de la alianza que unía a los dos sitios.*

▲ *De acuerdo con una interpretación reciente, los mascarones de la fachada oeste del Codz Pop no representarían al dios de la lluvia Chac, sino a Itzam Cab Ain, el cocodrilo que encarnaba la forma terrestre de la suprema deidad Itzamná.*

► *La fachada oeste del Codz Pop está completamente recubierta por más de 250 mascarones esculpidos.*

▼ *El Arco de Kabah fue construido con la técnica del "falso arco", característico del arte maya.*

Sobre el lado oriental de la carretera se hallan los edificios principales de Kabah, como el Templo de las Columnas, la Pirámide de las Máscaras y el Palacio. Este último, aunque no es tan espectacular como el de Sayil, es un excelente ejemplo de la tipología constructora típica del estilo Puuc: cada una de las entradas del edificio tiene una columna central.
El monumento más célebre de Kabah es sin duda el Codz Pop, que destaca por la complejidad de su decoración. Se trata de un palacio de diez estancias que probablemente fue la sede del gobierno citadino, cuya fachada está completamente cubierta por más de 250 mascarones de divinidades, cada uno compuesto por 30 partes esculpidas y ensambladas. En la fachada posterior había restos de siete estatuas, sólo dos de ellas pueden ser vistas *in situ*; representan un personaje ricamente ataviado y con el rostro decorado con escarificaciones, tal vez sean retratos del soberano de la ciudad, conocido como "Rey de Kabah", representado también sobre la estípite de la Sala 21 del mismo edificio. El descubrimiento de las esculturas del lado oeste del edificio impuso una nueva interpretación de la iconografía del templo. De acuerdo con recientes investigaciones, los mascarones representarían a Itzam Cab Ain, el monstruo con forma de cocodrilo representación terrena de Itzamná, la suprema deidad maya. El lado oeste del edificio simbolizaría su aspecto nocturno y relacionado con el inframundo, mientras el lado este, el celeste. Quizá también esta connotación de Itzamná fue la base del poder del "Rey de Kabah", cuyas estatuas –no por casualidad– están paradas sobre una Serpiente Emplumada, símbolo de los linajes de la realeza.
La nueva interpretación del Codz Pop y de otras estructuras Puuc está modificando sustancialmente la imagen un tanto estereotipada de una sociedad obsesionada por la representación del dios de la lluvia, y buscando una interpretación de su cultura con base en sus modelos artísticos e ideológicos.

Superior izquierda En la fachada Este del Codz Pop se aprecian las dos únicas estatuas de bulto redondo que conservan su decoración original; en ambas aparece el soberano de la ciudad, conocido como el "Rey de Kabah".

Superior derecha Ante el palacio se extiende la plaza central del sitio arqueológico. A la izquierda de la imagen se observan dos columnas monolíticas, típicas del estilo Puuc.

Planta del Codz Pop, o Palacio de las Máscaras, principal monumento de Kabah

Sayil

El centro monumental del Sayil es dominado por su gran palacio de varios pisos, con una fachada decorada con columnas y mascarones de deidades. Este edificio, evidentemente residencia del linaje gobernante, es sin duda el palacio más bello de toda la región Puuc. De la plaza que tiene al frente sale un sacbé directo hacia el sur, que conduce a un campo de juego, un palacio de dos pisos probablemente ocupado por los nobles y funcionarios que regían la vida civil y administrativa del lugar y una plataforma destinada a acoger las estelas de la ciudad junto con sus altares. Sayil y Uxmal fueron unas de las pocas ciudades Puuc que mantuvieron viva la tradición de las estelas con bajorrelieves que representan gobernantes y prisioneros. Casi a la mitad del sacbé se encuentra la estructura conocida como "El Mirador", al sur de la cual se distinguió recientemente un complejo arquitectónico interpretado como el mercado de la ciudad.
Las últimas investigaciones arqueológicas en Sayil se han centrado en la identificación de las estructuras menores y la realización de un mapa detallado del sitio. La exploración de la periferia ha permitido constatar que Sayil abarca un área de 3,5 kilómetros cuadrados aproximadamente, en gran parte ocupada por plataformas habitacionales asociadas a cisternas en las que se conservaba agua, que indican una elevada densidad de habitantes. Entre los distintos grupos de habitaciones había jardines en los que se cultivaban tunas, chiles, maíz, árboles frutales y flores, cuyos residuos han sido identificados en el suelo. Los límites del asentamiento que parece haber sido una verdadera ciudad jardín, están marcados por cuatro pequeñas estructuras piramidales en los puntos cardinales. Resulta interesante anotar que estas investigaciones han demostrado que Sayil fue ocupada por mayas yucatecos y no por mayas chontales, como se pensaba anteriormente.

▲ *Mascarón de una esquina del palacio de Sayil: de izquierda a derecha se distinguen la larga "nariz" en forma de serpiente, el ojo y el complejo adorno de la oreja.*

► *El Palacio de Sayil es quizá el mejor ejemplo de edificios de este tipo, característicos de la arquitectura Puuc. Es evidente la semejanza con el Edificio de Cinco Pisos de Edzná.*

▼ *La fachada del palacio tiene elementos típicos de la arquitectura Puuc: columnas monolíticas, series de "falsas columnas" y mascarones de deidades.*

Página 165 superior derecha Este detalle de la decoración escultórica del Palacio representa una serpiente. Véase que la larga "nariz" de la deidad es en realidad una especie de "labio" de serpiente.

Página 165 inferior Mascarón de mosaico del Palacio de Sayil. La larga "nariz" de la deidad es al parecer un atributo de lo sagrado, que comparten varias deidades mayas.

Plano del Palacio, monumento principal de Sayil

▲ *El Palacio está unido al resto del centro monumental por un sacbé, que aparece a la derecha.*

Páginas 166-167 Vista de un sector del sitio de Labná, desde la cúspide de la pirámide conocida como "El Mirador".

▲ *Detalle de la decoración característica de un edificio de Labná.*

LABNÁ

Labná es buen ejemplo de un sitio Puuc de dimensiones medianas. En su centro monumental destaca un bello palacio de dos plantas, similar al de Sayil. Entre los elementos escultóricos que decoran su fachada se encuentra, en una esquina del ala oriental, la imagen de un rostro humano que surge de las fauces abiertas de una serpiente; esta escultura que recuerda mucho a la célebre "Reina de Uxmal" podría ser una representación de Kukulkán. Frente al palacio sale un sacbé que pasa junto a un gran templo-pirámide coronado por una alta cresta, conocido como "El Mirador". En la actualidad, la pirámide es sólo un gran cúmulo de piedras sobre el cual hay un templo; sabemos que hasta el siglo XIX el templo estuvo decorado por una serie de esculturas que representaban cráneos y figuras humanas, que ya no existen. El sacbé continua hasta dos complejos de edificios unidos por un espléndido arco, uno de los más bellos monumentos del universo Puuc. En sus dos caras hay diversos conjuntos decorativos: el lado Este está decorado con un haz de elementos espi-

▼ El Arco de Labná es el mejor ejemplo de esta característica distintiva del estilo arquitectónico Puuc.

▲ El templo que está en la cúspide de la mayor pirámide de Labná, conocida como "El Mirador", tiene una gran cresta originalmente decorada con esculturas, referidas por John L. Stephens en 1840.

rales y triangulares escalonados, mientras en el Oeste figuran representaciones de dos chozas con techo de paja, cuya entrada era un nicho que probablemente contenía elementos escultóricos, hoy desaparecidos. Este arco, reproducido en un célebre dibujo de Frederick Catherwood, se ha vuelto uno de los símbolos del arte maya. Paradójicamente, el conocimiento arqueológico del sitio es muy escaso, pues desde entonces no ha vuelto a ser objeto de estudios a profundidad. Varias estructuras alrededor del centro monumental siguen sin ser estudiadas.

▲ La decoración de la fachada occidental del arco es distinta de la de la fachada oriental; los dos nichos laterales, que servían de acceso a las cabañas, probablemente tuvieron esculturas.

◀ Detalle de la decoración escultórica del Palacio de Labná. El rostro que surge de las fauces de una serpiente hace recordar a la célebre escultura conocida como "Reina de Uxmal".

Chichen Itzá

La historia

Chichen Itzá ("Al borde de los Pozos de los Itzá"), en la primera etapa de su historia fue un próspero centro Puuc y varios de los monumentos de la ciudad pertenecen a esa época. El apogeo de la ciudad inició sin embargo, alrededor del 950 d.C, cuando los Itzá la transformaron en la más espléndida Tollán mesoamericana y en uno de los principales lugares de culto de Kukulkán (traducción maya yucateca de Quetzalcóatl, Serpiente Emplumada), representado en la mayor parte de los monumentos, algunas fuentes llegan a citarlo como soberano de la ciudad. Los nueve monumentos fueron realizados en un estilo evidentemente tolteca (incluso si la división entre ambos estilos no es nítida), y algunos de ellos son verdaderas copias de monumentos de Tula (Hidalgo), la capital contemporánea del imperio tolteca, característica que ha generado numerosos y divergentes hipótesis sobre las relaciones entre ambas ciudades (véase el apartado "¿Mayas-Toltecas o Zuyuanos?"). Lo cierto es que Chichen Itzá se convirtió en un poderoso Estado regional multiétnico cuyos gobernantes mantenían estrechas relaciones de alianza con los otros linajes itzá asentados en localidades como Izamal, Mayapán y, quizá, Edzná. La rivalidad entre algunos de estos centros puso fin al dominio de Chichen Itzá. Según la versión "romántica" de los hechos, el gobernante de Izamal raptó a la mujer del señor de Chichen Itzá y en la guerra resultante Hunac Ceel, señor de Mayapán perteneciente al linaje itzá de los Cocom, con la ayuda de mercenarios mexicanos derrotó y saqueó a la gran capital en 1221. No sabemos qué grado de leyenda hay en esta historia, lo cierto es que el centro monumental de Chichen Itzá muestra signos de saqueo y abandono que datan alrededor de 1200-1250 d.C., y que coincide con la ascensión de Mayapán, cuyos monumentos son una suerte de copia de los de Chichen Itzá, aunque de menor calidad.

El sitio

El sitio arqueológico de Chichen Itzá se extiende a más de 30 kilómetros cuadrados y su centro monumental está dividido en varios complejos arquitectónicos. Los monumentos más antiguos pertenecen a la época Puuc: el complejo conocido como "Las Monjas" (formado por los edificios Monjas, Iglesia y Anexo), el Akab Dzib, el Grupo de la Casa Roja y la terraza en la que se yergue el Caracol. Entre ellos, el más relevante es el Complejo de las Monjas y en sus edificios pueden observarse mascarones de "nariz" larga y las in-

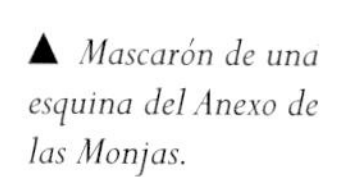

▲ *Mascarón de una esquina del Anexo de las Monjas.*

► *El Complejo de las Monjas es uno de los sectores de Chichen Itzá edificados en el más puro estilo Puuc. En esta imagen reconocemos a la izquierda el Anexo de las Monjas y a la derecha la parte posterior de la Iglesia.*

▼ *La Casa Roja de Chichen Itzá, cuya pertenencia al estilo Puuc resulta evidente por el friso superior del edificio.*

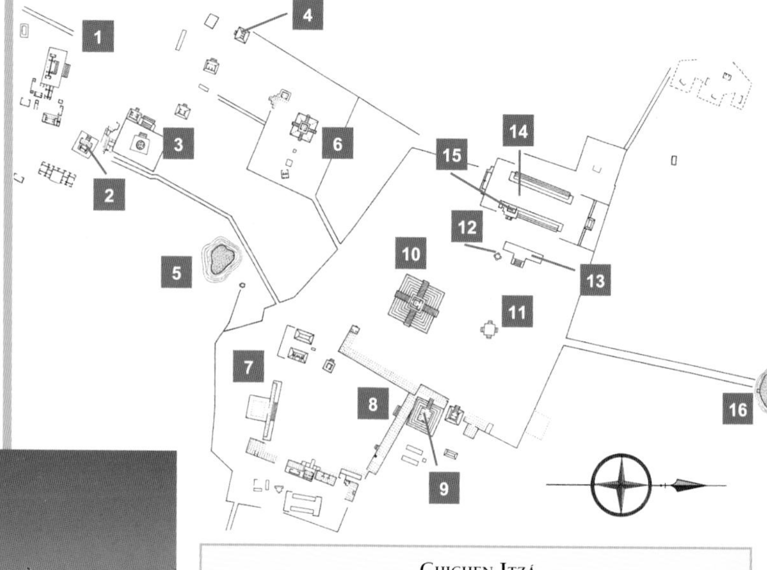

Chichen Itzá

1	Casa de las Monjas	9	Templo de los Guerreros
2	Templo de los Relieves Pintados	10	El Castillo
3	Caracol (observatorio)	11	Plataforma de Venus
4	Casa Colorada	12	Plataforma de las Águilas
5	Cenote	13	Tzompantli
6	Tumba del Gran Sacerdote	14	Gran juego de pelota
7	Mercado cubierto	15	Templo de los Jaguares
8	Grupo de las Mil Columnas	16	Cenote sagrado

▲ *El llamado "Caracol" es una estructura de la época Puuc, remodelada a principios del periodo Postclásico.*

tricadas decoraciones típicas del estilo Puuc. El Caracol, cuya parte superior probablemente fue remodelada a principios del Postclásico, es en cambio una especie de torre que funcionaba como observatorio astronómico.
Al norte de la zona Puuc de la ciudad surge el segundo complejo, en torno a la pirámide conocida como "Osario" o "Tumba del Gran Sacerdote". El edificio está decorado por paneles esculpidos que representan aves de rapiña con la cabeza del Dios K y el célebre hombre-pájaro-serpiente, que aparece también en el templo de los Guerreros, y por balustradas en las que figura retratada una Serpiente de Nubes (en náhuatl: Mixcóatl) y una Serpiente Emplumada entrelazadas. Bajo la pirámide, en cuya cúspide se hallan columnas en forma de Serpientes Emplumadas, hay una gruta que debe haber representado una entrada simbólica al mundo de los muertos.
Los grandes mascarones en estilo Puuc y la miriada de fragmentos de incensarios del Postclásico encontrados cerca del templo, son indicio de la larga historia del edificio. En el mismo grupo puede apreciarse una Plataforma de Venus, en todo análoga a la de la Plaza Central, con la única diferencia de que las serpientes del friso superior son serpientes de nubes y no emplumadas.

▲ *Se piensa que el Caracol pudo haber servido como observatorio astronómico.*

Comenzando el recorrido por el norte se entra en la gran Plaza Central, rodeada por una muralla en talud de una altura de seis metros, en cuyo interior se encuentran los monumentos más célebres de la ciudad. Al centro se eleva El Castillo, una gran pirámide de seis niveles coronada por un templo cuya entrada está flanqueada por columnas en forma de serpientes emplumadas. Figuras similares, que representan la deidad a la que el templo estaba dedicado, decoran también las balaustradas de las cuatro escalinatas; un juego de luces y sombra da la impresión de que las grandes serpientes descienden de la pirámide los días de equinoccio de primavera y otoño. Bajo El Castillo se puede visitar una versión más antigua de la misma pirámide, en cuyo templo se hallan dos esculturas: un trono en forma de jaguar rojo con incrustaciones de piedras verdes, en cuyo torso fue colocado un disco de mosaicos, y un Chac Mool, la célebre escultura que representa a un hombre reclinado que sostiene en el vientre un plato destinado a la recolección de las ofrendas.

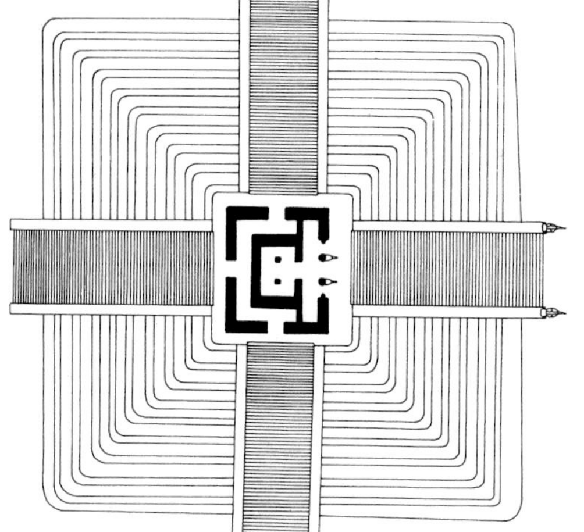

Plano y sección del Castillo en que puede verse la estructura más antigua

Superior En El Castillo fue hallada una pirámide más antigua. Dentro del templo del montículo hay dos esculturas: un Chac Mool (en primer plano) y un trono en forma de jaguar pintado de rojo. Las manchas de la piel del animal fueron representadas por incrustaciones de piedras verdes; en el dorso tenía un disco de madera revestido con mosaicos de turquesas.

Páginas 170-171 El Castillo estaba dedicado al culto de Kukulkán, versión maya de la serpiente emplumada. La divinidad estaba representada en las columnas del templo del montículo y en las balaustradas de las cuatro escalinatas.

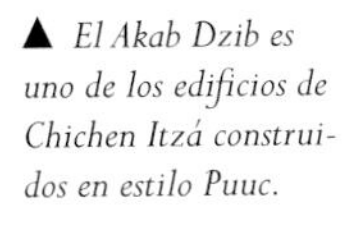

▲ *El Akab Dzib es uno de los edificios de Chichen Itzá construidos en estilo Puuc.*

▲ *El Osario, o Tumba del Gran Sacerdote, es una pequeña pirámide erigida sobre una cueva natural. Las balaustradas de la escalinata están decoradas con imágenes de Serpientes de Nubes y Serpientes Emplumadas entrelazadas, con una sola cabeza que tiene las fauces abiertas. Junto al árbol se ve la escultura de una serpiente de cascabel proveniente de la decoración de la pirámide.*

Uno de los Atlantes que sostienen la mesa altar del templo de los Guerreros. Véase la semejanza con las esculturas análogas de Tula.

▲ *El Templo de los Guerreros de Chichen Itzá, que en algunos aspectos parece copia del Templo B de Tula, muestra una clara mezcla de elementos arquitectónicos Puuc y toltecas.*

▶ *Las pilastras frente al Templo de los Guerreros están decoradas con bajorrelieves que representan soldados armados y a Tlahuizcalpantecuhtli, Venus como Estrella de la Mañana.*

En el lado Este de la plaza se encuentra el Templo de los Guerreros, una especie de "copia" del Templo B de Tula (mucho más refinada que la original). Las paredes externas de la estructura superior están decoradas con mascarones en estilo Puuc y con imágenes del hombre-pájaro-serpiente, quizá representaciones de Tlahuizcalpantecuhtli, o Venus como Estrella de la Mañana. Atrás del Chac Mool, que está en la cúspide de la escalinata, una entrada flanqueada de majestuosas columnas en forma de serpiente por la que se accede al templo donde hay unas bancas esculpidas y columnas decoradas con bajorrelieves que representan guerreros. Bajo el Templo de los Guerreros se encuentra el más antiguo templo del Chac Mool, con pinturas murales y bancas policromadas que figuran personajes de élite sentados sobre cojines de piel de jaguar y guerreros armados sentados en tronos con forma de jaguar. Al norte del edificio se puede observar el Templo de las Mesas, bastante similar al primero y en cuyo interior fueron encontradas columnas que conservan su policromía original.

La columnata que está antes de la escalinata del Templo de los Guerreros, donde pueden apreciarse bajorrelieves similares a los que están dentro del templo, se junta con las grandes columnatas que rodean el Patio de las Mil Columnas, en cuyo lado sur se yerguen un edificio conocido como "el Mercado" y uno de los tres campos de juego del centro monumental.

◀ *El Castillo visto desde la cúspide del Templo de los Guerreros. Frente a la entrada del edificio hay un Chac Mool.*

SECCIÓN DEL TEMPLO DE LOS GUERREROS

1 TEMPLO DE LOS GUERREROS

2 TEMPLO DE CHAC MOOL

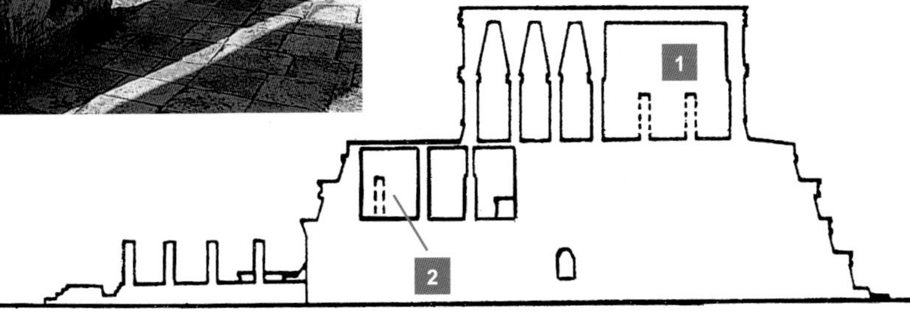

▲ *Parte del Patio de las Mil Columnas, el vasto patio porticado que se extiende al sur del Templo de los Guerreros. La presencia de espacios y salones con columnas, de origen septentrional, es típica de los centros monumentales del Postclásico Antiguo.*

Derecha La mesa de este altar, que se encuentra dentro del templo de los Guerreros, es sostenida por pequeñas esculturas con forma de Atlantes.

▶ *En la imagen se aprecia el centro del complejo conocido como "el Mercado", ubicado al sur del Patio de las Mil Columnas.*

▼ *Escultura en forma de cabeza de serpiente que corona la balaustrada de la escalinata del Templo de los Guerreros, sobre ella se ve un pequeño portaestandarte antropomorfo.*

Página 175 El Chac Mool de la entrada del Templo de los Guerreros. Atrás se yerguen dos columnas con forma de serpientes emplumadas con las fauces abiertas. Los "capiteles" de las columnas representan las serpientes de cascabel emplumadas.

▲ *Esta escultura colocada en la fachada del Templo de los Guerreros representa un rostro humano surgiendo de las fauces de un animal fantástico, con cabeza de ave de rapiña y cuerpo de serpiente, quizá representación de Tlahuizcalpantecuhtli, Venus como Estrella de la Mañana, deidad asociada con la Serpiente Emplumada a quien estaba dedicado el Templo B de Tula.*

▲ *En este detalle del Templo de los Guerreros se observan un felino (jaguar o puma) y un guerrero armado con lanza. El personaje además de un adorno en la nariz, lleva círculos alrededor de los ojos, característicos del dios de la lluvia del centro de México.*

▶ *Dentro del Templo de los Guerreros fue identificada una estructura más antigua, conocida como "Templo de Chac Mool".*

▶ *Detalle de uno de los mascarones del dios Chac que decoran la fachada de la Casa de las Monjas.*

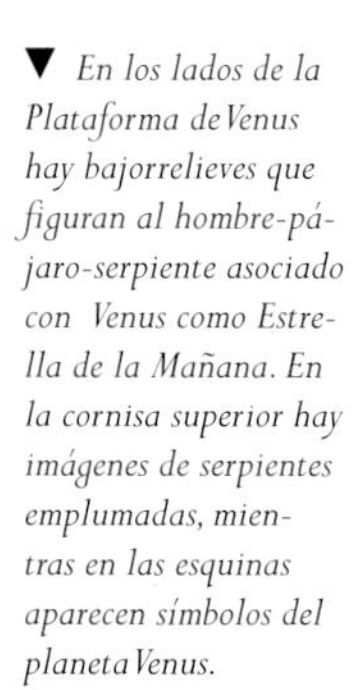

▼ *En los lados de la Plataforma de Venus hay bajorrelieves que figuran al hombre-pájaro-serpiente asociado con Venus como Estrella de la Mañana. En la cornisa superior hay imágenes de serpientes emplumadas, mientras en las esquinas aparecen símbolos del planeta Venus.*

▶ *A los lados de la Plataforma de las Águilas y de los Jaguares hay bajorrelieves que representan aves de rapiña y felinos alimentándose con corazones humanos. La cornisa superior está por su parte decorada con imágenes de guerreros vestidos a la moda del centro de México. Probablemente este edificio servía al sacrificio de los prisioneros de guerra.*

En la plaza central hay varias plataformas menores. La Plataforma de Venus, con balaustradas y cornisas superiores decoradas con serpientes emplumadas, tiene paneles con bajorrelieves que representan al hombre-pájaro-serpiente, identificado con el aspecto matutino del planeta. Los bajorrelieves de la contigua y parecida Plataforma de las Águilas muestran aves de rapiña y jaguares alimentándose con corazones humanos, tema iconográfico presente también en Tula.

▶ *Detalle de la decoración escultórica del tzompantli. Esta plataforma totalmente recubierta con imágenes de cráneos, sostenía la rejilla de madera en la que se colgaban los cráneos de los prisioneros sacrificados. El tzompantli es uno de los muchos elementos provenientes del norte que pueden encontrarse en Chichen Itzá.*

▲ *Las dos enormes cabezas de felinos que aquí se ven decoran las balaustradas de la Plataforma de los Jaguares y las Águilas.*

▶ *En este panel en bajorrelieve de la Plataforma de los Jaguares y las Águilas aparece un jaguar devorando un corazón humano. A la derecha se ve la cabeza de un águila, haciendo lo mismo.*

Junto a esta última plataforma se yergue el tzompantli: su basamento –que debe haber sostenido la rejilla de madera en la que colgaban las cabezas de los sacrificados– muestra cráneos en bajorrelieve.

▼ *El Campo de Juego de Chichen Itzá, con su forma característica en "I", es uno de los más imponentes de Mesoamérica.*

▶ *Vista del Campo de Juego. La presencia de escenas de guerra en el contiguo Templo de los Jaguares ha hecho suponer que los partidos representaban batallas rituales.*

El Campo de Juego y las estructuras anexas cierran el lado occidental de la plaza. Frente a la plaza está el Templo Inferior de los Jaguares, en cuyo interior, además de bajorrelieves puede verse una escultura trono en forma de jaguar. En el Templo Superior de los Jaguares, ubicado de cara al campo fue hallada una pintura que representa una batalla.
El revestimiento del gran Campo de Juego, en cuyos lados hay dos anillos esculpidos, está cubiertos con paneles en bajorrelieve con las imágenes de dos grupos de jugadores, convergen en una escena central que representa la decapitación de uno de ellos: a la izquierda se aprecia un personaje que sostiene la cabeza cortada y un cuchillo, mientras a la derecha –además de la pelota central que contiene un cráneo– se ve al hombre decapitado de cuyo cuello salen chorros de sangre en forma de serpiente.
Del lado norte de la Plaza Central sale el sacbé que conduce al Cenote Sagrado, el gran pozo natural que en tanto acceso al mundo subterráneo de las deidades acuáticas, debe haber sido uno de los principales lugares sagrados de Mesoamérica: dentro del cenote, del que también proviene el nombre de la ciudad, se hallaron ricas ofrendas de lugares lejanos, como Colombia, además de restos de personas sacrificadas. La arquitectura de Chichen Itzá es sin duda el mejor ejemplo de la extraordinaria mezcla estilística que caracterizó al Postclásico maya, reflejo de los nuevos modelos ideológico-políticos que venían del centro de México.

▶ *A la entrada del Templo Inferior de los Jaguares decorado con bajorrelieves y ubicado frente a la plaza principal, hay un trono con forma de jaguar.*

Izquierda En este detalle de los bajorrelieves del Campo de Juego se ve una pelota que contiene un cráneo. La asociación de la pelota de hule y la cabeza humana aparece en varias obras de arte y en narraciones míticas como el Popol Vuh.

Derecha En esta imagen de uno de los aros-meta del Campo de Juego de Chichen Itzá se ve que estaban decorados con dos serpientes entrelazadas. Las fuentes de la época colonial refieren que si uno de los jugadores lograba que la pelota pasara por el aro, su equipo ganaba el partido inmediatamente.

◀ *El Templo Superior de los Jaguares, cuya entrada es sostenida por columnas en forma de Serpientes Emplumadas. En su interior había una pintura que representaba una batalla.*

▲ *Bajorrelieve del Campo de Juego con la imagen de un jugador decapitado, de cuyo cuello salen chorros de sangre en forma de serpientes. Abajo a la izquierda se ve parte de la pelota, además del jugador que sostiene la cabeza rebanada y el cuchillo del sacrificio. A la derecha se observa a un jugador con el uniforme típico: cinturón, "palma" (sostenida por el cinturón) y "hacha" (en la mano).*

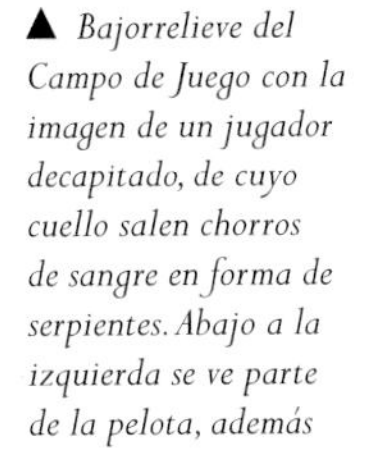

▲ *El Cenote Sagrado de Chichen Itzá –que significa "Al borde del Pozo de los Itzá"– es un pozo calcáreo al que se lanzaban ofrendas votivas y personas sacrificadas en honor de las deidades acuáticas del inframundo. La variedad del origen de las ofrendas halladas en el cenote indica que el prestigio de este santuario debe haberse extendido más allá de los territorios controlados por la metrópoli.*

¿Maya-Toltecas o Zuyuanos?

Este Atlante es una de las muchas imágenes toltecas que aparecen en la iconografía postclásica de Chichen Itzá. El hecho de que varias de ellas sean de carácter militar llevó a pensar en una conquista de Chichen Itzá por parte de los toltecas; la tendencia actual supone que las dos ciudades compartieron una misma ideología política.

La semejanza entre Chichen Itzá y Tula es evidente. El Templo de los Guerreros de Chichen Itzá es casi una copia exacta del Templo B de Tula, el Patio de las Mil Columnas recuerda al Palacio Quemado y elementos como el Chac Mool, las columnas en forma de serpientes emplumadas, las imágenes de los Atlantes, las bancas esculpidas y los tzompantli aparecen en ambas ciudades. Como la zona de origen de estos motivos es el centro de México, durante mucho tiempo Chichen Itzá fue identificada como la Tlapallan a la que emigró Ce Acatl Topiltzin Quetzalcóatl después de su huida de Tula y donde los toltecas que lo acompañaron habrían construido una grandiosa copia de su ciudad de origen. Las frecuentes iconografías bélicas han hecho también pensar en una conquista, en la que los toltecas habrían sometido a los mayas locales (a quienes se atribuye la parte Puuc de la ciudad) haciendo de Chichen Itzá la sede de un nuevo reino maya-tolteca. Sin embargo, en los últimos años las cosas se han complicado y esta interpretación parece ya muy simplista. La cronología de estas ciudades no parece confirmar que hayan sido consecutivas, y un análisis profundo de los monumentos ha mostrado que en realidad varios de los edificios Puuc y toltecas son contemporáneos. Esto pone en jaque a las interpretaciones tradicionales y hace de Chichen Itzá una "hermana" más que una "hija" de Tula. Recientemente, los especialistas mexicanos Alfredo López Austin y Leonardo López Luján propusieron un nuevo enfoque. De acuerdo con su hipótesis, a finales del periodo Clásico nació en Mesoamérica un nuevo modelo político-ideológico, basado en la figura de la Serpiente Emplumada, que continuó hasta la época de la Conquista. Este sistema, llamado "zuyuano" (de Zuyuá, uno de los nombres con que se conocía a la mítica Tollán), se basaba en la coexistencia de distintas unidades étnico-políticas tradicionales, unidos bajo un sistema político que habría gobernado comunidades multiétnicas, bajo la autoridad de un soberano que presidía "concejos" compuestos por señores de cada unidad étnica. Paralelamente, sobre las tradicionales deidades patronas de cada grupo étnico estaba la Serpiente Emplumada como divinidad patrona de carácter territorial y metaétnico.
A este sistema político-ideológico correspondían formas particulares de unión política y actividad bélica. Las primeras se manifestaban como confe-

deraciones de ciudades (como la Liga de Mayapán y la Triple Alianza), verdaderos órganos jurisdiccionales que eran más que simples alianzas militares o de parentesco que distinguieron, por ejemplo, el mundo maya clásico. En el aspecto bélico estos zuyuanos conformaron verdaderos regímenes militares: las guerras de conquista, bastante raras hasta entonces, se volvieron comunes y su propósito pasó de ser el sometimiento y la humillación pública de los soberanos derrotados, para buscar asimilar a otros pueblos al nuevo sistema de poder. El modelo zuyuano se habría originado durante el Preclásico en sitios como Teotenango, Xochicalco y Cacaxtla donde fueron reelaborados rasgos de la cultura de Teotihuacán, de donde parecen provenir varios de los elementos zuyuanos y que fue probablemente la primera Tollán en la Tierra. La nueva forma de poder habría sido difundida en gran parte de Mesoamérica por los toltecas y por pueblos a ellos ligados como los maya chontales. Tula no fue capital de un gran imperio panamericano, sino el principal centro de difusión de la ideología zuyuana que dominó el panorama político postclásico. Las capitales de los sistemas políticos zuyuanos como Tula, Cholula, Chichen Itzá, Mayapán, México-Tenochtitlán y muchos otros, se volvieron réplicas terrenales de la Tollán mítica donde reinaba la Serpiente Emplumada; no es casual que muchos de sus gobernantes sean mencionados en las fuentes con el nombre de Quetzalcóatl o con sus distintas traducciones: Kukulkán, Gucumatz, Nacxit, etcétera. El prestigio del sistema zuyuano se habría difundido también en la mixteca y en los altiplanos de Guatemala, donde las fuentes hablan de confederaciones de capitales expansionistas y soberanos que se dirigían a Tollán para recibir las insignias del poder. La ideología zuyuana habría sido importada a Chichen Itzá por los inmigrantes chontales, que la habrían adquirido a través de sus intensas relaciones con el centro de México. Ese habría sido el origen de un gobierno multiétnico cuyas trazas encontramos en la iconografía de las ciudades, carente de imágenes de soberanos y rica en cambio en imágenes donde aparecen grupos de personajes de élite, aparentemente del mismo rango –las inscripciones se refieren a ellos como "hermanos" (*yitah*), palabra que quizá deba entenderse como "colegas" en el ámbito de una misma estructura de gobierno–. Diego de Landa se refiere de la siguiente manera al gobierno de Chichen Itzá: "...donde dicen que reinan tres señores hermanos que venían de aquellas tierras del poniente, que eran muy religiosos [...]". Un sistema de gobierno parecido, llamado *multepal* (de mul "juntos" y tepal "gobernar") se había difundido en Mayapán y en otras ciudades yucatecas durante la época de la Conquista. Es probable que el título de Kukulkán se refiriera a una suerte de *primus inter pares* que designaba a la autoridad suprema en el ámbito del concejo de gobierno. En los siglos que precedieron a la llegada de los españoles, sin embargo, un nuevo sistema de organización política se estaba consolidando y parecía que supliría al zuyuano: en el mundo azteca y tarasco dos poderosos Estados expansionistas basaban su ideología política en la supremacía de la deidad patrona de su grupo étnico sobre las deidades protectoras de los otros pueblos. Huitzilopochtli ya había "guiado" a las milicias mexicas en sus guerras de conquista y quizá Curicaueri había hecho lo mismo con los ejércitos tarascos si la llegada de los españoles no hubiese acabado con todo para imponer su poder e ideología.

▼ *Discos de mosaico con imágenes de serpientes, conocidos como texcacuitlapilli. Estos objetos han sido hallados tanto en Tula como en Chichen Itzá y representados en la parte posterior de la cintura de los guerreros del Postclásico, por ejemplo en los Atlantes presentes en las ciudades "gemelas".*

▶ *Este Atlante tolteca que porta el típico pectoral en forma de mariposa es similar a los del Templo B de Tula. Estas imágenes de guerreros son unos de los elementos iconográficos más comunes del Postclásico Antiguo, cuyo arte reflejó la nueva ideología zuyuana, usada para legitimar los emergentes sistemas políticos multiétnicos y expansionistas.*

Tulum

La historia

Durante el dominio de los Cocom Itzá de Mayapán la costa este de Yucatán vivió un periodo de extraordinario desarrollo basado principalmente en exitosas actividades comerciales, una tradición local instaurada en el Clásico, cuando varios sitios costeros fungían como puertos de la ciudad de Cobá. Alrededor de 1441 d.C. una revuelta de los Xiú de Mayapán, conducidos por Ah Xupán, culminó en la destrucción de la ciudad y el exterminio de los Cocom; así nacieron pequeños centros donde se asentaron varios linajes chontales: los Cheles en Tecoh, los pocos Cocom que sobrevivieron en Tibolón, los Tutul Xiú en Maní, etcétera. Un poderoso reino surgió en la antigua Chetumal, sobre la costa meridional, que no debe identificarse con la ciudad homónima moderna sino con el sitio arqueológico de Santa Rita Corozal. Las trazas del apogeo de la costa del Postclásico pueden apreciarse en lugares como San Gervasio (en la isla de Cozumel), Akumal, Xelhá, Tancah y Tulum. Este último sitio –quizá la Zamá ("Alba") que mencionan las fuentes históricas–, es el más importante y la belleza de sus ruinas es exaltada por el espléndido escenario natural que lo rodea. Frente al mar Caribe, Tulum fue fundada alrededor del 1200 d.C. y ocupada hasta la llegada de los españoles, cuando la expedición de Juan de Grijalva la avistó y describió en 1518.

► *El sitio arqueológico de Tulum, uno de los más importantes del Postclásico Tardío yucateco, está conformado por una serie de estructuras distribuidas en una área rodeada por una muralla de defensa.*

▼ *El Castillo, principal estructura templo de la ciudad, es ejemplo típico de la arquitectura maya yucateca del Postclásico Tardío.*

► *Entrada del templo de la cúspide del Castillo. Como puede verse, la antigua tradición de las columnas en forma de serpiente usada tanto en Tula como en Chichen Itzá, continuó también en Tulum. Es probable que el templo haya estado dedicado al culto de Kukulkán.*

Superior Esta escultura en estuco decora la fachada del Castillo. Además de imágenes del Dios Descendente, en las paredes del templo aparecen también, imágenes de deidades no identificadas, como la que aquí reproducimos.

◀ El Dios Descendente representado en la cerámica y en los frisos decorativos de los templos de Tulum ha sido identificado con Xuk Ek ("Estrella de la Tarde"), deidad asociada al planeta Venus.

▲ Vista de la escalinata de acceso al Castillo. Las pequeñas construcciones adyacentes presentan la forma típica de paralelepípedo con cornisas salientes en la parte superior.

Las estructuras residenciales más importantes de Tulum tenían pórticos con columnas al frente.

▼ *Tulum está frente al mar Caribe, posición que permitió a la ciudad controlar gran parte del tráfico comercial que unía al Golfo de México con las costas de América Central. Quizá deba identificarse a Tulum como la antigua Zamá que mencionan las fuentes.*

El sitio

Las ruinas de Tulum están rodeadas por una muralla (*tulum*) que cubre sus lados sur, oeste y norte, y sobre la que se elevan pequeñas torres. La parte este, en cambio, se abre sobre las maravillosas aguas del Caribe, hacia el horizonte desde donde se ve el nacimiento del Sol, de ahí el nombre antiguo del sitio: Zamá ("Alba"). El complejo monumental está dominado por El Castillo, un basamento de dos niveles sobre el que hay un edificio cuya entrada es flanqueada por columnas en forma de serpiente, y sobre las que se aprecian varias esculturas de deidades en estuco; la central representa al Dios Descendente, que podría ser identificado con la divinidad venusina Xuk Ek, "Estrella de la Tarde".

La misma divinidad aparece también al frente del Templo del Dios Descendente y en el Templo de los Frescos. En el primero hay pinturas murales divididas en tres registros: en el central se observan escenas análogas en las que una deidad femenina da una ofrenda a otra masculina; entre estos personajes aparecen dos serpientes entrelazadas y un tercer dios en el extremo de la escena. Los registros superior e inferior representan respectivamente el mundo celeste y el inframundo.

El Templo de los Frescos, en cuyas esquinas hay mascarones que representan al dios Itzmaná, tiene pinturas similares a las anteriormente descritas, en las que puede reconocerse varias deidades, pencas de maíz y frijoles.

Estas pinturas, como las del Templo del Dios Descendente, fueron realizadas con negro y azul y su estilo recuerda mucho al del *Códice de París*, uno de los pocos códices mayas que sobrevivieron.

Uno de los edificios del complejo de Tulum es el largo Palacio con su atrio con columnas. En la fachada principal –como en muchos edificios del sitio– aparece representado el Dios Descendente.

▶ *Pórtico ubicado en el Templo de los Frescos. El estilo de las pinturas murales que se aprecian a la izquierda es similar a los códices mayas, particularmente al* Códice de Madrid.

▲ *En este detalle de las pinturas murales del Templo de los Frescos se aprecia una deidad femenina sosteniendo una pequeña imagen del Dios K, símbolo de la realeza.*

Superior derecha Templo 16 o Templo de los Frescos. Las esquinas de la cornisa superior están decoradas con mascarones de estuco que representan a la deidad suprema Itzamná.

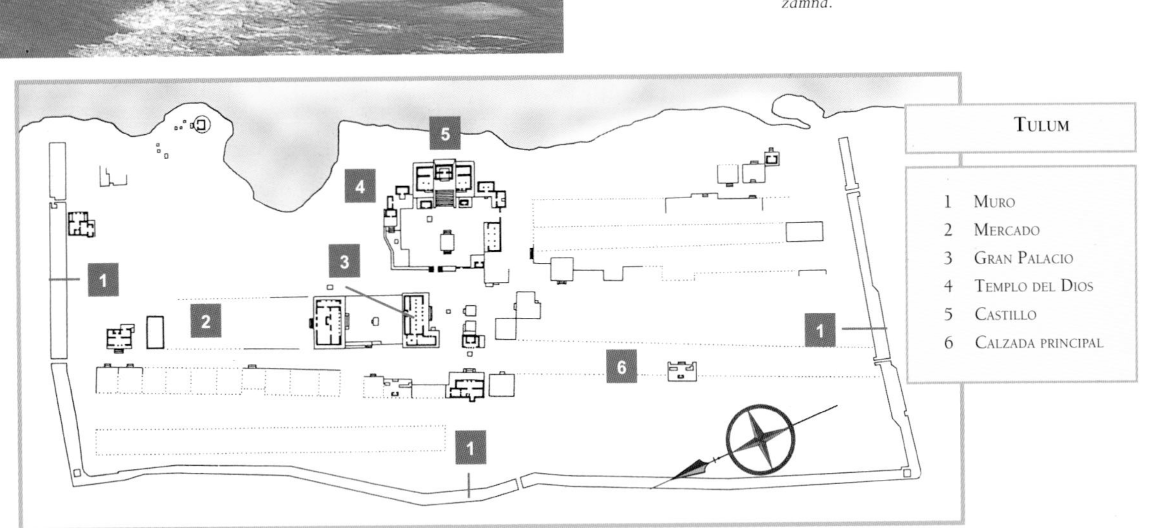

GLOSARIO

(entre paréntesis aparece la lengua a la que pertenece, o de la cual deriva la palabra)

ACOLHUA (náhuatl): "Los que Tienen las Canoas", pueblo nahua que durante el Postclásico se asentó en el centro de México. Su capital más conocida, Texcoco, fue aliada de México-Tenochtitlán.

AH PUCH (maya): "El Desollado", también llamado "Kisin", "El Fétido", deidad maya de la muerte, representado como ser esquelético; también conocido como Dios A.

AZTECAS: nombre convencional que se le ha dado al pueblo originalmente llamado Mexica. Deriva del náhuatl *aztecatl*, nombre que daban los mexicas al pueblo bajo cuyo dominio vivieron en su patria de origen, Aztlán.

CACAXTLI (náhuatl): "bulto", término que indicaba el típico bulto o morral que cargan los comerciantes.

CALLI (náhuatl): "casa", era también el nombre de un día del calendario ritual.

CALMÉCAC (náhuatl): escuela reservada a los jóvenes de la nobleza mexica.

CALPULLI (náhuatl): grupo de parentesco que constituía la célula base de la sociedad azteca.

CALPULTÉOTL (náhuatl): divinidad tutelar de un *calpulli*.

CENOTE: pozo calcáreo natural formado por el colapso de la bóveda de una galería subterránea. En gran parte de Yucatán los cenotes fueron la única posibilidad de aprovisionamiento de agua dulce y se convirtieron en lugares de culto de las deidades subterráneas.

CENTZON HUITZNAHUA (náhuatl): "Los Cuatrocientos Hermanos", los hermanos adversarios de Huitzilopochtli que derrotó en Coatepec. El número 400 es sinónimo de "innumerables" y los Innumerables Hermanos simbolizan a los astros del cierlo nocturno.

CHAC (maya): dios maya de la lluvia que tenía una larga nariz en forma de serpiente; también se le conoce como Dios B.

CHAC MOOL (maya): nombre de las peculiares esculturas postclásicas que representan a un hombre reclinado que sostiene sobre el vientre un plato para las ofrendas. Su nombre, que significa "Gancho Rojo", moderno y meramente convencional, no guarda ninguna relación con la escultura.

CHALCHIUHTLICUE (náhuatl): "La de la Falda Recubierta de Joyas", diosa azteca de las aguas terrestres, probablemente "heredera" de la Gran Diosa teotihuacana.

CHICHIMECAS (náhuatl): con el gentilicio chichimécatl los aztecas designaban de manera general a los pueblos "bárbaros" del norte, incluyendo tanto a los grupos de cazadores-recolectores como a los de agricultores. La región que ocupaban los chichimecas incluía el suroeste de los Estados Unidos.

CINTÉOTL (náhuatl): dios azteca del maíz, de *cintli*, "maíz".

CIPACTLI (náhuatl): dios azteca que representa al Monstruo Terrestre que tenía forma de cocodrilo. También es el primer día del calendario ritual.

COATLICUE (náhuatl): "La de la Falda de Serpientes", diosa azteca madre de Huitzilopochtli.

COCIJO (zapoteco): dios zapoteca de la lluvia.

COPAL: del náhuatl *copalli*, resina colectada del árbol *Bursera jorullensis* que se quema come incienso en gran parte de las ceremonias religiosas mesoamericanas.

COYOLXAUHQUI (náhuatl): "Pendientes sobre las Mejillas", diosa lunar azteca asesinada y desmembrada por su hermano Huitzilopochtli.

CUCHCABAL (maya): entidad política yucateca típica del Postclásico y de la primera etapa colonial, cuya traducción aproximada podría ser "provincia".

EHÉCATL (náhuatl): dios azteca del viento caracterizado por su máscara en forma de pico. Es una manifestación de Quetzalcóatl.

EXCAN TLATOLOYAN (náhuatl): "Tribunal de ias Tres Sillas", nombre de la Triple Alianza que reunía a los mexica de México-Tenochtitlán, a los acolhua de Texcoco y a los tepanecas de Tlacopan.

HAAB (maya): nombre del año solar.

HUITZILOPOCHTLI: "Colibrí del Sur", dios azteca de connotación solar y guerrera, eje del panteón mesoamericano.

HUNAB KU (maya): dios dual creador, eje del panteón maya.

HUNAPU (maya): nombre de uno de los gemelos protagonistas del Popol Vuh. Como su antecesor clásico Hun Ahau ("1 Señor"), es una representación del planeta Venus.

ITZAM CAB AIN (maya): "Monstruo Terrestre" maya con forma de iguana o cocodrilo, equivalente al Cipactli azteca; su versión clásica es el "Monstruo Cauac".

K'AWIL (maya): divinidad también llamada Bolon Dz'acab ("Nueve Generaciones"), asociada al maíz, a la sangre y al semen real, era una suerte de patrón de los soberanos mayas que aparecía representado en los cetros que empuñaban. Se distinguía por su larga nariz en forma de serpiente y porque una de sus piernas tenía también esa forma; de esta última característica y de su asociación con la lluvia proviene el otro nombre con el que se le conoce, Hun Racan ("Rayo de Una Pierna") –origen de la palabra española "huracán" e italiana "uragano"–; se le conoce también como Dios K.

KINICH AHAU (maya): "Señor del Ojo Solar", divinidad maya del Sol; conocido también como Dios G.

KUKULKÁN (maya): traducción en maya yucateco de Quetzalcóatl, "Serpiente Emplumada".

MACEHUALTIN (náhuatl): la parte de la población azteca que no pertenecía a la nobleza.

MAYA: nombre genérico (más correctamente mayance) con el que se designan las lenguas (antiguas y modernas) que conforman la familia lingüística del mismo nombre. Las principales lenguas mayas de las Tierras Bajas durante la época clásica fueron el maya chol y el maya yucateco.

MEXICA (náhuatl): nombe original de los aztecas, proviene del nombre de una divinidad tutelar llamada Mexi.

MICTLÁN (náhuatl): "mundo de los muertos", nombre azteca del mundo subterráneo de los difuntos.

MICTLANTECUHTLI (náhuatl): "Señor del mundo de los muertos", divinidad azteca que gobernaba el mundo de los difuntos, representado en forma de esqueleto.

MIXE-ZOQUE: familia lingüística que hoy incluye a las lenguas mixe, zoque y popoluca, difundida antiguamente en gran parte del Istmo de Tehuantepec.

MIXTECO: pueblo de lengua otomangue que habita principalmente la parte norte del estado de Oaxaca. El nombre es una palabra náhuatl que significa "Pueblos de las Nubes".

NAHUA: grupo de pueblos asentados en el centro de México, cuya lengua pertenece a la familia lingüística uto-azteca.

NÁHUATL: lengua hablada por algunos grupos nahua, entre ellos los aztecas.

OLMECA-XICALANCA: pueblo que a partir del Epiclásico ocupó algunas regiones de la costa del Golfo. A partir del primer término (derivado del náhuatl *Uhlmécatl*, "Pueblo de la Goma") los especialistas dieron nombre a los "olmecas" y lo aplicaron a la célebre cultura preclásica que nada tiene que ver con ese grupo étnico.

OLMECAS: nombre convencional de la cultura preclásica más célebre de Mesoamérica, probablemente atribuible a los grupos de lengua mixe-zoque.

OTOMANGUE: familia lingüística muy difundida en Mesoamérica y en México hasta nuestros días; entre las lenguas otomangue se cuentan, por ejemplo, el zapoteco y el mixteco.

OMETÉOTL (náhuatl): "Dios 2", divinidad dual suprema del panteón azteca.

OTOMÍ: pueblo de la región norte del centro de México, de lengua otomangue.

PAHUATÚN (maya): divinidad en forma de ancianos que sostenían las cuatro esquinas del universo.

PIPILTIN (náhuatl): nobles, en el universo azteca.

PITAO COZOBI (zapoteco): dios zapoteca del maíz.

QUETZALCÓATL (náhuatl): "Serpiente Emplumada", una de las deidades principales del panteón mesoamericano, asociado a Venus, a la creación de la humanidad, del maíz y del tiempo. Con este nombre también se designa al heroe cultural que era su representante terrenal.

SACBÉ (maya): "calzada blanca", calzada de terracería que unía varios asentamientos en Yucatán.

TABLERO: elemento de la arquitectura teotihuacana que consiste en un panel vertical delimitado por una cornisa cuadrangular que decora gran parte de las pirámides y que es sostenido por el talud.

TAJÍN (totonaco): dios totonaca de la lluvia y del trueno.

TALUD: elemento de la arquitectura teotihuacana que consiste en un muro inclinado, que lleva encima un tablero.

TECUHTLI (náhuatl): "Señor", nombre genérico que indica al gobernante o señor. En la época imperial azteca designaba al funcionario nombrado por el emperador encargado de la administración del *calpulli*.
TELPOCHCALLI (náhuatl): escuela que en el universo azteca se reservaba a los jóvenes que no pertenecían a la nobleza.
TEMAZCAL (náhuatl): baño de vapor, estructura común a muchos sitios mesoamericanos que funcionaba como sauna lanzando agua sobre piedras ardientes. El baño tenía valor ritual además de higiénico.
TENOCHTITLÁN (náhuatl): "Lugar en el que Abundan las Tunas sobre la Piedra", nombre de la capital del imperio azteca.
TEOCALLI (náhuatl); "Casa del Dios", nombre genérico del templo. El Huey Teocalli ("Gran Casa del Dios") era el Templo Mayor de Tenochtitlán.
TÉOTL (náhuatl): "Dios".
TEPANECAS: pueblo nahua asentado en el centro de México durante el Postclásico. Entre sus principlaes ciudades figuran Azcapotzalco y Tlacopan: los aztecas estuvieron sometidos a la primera a su llegada al Valle de México, la segunda formaba parte de la Triple Alianza.
TEZCATLIPOCA (náhuatl): "Espejo de Humo", divinidad azteca ligada al mundo oscuro, a la magia y a las fuerzas destructoras, opuesta a Quetzalcóatl. En su forma antropomorfa aparece representada con un espejo de humo en lugar de un pie, mientras en su forma animal es un jaguar.
TLAHUIZCALPANTECUHTLI (náhuatl): "Señor de la Casa del Alba", manifestación de Quetzalcóatl en su forma de Venus como Estrella de la Mañana.
TLÁLOC (náhuatl): dios azteca de la lluvia, heredero de la deidad teotihuacana análoga.
TLATLACOLIZTLI (náhuatl): especie de "esclavitud" que se contraía por deudas en el universo azteca.
TLATOANI (náhuatl): "Orador", nombre del soberano azteca y de las demás ciudades nahuas del centro de México.
TONALÁMATL (náhuatl): almanaque adivinatorio. Está compuesto por *tonalli*, término que incluye significados como "calor", "irradiación" o "día" (y que también designaba a una de las tres almas que tenía el hombre) y *amatl*, "papel de cortesa de árbol", y por lo tanto también, en traducción libre, "Libro de la Influencia de los Días".
TONALPOHUALLI (náhuatl): "Cálculo de los Días", nombre del calendario ritual de 260 días.
TONATIUH (náhuatl): dios azteca del Sol.
TZOLKIN (maya): "Cálculo de los Días", nombre con el que se designa al calendario ritual maya, por desconocerse cómo era llamado en la antigüedad.
TZOMPANTLI (náhuatl): rejilla en la que se colocaban los cráneos de los sacrificados.
UHLE (náhuatl): resina extraída del árbol de la goma, utilizada con distintos fines rituales y en la manufactura de las pelotas del juego de pelota.
WITS (maya): "Montaña", es el nombre de la Montaña Sagrada, en cuyo interior se halla el acceso al mundo subterráneo. En la iconografía maya, la Montaña Sagrada aparece representada de manera antropomorfa (Monstruo Wits).
XBALANQUE (maya): nombre de uno de los gemelos protagonistas del *Popol Vuh*; como su antecesor clásico Yax Balam ("Jaguar Verde"), simboliza al Sol.
XIBALBA (maya); "Lugar del Miedo", nombre maya del mundo de los muertos.
XIPE TOTEC (náhuatl): "El Desollado", dios azteca de la regeneración y de la primavera. Era representado cubierto con la piel de un sacrificado, atavío que usaban también los sacerdotes durante los rituales.
XIUHMOLPILLI (náhuatl): "Haz de los Días", haz de 52 cañas que simbolizaba el "siglo" mesoamericano y que era quemado durante la ceremonia del Fuego Nuevo. Un elemento bastante representado en la escultura azteca.
XIUHPOHUALLI: "Cálculo de los Años", nombre náhuatl del ciclo calendárico de 365 días.
XIUHTECUHTLI: "Señor del Año" o "Señor Precioso", dios azteca del fuego y patrón del centro del universo. Una figura a veces confundida con la de Huehuetéotl, "Dios Viejo", también señor del fuego y del centro del universo.
YUM KAAX (maya): dios maya del maíz, conocido también como Dios E.
ZACATAPAYOLLI (náhuatl): "pelota de paja", en la que se clavaban las espinas ensangrentadas utilizadas en el autosacrificio.
ZAPOTECA: pueblo de lengua otomangue asentado en el estado de Oaxaca.

Bibliografía básica

AA.VV., La pittura murale mesoamericana, Corpus Precolombiano, Jaca Book, Milán, 1999.
Adams, Richard E.W., Prehistoric Mesoamerica. Revised Edition, Oklahoma University Press, Norman, 1991.
Bernal, Ignacio y Mireille Simoni-Abbat, Le Mexique des origines aux Aztèques, Gallimard, París, 1986.
Blanton, Richard, Kowalewski, Stephen, Feinman, Gary y Laura Finstein, Ancient Mesoamerica. A Comparison of Change in Three Regions, Cambridge University Press, Cambridge, 1993.
Broda, Johanna, Carrasco, David y Eduardo Matos Moctezuma (eds.), The Great Temple of Tenochtitlan. Center and Periphery in the Aztec World, University of California Press, Berkeley-Los Angeles-Londres, 1987.
Bustos, Gerardo y Ana Luisa Izquierdo (eds.), Los Mayas. Su tiempo antiguo, Universidad Nacional Autónoma de México-Instituto de Investigaciones Filológicas, México, 1996, pp. 221-258.
Carrasco, David, Quetzalcóatl and the Irony of Empire. Myths and Prophecies in the Aztec Tradition, University of Chicago Press, Chicago, 1982.
Carrasco, David, Religions of Mesoamerica. Cosmovision and Ceremonial Centers, Waveland Press, inc., Illinois, 1990.
Caso, Alfonso, El pueblo del Sol, Fondo de Cultura Económica, México, 1953.
Clark, John E. (ed.), Los Olmecas en Mesoamérica, Citibank, México, 1994.
Davies, Nigel, The Aztecs. A History, Macmillan, Londres, 1973.
Flannery, Kent y Joyce Marcus, Zapotec Civilization. How Urban Society Evolved in Mexico's Oaxaca Valley, Thames and Hudson, Londres-Nueva York, 1996.
Freidel, David, Linda Schele y Joy Parker, Maya Cosmos: Three Thousand Years on the Shaman's Path, William Morrow and Company, Nueva York, 1993.
Gendrop, Paul y Doris Heyden, Architettura mesoamericana, Electa, Milán, 1980.
Gonzalez Licón, Ernesto, Zapotechi e Mixtechi, Corpus Precolombiano, Jaca Book, Milán, 1991.
Hammond, Norman, Ancient Maya Civilization, Rutgers, The State University of New Jersey, 1988.
Hill Boone, Elizabeth (ed.), The Aztec Templo Mayor, Dumbarton Oaks, Washington D.C., 1987.
Kubler, George, Art and Architecture of Ancient America, Penguin Books, Nueva York, 1984.
León Portilla, Miguel, Literaturas indígenas de México, MAPFRE-Fondo de Cultura Económica, México, 1992.
López Austin, Alfredo, Hombre-dios. Religión y política en el mundo náhuatl, UNAM, 2a edición, México, 1989.
López Austin, Alfredo, Breve historia de la tradición religiosa mesoamericana, UNAM-UIA, México, 1999.
López Austin, Alfredo y Leonardo López Luján, El pasado indígena, Colegio de México-Fondo de Cultura Económica, México, 1997.
López Austin, Alfredo y Leonardo López Luján, Mito y realidad de Zuyuá, Colegio de México-Fondo de Cultura Económica, México, 1999.
López Luján, Leonardo, Mastache, Guadalupe y Robert Cobean, Xochicalco e Tula. Gli altopiani delle guerre, Corpus Precolombiano, Jaca Book, Milán.
Manzanilla, Linda y Leonardo López Luján (eds.), Historia Antigua de México, 3 vol., INAH, UNAM-Porrúa, México, 1994.
Marcus, Joyce, Mesoamerican Writing Systems. Propaganda, Myth, and History in Four Ancient Civilizations, Princeton University Press, Princeton, 1992.
Marquina, Ignacio, Arquitectura Prehispánica, Instituto Nacional de Antropología e Historia, México, 1951.

Matos Moctezuma, Eduardo, The Great Temple of the Aztecs, Thames and Hudson, Londres-Nueva York, 1988.
Matos Moctezuma, Eduardo, Gli Aztechi, Corpus Precolombiano, Jaca Book, Milán, 1989.
Matos Moctezuma, Eduardo, Teotihuacan, Corpus Precolombiano, Jaca Book, Milán, 1990.
Miller, Mary Ellen y Linda Schele, The Blood of Kings: Dynasty and Ritual in Maya Art, Kimbell Art Museum, Fort Worth, 1986.
Miller, Mary Ellen y Karl Andreas Taube, The Gods and Symbols of Ancient Mexico and the Maya, Thames & Hudson, Londres, 1993.
Nalda, Enrique, Benavides, Antonio, De la Garza, Mercedes, Staines, Leticia y Eduardo Matos Moctezuma, Gli ultimi regni maya, Corpus Precolombiano, Jaca Book, Milán, 1998.
Olmedo, Bertina, De la Garza, Mercedes, De la Fuente, Beatriz y Maricela Ayala, I Maya classici, Corpus Precolombiano, Jaca Book, Milán, 1997.
Piña Chan, Román, Gli Olmechi, Corpus Precolombiano, Jaca Book, Milán, 1989.
Reents-Budet, Dorie, Painting the Maya Universe: Royal Ceramics of the Classic Period, Duke University Press, Durham y Londres, 1994.
Riefler Bricker, Victoria, The Indian Christ, the Indian King. The Historical Substrate of Maya Myth and Ritual, University of Texas Press, Austin, 1981. Trad. esp., El Cristo indígena, el rey nativo, Fondo de Cultura Económica, México 1989.
Sabloff, Jeremy, (vol. ed.), Supplement to the Handbook of Middle American Indians, vol. 1: Archaeology, Riefler Bricker Victoria, (gen. ed.), University of Texas Press, Austin, 1981.
Sanders, William y Barbara Price, Mesoamerica. The Evolution of a Civilization, Random House, Nueva York, 1968.
Schele, Linda y David Freidel, A Forest of Kings: The Untold Story of the Ancient Maya, William Morrow and Company, Nueva York, 1990.
Schele, Linda y Peter Mathews, The Code of Kings. The Language of Seven Sacred Maya Temples and Tombs, Simon & Schuster, Nueva York, 1998.
Schmidt, Peter, De la Garza, Mercedes y Enrique Nalda (eds.), I Maya, Bompiani Milán, 1998.
Sharer, Robert J., The Ancient Maya, Stanford University Press, Stanford, 1994. Trad. esp., La civilización maya, Fondo de Cultura Económica, 3a ed., México, 1998.
Tedlock, Dennis (ed.), Popol Vuh, 1996.
Thompson J., Eric S., The Rise and Fall of Maya Civilization, University of Oklahoma Press, 1954. Trad. esp., Grandeza y decadencia de los Mayas, Fondo de Cultura Económica, 3a ed., México, 1985.
Uriarte, María Teresa (ed.), El juego de pelota en Mesoamérica. Raíces y supervivencia, Siglo Veintiuno Editores, México, 1992.
Wauchope, Robert (gen. ed.), Handbook of Middle American Indians, 15 vol., University of Texas Press, Austin, 1965-1975.
Weaver Muriel Porter, The Aztecs, Maya and their Predecessors. Archaeology of Mesoamerica, Academic Press, Nueva York, 1993.

ÍNDICE

f = pie de foto

A

B

C

D

REFERENCIAS FOTOGRÁFICAS

Archivo White Star:
pág. 14, 16 arriba, 16 abajo, 99 izquierda abajo, 102-103.

Antonio Attini / Archivo White Star:
pág. 7, 8, 10 arriba, 10 abajo, 12 abajo, 13 arriba, 13 abajo, 18, 20 arriba, 22 izquierda, 23 izquierda, 28-29, 32 arriba, 32-33, 33 abajo izquierda, 33 abajo derecha, 34 arriba, 34 abajo, 34-35, 35 arriba, 35 al centro, 35 abajo, 36 arriba, 36 al centro, 36 abajo, 36-37, 37 arriba, 37 abajo izquierda, 37 abajo derecha, 39 derecha arriba, 40, 41 izquierda, 41 derecha, 42 arriba, 42 abajo, 42-43, 43 izquierda, 43 derecha arriba, 43 derecha abajo, 44, 46, 49 izquierda arriba, 49 izquierda abajo, 49 derecha arriba, 49 derecha abajo, 50, 51 arriba izquierda, 51 al centro, 52 arriba, 52-53, 53 izquierda arriba, 53 abajo, 54 arriba, 54-55, 54 abajo, 55 izquierda, 55 derecha, 56-57, 58 abajo izquierda, 58 abajo derecha, 58-59, 58 arriba izquierda, 59 arriba derecha, 60 izquierda arriba, 60 izquierda abajo, 60 derecha, 60-61, 61 abajo derecha, 68-69, 69 arriba, 69 abajo, 70 arriba, 70 abajo, 70-71, 71 abajo, 72 derecha arriba, 73 arriba, 73 abajo, 76-77, 78 arriba, 78 abajo, 78-79, 79 arriba, 79 abajo izquierda, 80 abajo, 80-81, 81 abajo izquierda, 84 arriba, 84-85, 85 abajo izquierda, 85 arriba derecha, 85 abajo derecha, 92 arriba, 92 abajo izquierda, 92 abajo al centro, 92 abajo derecha, 92-93, 93 arriba derecha, 94, 94-95, 104 arriba, 105, 112 izquierda, 112 derecha, 112-113, 113 abajo, 155 izquierda abajo, 180, 181 izquierda, 181 derecha, 183 abajo.

Massimo Borchi / Archivo White Star:
pág. 2-3, 79 abajo derecha, 80 arriba, 81 abajo derecha, 85 arriba izquierda, 90, 91, 96 abajo, 96-97, 97 izquierda arriba, 97 izquierda abajo, 97 derecha arriba, 97 derecha al centro, 97 derecha abajo, 98, 98-99, 99 derecha, 100 izquierda, 100 derecha arriba, 100 derecha abajo, 100-101, 101 arriba, 101 abajo, 102, 103, 104 abajo, 107 arriba, 107 abajo izquierda, 107 abajo derecha, 108 abajo izquierda, 108-109, 109 izquierda arriba, 109 derecha arriba, 109 derecha abajo, 110 abajo, 110-111, 114-115, 116 izquierda, 116-117, 117 abajo izquierda, 117 abajo al centro, 117 abajo derecha, 118, 118-119, 119 arriba, 119 abajo, 120 abajo, 120-121, 121 izquierda arriba, 121 izquierda abajo, 121 derecha arriba, 121 derecha abajo, 122 izquierda, 122 arriba derecha, 122-123, 123 izquierda arriba, 123 izquierda abajo, 123 derecha arriba, 123 derecha abajo, 126, 127, 128 izquierda arriba, 128 izquierda abajo, 128 derecha, 128-129, 129 arriba, 129 abajo, 130 arriba, 130-131, 131 abajo izquierda, 131 abajo derecha, 132 abajo izquierda, 132 abajo derecha, 132-133, 133 arriba, 133 abajo, 134, 135 izquierda arriba, 135 izquierda abajo, 135 derecha arriba, 135 derecha abajo, 138, 138-139, 144 arriba, 144 abajo, 144-145, 145 arriba izquierda, 145 arriba derecha, 146 abajo izquierda, 146 abajo derecha, 146-147, 147 arriba, 147 abajo, 148, 148-149, 149 izquierda arriba, 149 izquierda abajo, 149 derecha arriba, 149 derecha abajo, 152 arriba, 152 abajo, 152-153, 154 arriba, 154-155, 155 izquierda arriba, 155 derecha, 156 arriba, 156 al centro, 156 abajo, 156-157, 157 arriba izquierda, 157 arriba derecha, 157 abajo, 158 arriba, 158 abajo, 158-159, 159 arriba, 159 abajo, 160 abajo, 160-161, 161 arriba, 161 abajo, 162 izquierda, 162 derecha arriba, 162 derecha abajo, 162-163, 163 arriba izquierda, 163 arriba derecha, 164 arriba, 164 abajo, 164-165, 165 arriba, 165 abajo, 166 abajo izquierda, 166 abajo derecha, 166-167, 167 izquierda, 167 derecha arriba, 167 derecha al centro, 167 derecha abajo, 168 abajo izquierda, 168 arriba derecha, 168-169, 169 abajo izquierda, 169 abajo derecha, 170, 170-171, 171 abajo izquierda, 171 abajo derecha, 172 arriba, 172 abajo, 172-173, 173 izquierda arriba, 173 izquierda abajo, 173 derecha arriba, 173 derecha abajo, 174 arriba izquierda, 174 arriba derecha, 174 al centro, 174 abajo, 175, 176 arriba, 176 al centro arriba, 176 al centro abajo, 176 abajo, 176-177, 177 abajo, 178 arriba, 178 abajo, 178-179, 179 arriba izquierda, 179 arriba derecha, 179 al centro, 179 abajo izquierda, 179 abajo derecha, 182 arriba, 182 abajo, 182-183, 183 arriba, 183 al centro, 184 arriba, 184 abajo, 184-185, 185 izquierda arriba, 185 derecha arriba, 185 derecha abajo, 192.

Alberti/Index Firenze:
pag. 140 arriba.

The Bridgeman Art Library:
pág. 17, 19 arriba, 26.

Giovanni Dagli Orti:
pág. 1, 6, 9, 11, 12-13, 14-15, 19 abajo, 20-21, 21 derecha, 22 derecha, 26-27, 27 abajo, 48, 53 derecha, 68 abajo, 72 derecha abajo, 75, 76 izquierda, 99 izquierda arriba, 115, 130 abajo.

Oscar Alvarez De Fiz:
pág. 150 arriba, 150 abajo, 150-151, 151 arriba, 151 abajo.

R. Doniz:
pág. 38 abajo, 39 izquierda, 86 izquierda arriba, 86 izquierda abajo, 86 derecha, 87, 88, 89 izquierda, 89 derecha arriba, 89 derecha abajo.

E.T. Archive:
pag. 23 derecha.

Robert Frerck/Franca Speranza:
pag. 140 abajo.

Kenneth Garett:
pág. 101, 124 izquierda, 124-125.

Kenneth Garett/National Geographic Image Collection:
pag. 125 arriba.

Franck Lechenet/Hémisphères:
pág. 106-107.

John Mitchell/Alamy:
pag. 124 abajo.

Bruno Morandi/Franca Speranza:
pág. 142-143.

Tony Morrison/South American Pictures:
pág. 82 arriba, 82 abajo, 83 arriba, 136-137.

Marco Pacheco:
pág. 38-39.

Iain Pearson/South American Pictures:
pag. 143 arriba.

Scala Group:
pág. 24-25 abajo, 30-31, 45, 76 derecha.

Henri Stierlin:
pág. 39 derecha abajo, 51 abajo, 51 arriba derecha, 62 abajo, 62-63, 63 arriba, 63 abajo, 64, 64-65, 65 abajo, 66 izquierda arriba, 66 izquierda abajo, 66 al centro, 66 derecha, 67 arriba izquierda, 67 arriba derecha, 67 abajo, 82-83, 83 abajo, 136 derecha, 136 izquierda, 137 arriba, 137 abajo, 140-141, 141, 142 arriba, 142 abajo, 143 abajo.

Werner Forman Archive / Índice:
pág. 15 abajo, 24-25 arriba, 72 izquierda.

Los mapas y dibujos reproducidos en este volumen fueron realizados para White Star por:
Fabio Bourbon, Monica Falcone, Elena Tagliabò y Roberta Vigone.

La larga escalinata –típica de los templos mayas– conduce a la cúspide de la Pirámide del Mundo Perdido, en el sitio de Tikal (Guatemala), punto fundamental de la Ruta Maya.

Portada
El Chac Mool de la entrada del Templo de los Guerreros.
© Massimo Borchi/ Archivo White Star

Contraportada
superior izquierda
Reconstrucción del recinto sagrado de Tenochtitlán.
Ilustración
Archivo White Star

superior derecha
Escena de batalla que forma parte de las pinturas murales de Bonampak.
© Antonio Attini/ Archivo White Star

centro
Pirámide del Adivino de Uxmal.
© Massimo Borchi/ Archivo White Star

inferior
Panorámica de la plaza central deTikal.
© Massimo Borchi/ Archivo White Star